KB035604

걸프 사태

재외동포 철수 및 보호 2

쿠웨이트 및 이라크(2)

걸프 사태

재외동포 철수 및 보호 2

쿠웨이트 및 이라크(2)

| 머리말

걸프 전쟁은 미국의 주도하에 34개국 연합군 병력이 수행한 전쟁으로, 1990년 8월 이라크의 쿠웨이트 침공 및 합병에 반대하며 발발했다. 미국은 초기부터 파병 외교에 나섰고, 1990년 9월 서울 등에 고위 관리를 파견하며 한국의 동참을 요청했다. 88올림픽 이후 동구권 국교 수립과 유엔 가입 추진 등 적극적인 외교 활동을 펼치는 당시 한국에 있어 이는 미국과 국제 사회의 지지를 얻기 위해서라도 피할 수 없는 일이었다. 결국 정부는 91년 1월부터 약 3개월에 걸쳐 국군의료지원단과 공군수송단을 사우디아라비아 및 아랍 에미리트 연합 등에 파병하였고, 군·민간 의료 활동, 병력 수송 임무를 수행했다. 동시에 당시 걸프 지역 8개국에 살던 5천여 명의 교민에게 방독면 등 물자를 제공하고, 특별기 파견 등으로 비상시 대피할 수 있도록 지원했다. 비록 전쟁 부담금과 유가 상승 등 어려움도 있었지만, 걸프전 파병과 군사 외교를 통해 한국은 유엔 가입에 박차를 가할 수 있었고 미국 등 선진 우방국, 아랍권 국가 등과 밀접한 외교 관계를 유지하며 여러 국익을 창출할 수 있었다.

본 총서는 외교부에서 작성하여 30여 년간 유지한 걸프 사태 관련 자료를 담고 있다. 미국을 비롯한 여러 국가와의 군사 외교 과정, 일일 보고 자료와 기타 정부의 대응 및 조치, 재외동포 철수와 보호, 의료지원단과 수송단 파견 및 지원 과정, 유엔을 포함해 세계 각국에서 수집한 관련 동향 자료, 주변국 지원과 전후복구사업 참여 등 총 48권으로 구성되었다. 전체 분량은 약 2만 4천여 쪽에 이른다.

2024년 3월

한국학술정보(주)

| 일러두기

· 본 총서에 실린 자료는 2022년 4월과 2023년 4월에 각각 공개한 외교문서 4,827권, 76만 여 쪽 가운데 일부를 발췌한 것이다.

· 각 권의 제목과 순서는 공개된 원본을 최대한 반영하였으나, 주제에 따라 일부는 적절히 변경하였다.

· 원본 자료는 A4 판형에 맞게 축소하거나 원본 비율을 유지한 채 A4 페이지 안에 삽입 하였다. 또한 현재 시점에선 공개되지 않아 '공란'이란 표기만 있는 페이지 역시 그대로 실었다.

· 외교부가 공개한 문서 각 권의 첫 페이지에는 '정리 보존 문서 목록'이란 이름으로 기록물 종류, 일자, 명칭, 간단한 내용 등의 정보가 수록되어 있으며, 이를 기준으로 0001번부터 번호가 매겨져 있다. 이는 삭제하지 않고 총서에 그대로 수록하였다.

· 보고서 내용에 관한 더 자세한 정보가 필요하다면, 외교부가 온라인상에 제공하는 『대한 민국 외교사료요약집』 1991년과 1992년 자료를 참조할 수 있다.

| 차례

	정 리 보 존 문 서 목 록					
기록물종류	일반공문서철	등록번호	2020120196	등록일자		2020-12-28
분류번호	721.1	국가코드	XF	보존기간		영구
명 칭	걸프사태 : 재외동포 철수 및 보호, 1990-91. 전14권					
생 산 과	북미1과/중동1과	생산년도	1990~1991	담당그룹		
권 차 명	V.5 관련 공관에 대한 철수 협조 요청					
내용목차	* 쿠웨이트.이라크 공관 직원 및 가족, 동포 철수 관련 주변 및 관련 공관, 주재국에 대한 협조 요청 등 * 재외동포 철수 및 비상철수계획 수립 등					

0001

발 신 전 보

번 호 : WBH-0092   900808 1428 FC   종별 : 긴 급

WAE -0150   WTU -0374
WIR -0256   WJO -0145

수 신 : 주   수신처 참조   대사//총영사

발 신 : 장 관   (중근동)

제 목 : 이라크 및 쿠웨이트 아국 교민 긴급 철수

1. 이라크, 쿠웨이트 무력 사태 악화에 따라 미국 병력의 사우디 진입 및 UN의 대 이라크 제재 결의 등으로 인한 긴박한 상황이 전개됨에 따라 이라크 및 쿠웨이트 아국 교민(쿠웨이트 : 648명, 이라크 : 621명)을 공로 및 육로를 통해 주재국으로 긴급 대피 철수시키는 방안을 검토중임.

2. 상기 관련, 만일의 경우를 대비, 아국인이 안전하게 주재국에 대피 철수 되도록 주재국 정부와 사전 교섭 및 교민 접수 필요 자항에 대해 사전 만전을 기하기 바람. 끝.

1990 12. 31. 에 예고문에 의거 일반문서로 재 분류됨.

(중동아국장   이 두 복)

예 고 : 90. 12. 31. 일반

수신처 : 주 바레인, U.A.E 터어키, 이란, 요르단 대사

앙고재	90년 8월 8일 중근동과	기안자 성명		과 장		국 장 전철		차 관	장 관		보안통제	

외신과통제

0002

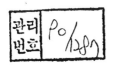

발 신 전 보

분류번호	보존기간

번   호 : WIT-0717 900808 1609 AO   종별 : 초긴급

수   신 : 주   수신처 참조   대사. 총영사

발   신 : 장 관   (중근동)

제   목 : 교민 보호

WJA -3347   WUK -1315
WFR -1512   WGE -1133
WND -0595   WPA -0377
WCA -0268

　　　　1. 현재 쿠웨이트 및 이라크와의 외부 출입이 전면 차단되어
쿠웨이트(648명)와 이라크(621명)에 있는 교민들의 안전이 위협을 받고 있음.

　　　　2. 이와 관련, 귀 주재국과 접촉 주재국 정부의 교민 보호 및 철수 대책호
방법을 지급 보고하는 한편 협조 가능성 여부도 파악 바람. 끝.

　　　　　　　　　　　　　　(중동아프리카국장   이 두 복)

수신처 : 주 이태리, 일본, 영국, 불란서, 서독, 인도, 파키스탄 대사
　　　　　　 및 주 카이로 총영사

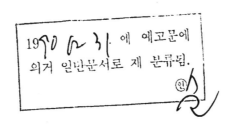

1990. 12. 31. 에 예고문에
의거 일반문서로 재 분류됨.

		보 안 통 제	

앙고재	90년 8월 8일 중근동과	기안자 성명 박중순		과 장		국 장		차 관	장 관	

외신과통제

0003

발 신 전 보

번 호 : WLY-0287   900808 1852 FC   종별 : 긴 급

수 신 : 주 수신처 참조   대사//총영사 (사본:주이라크 대사)

WTN -0135   WTH -0969
WPH -0060   WAE -0151
WJA -3354   WND -0596
WPA -0378   WBG -0205
WKU -0194

발 신 : 장 관   (중근동)

제 목 : 교민 보호

1. 현재 쿠웨이트와 이라크와의 외부 출입이 전면 차단되어 쿠웨이트(648명)와 이라크(621명)에 있는 교민들의 안전이 크게 위협을 받고 있는 상태임.

2. 이와 관련, 귀직은 귀지 이라크 대사와 접촉, 아국인의 보호와 안전 및 철수를 위하여 이라크 정부의 최대의 협조를 요청하는 한편, 여하한 경우에도 인명 피해가 발생해서는 안됨을 강조하고 결과 보고 바람.

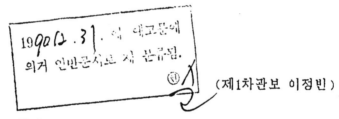
되도록 많은 수록 이락 정부의 강력한 협조를 요청하고 그

3. 또한 주재국 정부와 접촉하여 주재국 교민들의 철수 방법을 탐문, 보고하는 한편 협조 가능성 여부도 타진 바람.   끝.

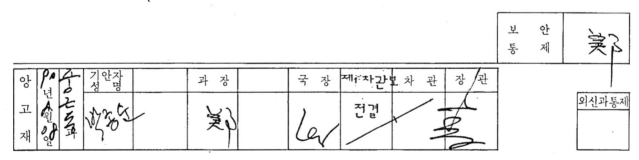

1990.12.31. 의 대고문에 의거 일반문서로 재 분류됨.

(제1차관보 이정빈)

예고 : 90.12.31. 일반

수신처 : 주 사우디, UAE, 일본, 인도, 파키스탄 대사
리비아, 튀니스, 태국, 말레이진

		보 안 통 제	

양 고 재	90 년 월 일	기안자 성명 박종연	과장	국장	제1차관보 차관	장관	외신과통제
					전결		

0004

원 본

관리 번호 PO/807

외 무 부

종 별 : 긴급

번 호 : PAW-0632

일 시 : 90 0808 1700

수 신 : 장관(중근동,아서)

발 신 : 주 파키스탄 대사

제 목 : 교민보호

대 WPA-377

1. 대호, 금 8.8(수) 주재국 외무성의 AKBAR KHAN 중동국장과 협의한바, 주재국은 쿠웨이트에 92,000 명, 이라크에 약 1 만명의 교민이 있어 귀국조치는 생각할 수 없고, 주재국이 이란, 이락 전쟁시 이란지지등으로 중동 국가중 이락과 가장 불편한 관계를 가지고 있어 현재 속수무책이며, 단지 당지 주재 이락대사 에게 동 교민들의 안전을 거듭요구하고 있는 상황이라 함. 동 지역 공관과의 교신도 겨우 무선을 통해 유지하고 있으나 극히 불편한 형편이라함.

2. 동 국장은 아국이 만일 제 3 국 협조를 구한다면 이락과 원만한 관계를 유지하고 있는 요르단, 예멘, 모리타니아를 고려할 수 있을것이라 함. 끝.

(대사 전순규-국장)

예고 90.12.31 까지

1990. 12. 31. 에 예고문에 의거 일반문서로 재 분류됨.

중근·아프리카국	193 . . .	처리 지침
공람	담당 과장 심의관 국 장	
		자료 보존
	도 그	비고
상		

중아국   차관   1차보   아주국   정문국   청와대   안기부

PAGE 1

90.08.08   22:23

외신 2과 통제관 DH

0005

원 본

관리
번호 : 90/806

외 무 부

종 별 : 긴급

번 호 : PAW-0636

일 시 : 90 0808 1830

수 신 : 장관(중근동, 아서)

발 신 : 주 파 대사

제 목 : 교민보호

대 WPA-378

1. 대호 관련, 본직은 금 8.8(수)1615 당지 이락 대사를 관저로 방문, 아국 체류자들의 신변보호와 안전철수를 위한 이락정부의 협조와 지원을 요청하고, 어떠한 경우에도 인명 피해가 없도록 특별조치하여 줄것을 요청하였음.

2. 이에 대해 동 대사는 금일중 본국에 보고하겠으며, 현재 이락내 외국인의 출국이 개방되어 있다고 언급하면서, 출국을 원하는 한국인들이 근로자인지 여부를 문의한 바, 본직은 자세히는 모르나, 근로자가 아니고 일부 상사직원 및 상인과 그들의 가족일 것이라고 답변하였음을 참고바람. 끝.

(대사 전순규-제 1 차관보)

예고: 90.12.31 까지

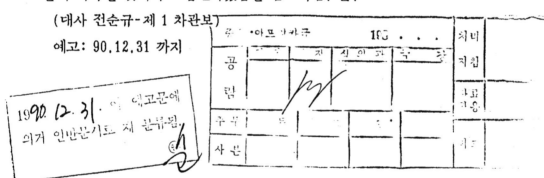

1990. 12. 31. 예고문에
의거 일반문서로 재 분류됨.

중아국   차관   1차보   2차보   아주국   정문국   청와대   안기부

90.08.08   22:50

외신 2과 통제관 DH

0006

원 본

관리 번호	PO/812

외 무 부

종 별 : 초긴급

번 호 : JAW-4917

일자 시 : 90 0808 2223

수 신 : 장관(중근동,아일,정일,영재)

발 신 : 주 일 대사(일정)

제 목 : 교민 보호

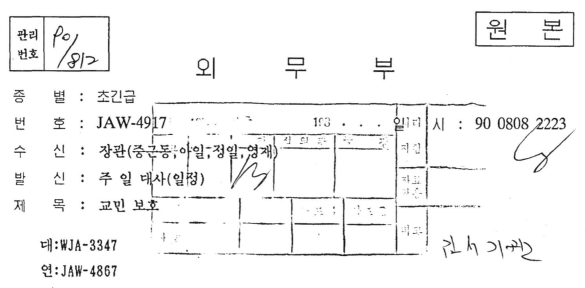

대:WJA-3347

연:JAW-4867

1. 대호 관련, 금 8.8. 당관 이준일 참사관이 일 외무성 영사이주부 히라오까 재외국민보호과장을 면담, 청취한 일측의 교민대책 설명내용을 하기 보고함.

　가. 쿠웨이트

　0 쿠웨이트 일본대사관과는 현재 전화는 불통이나 외무성과의 텔렉스 통신은 가동중

　0 쿠웨이트 잔류 일본인은 270 명인바, 8.7. 대사관의 집합공보에 따라 250 명이 대사관 지하 리셉션홀에 대피중이며, 20 명은 자택에서 칩거중

　- 대사관내에는 300 명을 기준으로 현재 10 일분 식량 비축

　0 일측으로서도 쿠웨이트 교민소개는 화급한 것으로 보고, 하기 철수방안의 가능여부를 놓고 내부적으로 은밀히 검토중.

　- 미국, EC 및 일본의 공동협의하에 국제적십자를 통해 이락에 교민철수 협조를 요청하는 방안.

　- 이라크와의 협의결과에 따라 일본항공기를 파견하는 방안.

　- 한편, 쿠웨이트 남부 사우디 국경지대의 카후지 (일본의 아라비아 석유회사 위치) 를 통해 2-3 명 정도씩은 국경지대를 월경하는 것이 가능한 것으로 보나, 현실적 방법은 아닌 것으로 사료.

　나. 이라크

　0 이라크에는 8.7. 밤 단기 여행객 73 명이 이라크 항공기를 이용, 요르단으로 피난하고, 22 명의 단체 여행객 또한 버스로 터키로 피난함으로써, 현재 여행객 40 여명을 포함, 약 400 명의 일본인이 체류 (이란 잔류 여행객 40 여명은 상기 이라크

중아국 안기부	장관 건설부	차관 노동부	1차보	2차보	아주국	정문국	영교국	정와대

PAGE 1

90.08.08　22:57

외신 2과　통제관 DH

0007

항공편 정보가 잘 전달되지 않은데 대해 대사관에 불만을 제기 하였다고 함.)

0 이라크의 상황은 쿠웨이트 보다는 시급을 요하지 않은 것으로 보고, 추이를 관찰중이며, 긴급 대피계획이 마련된 상태는 아님.

- 공항은 폐쇄지만, 이라크, 요르단 국경은 현재 버스가 운행중일 정도의 소통은 가능한 것으로 보고 있음.

- 그러나 일본의 경제제재조치에 따른 위험 감안, 교민들간에 비상연락망을 유지하고 식량, 연료등을 비축하도록 지시해 놓고 있음.

2. 한편, 히라오까 과장은 아국에 대한 협조 가능성에 대해 아국의 정식 요청이 없는 상태에서 구체적 검토는 어렵지만, 개인적 의견으로는 양국간에 유기적인 정보교환을 하면서, 가능한 협조방안을 모색하는 것이 중요한 것으로 본다고 언급 하였음. 동인은 협조방안의 하나로, 상기 일측이 내부적으로 검토중인 일본항공기 파견계획이 실현될 경우, 한국 항공기도 함께 파견하는 방안도 검토해 볼수 있을 것으로 생각되나, 이는 어디까지나 개인적 의견이라고 전제하고, 금일 당관의 협조 가능성 여부에 대한 문의에 대해서는 우선 내부에 보고, 일측사정을 알아 보겠다고 하였음. 끝.

(공사 김병연-국장)

예고:90.12.31. 일반

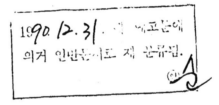

1990. 12. 31. 예고문에 의거 인반문서로 재 분류됨.

관리번호 PO/803

외 무 부

종 별 : 긴 급

번 호 : AEW-0214　　　　　　　　일 시 : 90 0808 1500

수 신 : 장관(중근동 정일,기정)

발 신 : 주 UAE 대사

제 목 : 이라크,쿠웨이트 사태(2)

　　1. 대호 사태와 관련 당지에서 확인 한바에의하면

　　가. 미국은 주재국을 포함 사우디(서부지역), 바레인, 카타르등에의 자국민여행 억제, 이지역 주재 정부 관계자의 감축 및 이들과 상사원의 가족 퇴거를 권고 하였다고함

　　나. 영국도 동일한 조치를 취하였다고하며

　　다. 일본은 일부 상사 주재원 (이도슈 및 닛쇼이와이) 의 가족 철수를 본사에서 지시하였다고함.

　　2. 당지에는 현재 652 명의 교민이 있으며 당관은 긴급 사태에 대비한 대비책을 강구 하고 있음.

　　3. 동 사태 이후 일시에 많은 미화가 반출됨으로 인하여 당지 은행 및 일반 환전상에서는 미화의 인출과 교환이 불가능한 상태이며 (단 해외 송금 및 TC 발급 허용) 일부에서는 식량 비축등 미세한 민심의 동요도 였보이는바, 당지에의 교민 철수계획에 참고바람.

　　(대사 박종기-국장)

예고 : PO. 12. 31.

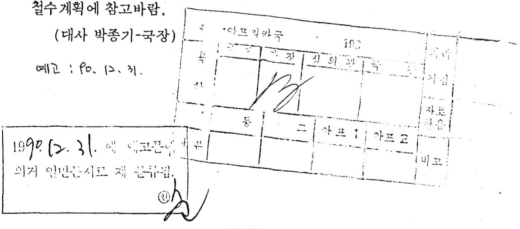

1990. 12. 31. 에 ....
의거 일반...시고 재 ...

중아국　　차관　　1차보　　2차보　　정문국　　청와대　　안기부

PAGE 1

90.08.09　　00:07

외신 2과 통제관 DH

0009

걸프사태 : 재외동포 철수 및 보호, 1990-91. 전14권 (V.5 관련 공관에 대한 철수 협조 요청)　15

원 본

관리번호 PO/814

외 무 부

종 별 : 긴 급

번 호 : ITW-0928   일 시 : 90 0808 1600

수 신 : 장관(중근동)

발 신 : 주 이태리 대사

제 목 : 교민보호

대:WIT-0717

대호건 금 8.8. 당관 황부홍공사는 주재국 외무성 PLAILA 담당관과 접촉한바 요지 아래 보고함.

1. 현재 이태리 국민은 쿠웨이트에 140 명, 이락에 300 명정도 있다고 함.

이태리정부는 이락 및 쿠웨이트 당국과의 접촉을 계속하고 있으며, 한편 현지 교민들이 이태리 대사관에 연락해 오기를 기다리면서 대기상태에 있다고 함.

2. 현지 이태리대사관은 자국민 철수계획을 준비, 이락당국과 계속 접촉을 시도하며, 이락당국의 허가를 기다리고 있다함.

3. 주재국 외무성은 현재 교민보호대책반을 설치 운영하고 있는바 EC 제국등 타국들과도 COORDINATING 을 시도하고 있으나 현재 각국들이 우선 현지 자국민 보호를 위해 각각 대책을 강구 시도하고 있는 실정이어서 현단계로서는 타국교민과 관련한 협조 가능성은 어렵게 본다고 함.

(대사 김석규-국장)

예고:90.12.31. 일반.

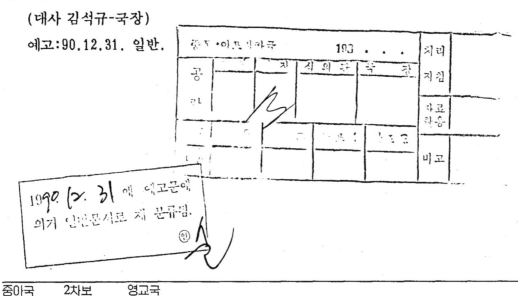

1990. 12. 31 에 예고문에 의거 일반문서로 재 분류됨.

중아국   2차보   영교국

90.08.09   00:29
외신 2과 통제관 DH

0010

관리	PO/
번호	/1305

외 무 부

종 별 :

번 호 : ITW-0929

일 시 : 90 0808 1600

수 신 : 장관(구일,중근동,기정,국방부)

발 신 : 주 이태리 대사

제 목 : 걸프전쟁 주재국반응

대:WIT-0717

1. 비엔나 KREISKY 오지리 전수상 장례식에 참석한 DE MICHELIS 외상은 8.7.
현지에서 독.불 외상등과 협의후, 이락, 쿠웨이트 사태와 관련 걸프문제에 유기적으로
대응하기 위해 정치협력 EC 외상회담을 소집하였음.

8.10 (금) 브랏셀에서 개최될 동 회담에서는 특히 이락 및 쿠웨이트에 체류중인 EC
시민의 안전문제가 논의될 예정이라함.

2. 현지에서 DE MICHELIS 외상은 주 이락 이태리대사를 통해 이락 및 쿠웨이트에
체류중인 EC 시민의 행동자유를 보장해줄것을 이락당국에 공식 요청하였음을
밝혔으며, 한편 외무성 BOTTAI 사무차관도 8.6. 주이태리 이락대사를 초치이락,
쿠웨이트에 체류중인 이태리인의 행동자유를 보장해줄것을 강력히 촉구하였음.

3. 이락 및 쿠웨이트에 체류중인 이태리인은 이락에 300 명, 쿠웨이트에 140명이라
하며 최근 쿠웨이트에서 취재중이던 이태리 ESPRESSO 시사주간지 기자 1명
(MR.FABIANI) 이 실종되었다 함.

(대사 김석규-국장)

예고 90.12.31. 까지.

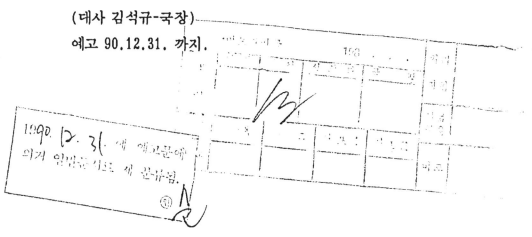

1990. 12. 31. 에 예고문에
의거 일반문서로 재 분류됨.

구주국 차관 1차보 중아국 정문국 청와대 안기부 국방부

관리
번호 PO
1304

원 본

외 무 부

종 별 : 지 급

번 호 : GEW-1339

일 시 : 90 0808 1730

수 신 : 장관(중근동, 영재)

발 신 : 주 독 대사

제 목 : 교민보호

대:WGE-1133

1. 대호 당관 김웅남 서기관이 CLAUSS 외무성 중근동 담당관을 접촉 주재국의 이라크, 쿠웨이트내 교민보호및 철수대책을 문의한바, 동인은 이라크에 500-600 명, 쿠웨이트에 300 여명의의 독일인이 거주하고 있다고 말하고 현재 주 이라크 공관을 통해 이라크 정부와 자국민 출국허용 교섭을 하고있으나 상금 이라크 정부는 이를 허용치 않고 있다함.

2. 동인은 또한 이라크정부가 자국민 출국을 허용할 경우에 대비 1 차적으로 요르단의 암만에 육로로 집결토록하고 암만에서 독일까지 특별수송기(LUFTHANSA) 를 이용 철수시키는 방안을 검토하고 있다고함

3. 한편, 아국교민의 보호및 철수협조문제와 관련 동인은 서독이 여타 EC 국가들과 보조를 같이하여 이라크 정부와 교섭하고 있음을 지적하며, 아측이 구체적으로 협조를 요청하면 이를 검토하겠다고 말했음.

(대사 신동원-국장)

예고:90.12.31. 까지

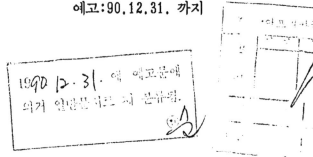

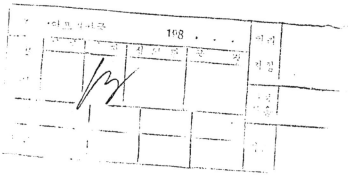

중아국   2차보   영교국

PAGE 1

90.08.09   01:42

외신 2과 통제관 DH

0012

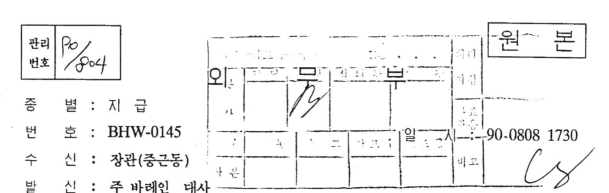

관리번호 PO/804

종   별 : 지 급
번   호 : BHW-0145
수   신 : 장관(중근동)
발   신 : 주 바레인 대사
제   목 : 이라크 및 쿠웨이트 아국 교민 긴급 철수

일 시 : 90-0808 1730

원   본

대:WBH-0092

1. 당지의 현존 수용능력은 910 명 (영진:60 명, 현대:550 명, 대우:300 명) 인바, 긴급 철수인원 1,269 (648621) 전원 동시 도착시에도 천막등을 사용하면 수용능력은 충분할 것으로 판단됨. 910 명분의 기존 시설 활용에 관하여는 이미 조치되어 있음.

3. 가족 동반자는 당지 거주자 가정에 분산 배치 예정이며, 자녀들은 당지 체재중 당지 한국학교에 잠정 등교토록 조치하겠음.

4. 실제로 대상인원 전원이 당지로 철수하고 체류의 장기화가 예상되는 경우 에는 적시에 다음을 지원바람.

가. 현존 수용능력을 초과하는 359 명을 수용할 수 있는 천막과 침구

나. 의사 2 명의 잠정 파견(현대 및 영진에 의무실 있음)

다. 관련 기업이 제공한 식량등의 필수경비 보상 방안 하달

5. 주재국 내에서의 수송수단은 당지 진출 기업의 협조로 확보되어 있음

6. 주재국 정부와의 사전 교섭은 즉시 개시하겠음. 끝.

(대사 우문기-국장)

예고:90.12.31 일반

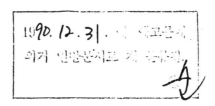
1990. 12. 31.
의거 일반문서로

중아국   2차보

90.08.09   02:00
외신 2과 통제관 DH
0013

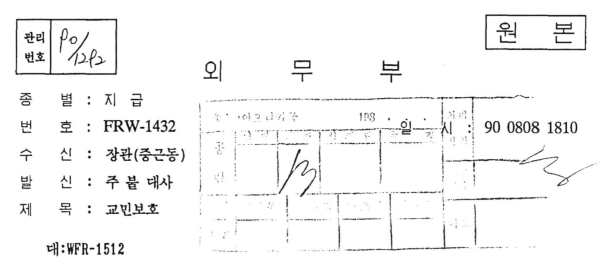

관리번호 PO/1212

원 본

종 별 : 지급
번 호 : FRW-1432
수 신 : 장관(중근동)
발 신 : 주 불 대사
제 목 : 교민보호

일시 : 90 0808 1810

대:WFR-1512

　1. 주재국 이무부 RENAUD FABRE 이라크 담당관에 의하면, 현재 쿠웨이트 주재 자국교민 250 여명과 이라크 주재 교민 200 여명이 아직까지는 신변안전에 위협을 느낄정도의 상황이 아닌것으로 판단되어 구체적인 교민 소개 계획을 세우지 않고 있음.

　다만 이라크 정부 당국에 자국교민 나아가서 유럽 교민들의 자유로운 출국을 위한 보장 조치를 요구하고 있고 이라크 당국은 이를 받아들이지 않고 있는 상태라 함. 철수하는 경우는 현지 생활근거가 취약한 교민부터 우선 대상으로 할것이라 함.

　2. 동 담당관은, 현재로서는 요르단을 경유하는 육로교 이용, 출국할수 있는 방편도 묵시적으로 허용되고 있는것으로 관측되고 있을뿐 아니라, 조만간에는상황이 호전될 것으로 낙관하나, 만일 상황이 악화될 경우에는 교민보호 내지 철수 문제에 정보교환 포함, 상호 협조할수 있음을 첨언하였음. 끝.

　(대사 노영찬-국장)

　예고:90.12.31. 까지

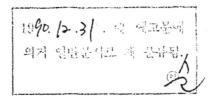

1990. 12.31. 에 예고문에 의거 일반문서로 재 분류됨.

중아국　　2차보　　　영교국

PAGE 1

90.08.09　02:39
외신 2과　통제관 DH

0014

20　걸프 사태 재외동포 철수 및 보호 2: 쿠웨이트 및 이라크(2)

관리	f0/
번호	bf1

원　본

외　무　부

종　별 : 초긴급

번　호 : UKW-1477　　　　　　　　　　일　시 : 90 0808 1810

수　신 : 장관(중근동,구일)

발　신 : 주 영 대사

제　목 : 걸프사태(교민보호)

대 WUK-1315

　　1. 걸프사태관련 국별정세와 영국인에 대한 체류국가별 행동지침에 관해서는 FAX
로 송부하는 외무성 대변인 발표를 참조바람.

　　2. 대호 외무성 관계관과 접촉한바, 동인은 자국인의 철수여건이 조성될 경우에
대비하여 전세기 (CHARTER FLIGHT) 의 확보방안을 강구하고 있다고 하며, 교민보호를
위한 협조 가능성에 관해서는 주재 대사관간의 현장에서의 협조가 중요한 것으로
보므로 필요시 대사관간에 접촉해 주기바란다고 함. 끝.

　　(대사 오재희-국장)

　　예고:90.12.31 까지

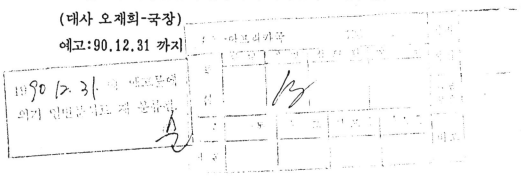

중아국　　　차관　　　1차보　　　2차보　　　구주국　　　정문국　　　청와대　　　안기부

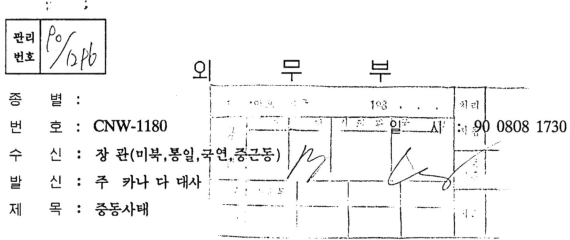

판리
번호 Po/DPb

외 무 부

종   별 :

번   호 : CNW-1180

수   신 : 장 관(미북,봉일,국연,중근동)

발   신 : 주 카 나 다 대사

제   목 : 중동사태

시 : 90 0808 1730

  조공사는 8.8. 외무부 FRASER 정보국장을 면담하고, SVOBODA 유엔 과장을 오찬에 초청 중동 사태에 관해 의견을 교환했는바, 양인의 언급 내용중 참고사항은 다음과 같음.

  1. 페르샤만과 홍해에서의 BLOCKADE 가 어렵지 않으므로 이락 및 쿠웨이트산 원유 금수조치는 그 시행이 용이할 것으로 보이며 이락과 쿠웨이트에 대한 무역 봉제도 주변국(터키, 이란, 시리아등)에서 육로 이용등 방법으로 이락을 특별히 도와줄것같지 않으므로 큰 문제가 되지 않을 것으로 봄. 다만, 욜단에서 자국항구와 육로를 이락이 이용하도록 도와줄 가능성은 없지 않으나 미국, 카나다,EC 제국, 일본, 스위스등의 적극적인 참여에 비추어 안보리의 집단 경제제재 조치는 실효를 거둘수 있을 것으로 봄.

  2. 이란과의 전쟁 종결후 얼마 않되어 다시 예비군을 재소집하는데 대해 이락 국민간에 불만이 있다는 대사관 보고가 있었고, 또 앞으로 경제 제재조치에 따른 생필품의 부족현상에 대해 국민의 불만이 있을 것으로 예상되나 이락의 무자비하고 유능한 보안군이 이러한 대중의 불만을 철저하게 봉제할 것이므로 훗세인 대통령에 대한 이락내 불만세력의 규합은 어려울 것으로 보임.

  단, 훗세인대통령이 눈에뛰는 실수를 할 경우 군부등 이락 지배층의 반란 가능성은 배제할수 없음.

  3. 쿠웨이트에서의 단기간내에 이락이 철수할 가능성은 적으며 점령 상태가장기화 될것으로 보임. 아랍권내에는 강력한 아랍 지도자의 츨현을 바라는 경향이 있고 쿠웨이트 왕족의 치부에 대해 불만스럽게 생각하는 사람도 많으므로 아랍권의 훗세인 대통령의 평가와 지지도는 미국측의 평가와는 크게 다르다는 점을 참작할 필요가 있음.

미주국	장관	차관	1차보	2차보	중아국	국기국	통상국	정문국
청와대	안기부							

PAGE 1

90.08.09   08:12

외신 2과 통제관 CW

0016

4. 이락측은 쿠웨이트에 있는 외국인을 바그다드로 이송, 그곳에서 출국하게 하는것으로 보이는바, 앞으로 이락측이 미국인, 영국인을 볼모로 잡아들 가능성은 없지 않으나 여타 외국인은 모두 출국시킬것으로 보이므로 카나다는 이 문제에 관해 크게 우려하지 않고 있음. 끝

(대사 - 국장)

예고문 : 90.12.31. 까지

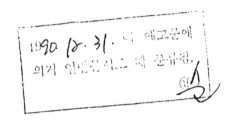

관리
번호 10 1308

원 본

외 무 부

종 별 : 지급

번 호 : PHW-1116

일 시 : 90 0809 1710

수 신 : 장관(중근동,아동)

발 신 : 주 필리핀 대사

제 목 : 이락.쿠웨이트분쟁에 따른 아국교민보호대책

대: WPH-0660

1. 본직은 8.9(목)당지 ALI SUMADA 이락대사를 동인관저에서 면담하고 대호아국교민 안전을 위한 이락정부의 협조를 요망하였음.

2. 상기 대사는 아국의 뜻을 본국정부에 기꺼이 전달하겠다고 하였으며, 현재 아국인의 피해가 있느냐고 관심을 표명하였음. 또한 동대사는 쿠웨이트 주재아국인이 철수할 경우 이락으로 돌아가 요르단을 거쳐 귀국하는 것이 안전할것이라고 하였음.

3. 동대사는 또한 현재 쿠웨이트 사태는 진정되었으며, 쿠웨이트는 원래 이락영토의 일부이고 이를 병합하는 것은 당연하다고 주장하고 미국은 이스라엘의 팔레스타인 점령시 유엔에서의 이스라엘 규탄결의에 거부권을 행사하다가 이락의당연한 쿠웨이트 병합에 군사적 위협을 가하는 것은 공평한 합의가 아님을 역설하고 추후 미국이 이번 사태에 군사적으로 개입하는 것은 사태를 악화 시킬뿐이라고 주장하였음. 끝

(대사노정기-국장)

예고:90.12.31 (일반)

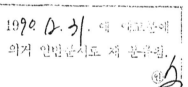

1990. 12. 31. 에 ....
의거 ..... 함.

중아국   차관   1차보   2차보   아주국   청와대   안기부

90.08.09   18:44

외신 2과 통제관 BT

0018

관리
번호 PO/818

원 본

외 무 부

종 별 :

번 호 : TUW-0529   일 시 : 90 0809 1258

수 신 : 장관(중근동,구이)

발 신 : 주 터 대사

제 목 : 이라크 및 쿠웨이트 아국 교민 긴급철수

대: WTU-0373, 0374

8.9 소직은 ALTAN GUVEN 외무부 영사국 부국장을 면담, 대호에 관하여 협의,아래보고함.

1. 주이라크 터키대사 보고에 의하면, 금 8.9 또는 명일중 바그다드주재 각국 대사관에 공동으로 이라크 외무성에 메모란덤을 발송, 각국 교민의 안전, 출국허용등에 관한 이라크 정부의 보장을 요구할 예정이라고하며, 동 협의에 참가한국가명은 아래와 같다함.(EC 회원국, 오지리, 카나다, 핀랜드, 동독, 서독, 뉴질랜드, 놀웨이, 스위스, 스웨덴, 터키, 미국, 일본, 소련, 브라질)

2. 주재국 정부는 이미 각 공항및 항구등 국경지역 사무소에 이라크및 쿠웨이트로 부터 철수하는 각국 국민에 대하여 모든 편의를 제공해주도록지시 하였으므로 아국인이 터키로 대피할 경우 문제가 없을것이라고 하였음.

3. 주재국은 이라크에 약 4,000 명, 쿠웨이트에 3,000 명의 근로자가 있으나 긴급 대피문제는 현재 고려하지 않고 있는것으로 관찰되며, 이라크에는 어떠한 LOGIC 도 성립되지 않아 사태 발전을 예견하기가 어려운 상태라함. 상기인은 이라크가 외국인을 외교관, 노동허가를 받은 장기체류허가 외국인, 1 개월 미만의 단기사증 소유 외국인으로 구분, 현재 1개월 미만 사증소유 외국인만을 일부 출국 허용하고 있는것으로 관찰되고 있다고 하면서 장기체류 사증을 받은 사람은 여권을 이라크 관계당국에 보관시켜 놓은 상태이므로 현지 주재 대사관이 새 여권을 발급, 출국사증을 받지 않는한 출국이 어려운 실정이라고 하였음.

(대사대리 민병규-국장)

예고:90.12.31. 일반

1990. 12.31 . 에 예고문에
의거 일반문서로 재 분류됨.

중아국   차관   1차보   2차보   구주국   청와대   안기부

원 본

관리 번호	P0/820

외 무 부

종 별 : 긴 급

번 호 : JAW-4941

수 신 : 장관(중근동,아일,정일,구일,영재)

발 신 : 주 일 대사(일정)

제 목 : 교민보호

일 시 : 90 0809 1821

즉시)장관에게 보고로
홍보 (서명)

대: WJA-3347

연: JAW-4917

1. 대호 관련, 당관 이준일 참사관은 금 8.9(금) 일 외무성 영사이주부 무또 외국인과장 (외무성내 중동사태 상황실 근무중)을 면담 하였는바, 일측의 교민대책 관련 8.8. 에 이은 추가 설명내용 다음 보고함.

가. 일정부는 재외공관을 통해 사우디내 동북지역 거주 교민들에게는 가급적 서부지역으로 피신하거나, 출국하도록 권고하고 있으며, 카타르, 바레인, UAE거주 교민들에게는 만약의 사태에 대비 하도록 지도하고 있음.

나. 가따꾸라 주이라크대사는 이라크 영사국장을 면담, 이라크 거주 일본교민들의 안전 및 철수에 따른 이라크 정부의 협조를 요청하였는바, 동국장의 반응은 호의적으로 검토 하겠다는 정도 였음.

다. 작 8.8. 일 외무성은 연호 국제적십자를 활용한 방안과 별도로 일본항공(JAL)과 항공기 파견문제에 관해 협의, 쿠웨이트 공항이 재개되는 경우, 즉시 항공기 파견이 가능토록 JAL 기를 비상대기 시키기로 하였음. (JAL 측에서는 현재보잉 747 또는 DC-10 기의 쿠웨이트 파견을 검토중이라 함).

라. 한국측에서도 쿠웨이트 공항이 재개되는 대로 항공기를 부입, 교민들을철수시킬수 있도록 비행기를 비상대기 시키는 것이 좋을 것으로 보이며, 공항재개등 현지상황에 관해서는 상호 수시로 정보를 교환하기를 희망함.

2. 한편, 무또과장은 교민보호 및 철수관련, 한. 일간 협조에는 원칙적으로찬성하나, 구체적인 협조사항에 대하여는 지금부터의 사태발전에 따라 윤곽이 나타날 것으로 본다고 말하고, 일본으로서는 하기 3 항 EC 요청에 대한 이라크의반응을 보아가면서 대처방침을 수립해 나갈 계획임을 언급함.

중아국 안기부	차관	1차보	2차보	아주국	구주국	정문국	영교국	정와대

3. 무또 과장은 금 8.9.(현지시각) 주이라크 이태리 대사대리가 EC 회원국 12개국을 대표하여 이라크 외무성측에 아래 요지의 요청서를 전달할 예정이라고 알려왔음.(상기 영문 요청서 전문 별전 타전).

가. EC 회원국은 이라크 정부가 취한 이라크내 외국인에 대한 제한조치와 쿠웨이트 거주 외국인들의 안전이 위협을 받고 있는 상태에 대해 심심한 우려의 뜻을 표함.

나. EC 회원국은 이라크정부가 다음 조치를 취할것을 지급 촉구함.

1) 이라크거주 EC 회원국 국민들이 그들의 희망에 따라 출국할수 있도록 허가할것.

2) 쿠웨이트 잔류 EC 회원국 국민들의 조속한 출국을 위해 쿠웨이트 공항을 빠른시일내 일시 재개하고, 그 경우 항공기, 승객, 승무원들의 안전을 보장할것.

3) 쿠웨이트 및 이라크내에서 현재 행방불명된 자들의 소재와 처우에 관해 충분한 정보를 제공할것.

다. 상기 요청내용은 미국, 일본, 호주, 오지리, 캐나다, 핀랜드, 동독, 뉴질랜드, 노르웨이, 스웨덴, 스위스, 터키등 12 개 국가도 적극 지지하고 있음.

첨부: 상기 영문요청서 전문 1 부.끝.

(공사 김병연-국장)

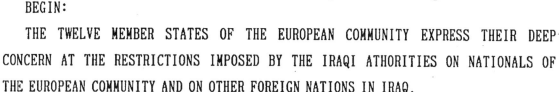

예고: 90.12.31. 일반

-첨부-

BEGIN:

THE TWELVE MEMBER STATES OF THE EUROPEAN COMMUNITY EXPRESS THEIR DEEP CONCERN AT THE RESTRICTIONS IMPOSED BY THE IRAQI ATHORITIES ON NATIONALS OF THE EUROPEAN COMMUNITY AND ON OTHER FOREIGN NATIONS IN IRAQ.

IN PARTICULAR THE COMMUNITY VIEW AS UNACCEPTABLE THE RESTRICTIONS PREVENTING THEM LEAVING THE COUNTRY WHETHER THEY ARE HOLDERS OF VISITORS' VISAS OR RESIDENTS.

SOME HUNDREDS OF EUROPEAN COMMUNITY NATIONALS, INCLUDING A GREAT NUMBER OF WOMEN AND CHILDREN, ARE COMPELLED TO REMAIN HERE IN IRAQ AGAINST THEIR WILL. MOST OF THESE PEOPLE CAME HERE IN ORDER TO STRENGTHEN RELATINS BETWEEN THE EUROPEAN COMMUNITY COUNTRIES AND IRAQ.

FURTHERMORE, THE MEMBER STATES ARE DEEPLY CONCERNED ABOUT THEIR NATIONALS

PAGE 2

WHO HAVE BEEN BROUGHT FROM KUWAIT TO IRAQ AGAINST THEIR WILL AND ARE STAYING IN HOTELS IN BAGHDAD OR ELSEWHERE UNDER THE CONTROL OF THE IRAQI AUTHORITIES, AND ARE NTO ALLOWED TO LEAVE THEIR HOTELS OR CONTACT THEIR EMBASSIES WHEN THEY WISH. THEIR PASSPORTS HAVE, IN MOST CASES BEEN TAKEN FROM THEM BY THE IRAQI AUTHORITIES.

IN ADDITION, THE TWELVE MEMBERS STATES ARE INCREASINGLY CONCERNED AT THE STATEMENT IMPLYING THREATS TO THE SECURITY OF FOREIGNERS RESIDING IN KUWAIT AND AT THE IMPOSITION OF MEASURES RESTRICTION THEIR FREEDOM OF MOVEMENT, ESPECIALLY THEIR RIGHT TO LEAVE THE COUNTRY AS THEY WISH.

THE TWELVE MEMBERS OF THE EUROPEAN COMMUNITY URGENTLY REQUEST THE IRAQI GOVERMENT TO TAKE THE FOLLOWING STEPS:

A. TO ALLOW THE NATIONALS OF THE EUROPEAN COMMUNITY TO LEAVE IRAQ AS THEY WISH, INCLUDING THOSE NATIONALS WHO HAVE BEEN FORCIBLY BROUGHT TO IRAQFROM KUWAIT AND ARE STAYING IN HOTELS IN BAGHDAD OR ELSEWHERE EITHER BY LAND ROUTE TO JORDAN OR TURKEY, OR BY AORLIFT FROM SADDAM INTERNATIONAL AIRPORT OR BOTH.

B. TO ARRANGE FOR THE TEMPORARY REOPENING OF KUWAIT AIRPORT TO ENABLE THE EARLIEST DEPARTURE OF THOSE EUROPEAN COMMUNITY NATIONALS WHO WISH TO LEAVE. THE EUROPEAN COMMUNITY STATES ALSO REQUEST THE FIRM ASSURANCES OF THE IRAQI AUTHORITIES THAT THEY WOULD GUARANTEE THE SAFETY OF AIRCRAFT, PASSENGERS AND CREW FOR THIS PURPOSE. THEY WOULD BE GRATEFUL IF THIS COULD BE ORGANISED AS SOON AS POSSIBLE, WITH MOVEMENT BEGINNIGN BY THE END OF THIS WEEK.

C. TO PROVIDE FULL INFORMATION ON THE WHEREABOUT AND WELLBEING OF THEIR OWN NATIONALS MISSING IN KUWAIT AND IRAQ.

THESE REQUESTS ARE FULLY SUPPORTED BY THE REPRESENTATIVES OF THE FOLLOWING COUNTRIES AS FAR AS THEIR NATIONALS ARE CONCERNED:

U.S.A

AUSTRALIA

CANADA

FINLAND

GERMAN DEMOCRATIC REPUBLIC

PAGE 3

0022

JAPAN
NEW ZEALAND
NORWAY
SWEDEN
SWITZERLAND
TURKEY.
-END-

0023

원 본

관리 번호	PO/817

외 무 부

종 별 : 지 급

번 호 : JAW-4942

일 시 : 90 0809 1822

수 신 : 장관(중근동,영재)

발 신 : 주 일 대사(일정)

제 목 : 교민보호

　　대 : WJA-3354

　　대호 관련, 당관 김병연공사는 금 8.9(목) 당지주재 AL-RIFAI 이락대사와 접촉, 대호 아국 교민보호 관련 협조를 요청한바, 동 대사는 취지는 알겠으나, 주한 이락크 대사대리 또는 주이라크 한국대사관을 통하여 협의함이 좋을것이라는 반응을 보였음을 보고함. 끝

　　　(대사 이원경-제 1 차관보)

　　　예고 : 90.12.31. 일반

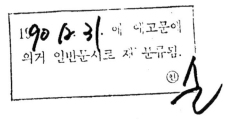

　1990.12.31. 에 예고문에 의거 일반문서로 재 분류됨.

종아국　　1차보　　2차보　　영교국　　청와대　　안기부

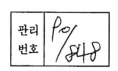
외 무 부

종 별 : 지 급

번 호 : THW-1211

일 시 : 90 0809 1800

수 신 : 장 관(중근동)

발 신 : 주 태국 대사

제 목 : 교민보호

　　8.9 오후 본직은 당지 이락대사 MONIR SHIHAB AHMED AL-BAYATI 와 접촉, 대호 지시에 의거 협조 요청한바, 동인은 동건 최대로 보장토록 하겠으며 본직의 요청도 즉시 본국 정부에 보고 하겠다고 하였음.

　　(대사 정 주년-제 1 차관보)

　　예고 : 90.12.31. 일반

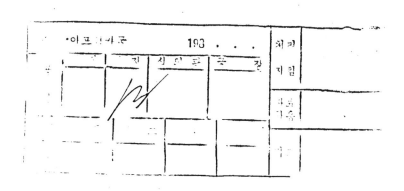

중아국　　차관　　1차보　　2차보　　정와대·　안기부

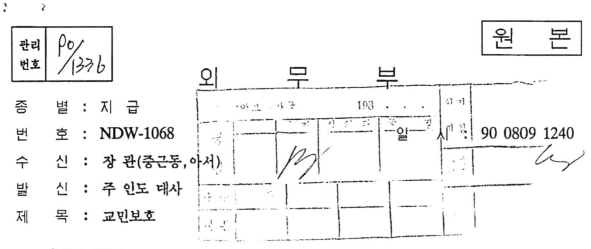

원 본

관리
번호 : PO/1376

종 별 : 지 급
번 호 : NDW-1068
수 신 : 장 관(중근동,아서)
발 신 : 주 인도 대사
제 목 : 교민보호

외 무 부

90 0809 1240

대:WND-0595

대호 관련, 본직은 금 8.9(목) 주재국 외무부 FABIAN 걸프지역 국장을 면담하였는바, 동요지 아래 보고함. (김원수 서기관 배석)

1. 본직이 금번 사태와 관련한 아국교민들의 안전문제를 설명하고, 인도의 교민 보호대책을 문의한데 대해 FABIAN 국장은 다음과 같이 답변함.

가. 쿠웨이트에는 172,000 명, 이락에는 9,000 명 정도의 인도인이 있으나, 인도 정부로서는 현지대사를 통해 자체 안전대책을 시행토록 하고 있는 이외에 현시점에서 별다른 대책을 계획하고 있지 않음.

나. 현재의 상황이 위기이고 사태의 변화가 빠르기 때문에 일부 쿠웨이트 거주 현지교민들이 동요하고 있는 것이 사실이나 (대부분은 정착된 상황에 있는 사람들이기 때문에 교민 자신들이 철수에 관심이 크지 않다고 볼수 있음) 철수등 비상대피가 즉시 필요할 만큼 나쁘다고 보이지는 않음. 또한 현시점에서 철수계획 운운하게 되면 현지교민들에 오히려 불필요한 공포와 혼란을 가중시킬 우려도 있으므로 계획수립등에 신중을 기하여야 한다고 생각하고 있음.

다. 인도 외무부는 유사시에 대비, 선박, 항공기등에 의한 가능한 비상대피계획을 검토해 줄것을 관계부서에 작일 의뢰하였으나 상금 구체적인 계획을 회보받지 못하고 있음.

라. 현지의 텔렉스및 전화등 모든 통신수단의 두절로 현지대사관과의 교신에 큰 애로를 겪고 있으나, 작일 주쿠웨이트 대사는 주사이프러스 대사관을 통해 현재 인도교민이 모두 무사하다는 보고를 간접적으로 보내왔음.

2. 한편, FABIAN 국장은 이락의 쿠웨이트 합병에 대해서 상금 인도정부의 공식 논평은 없다고 하면서 인도로서는 서둘러서 입장표명을 하지 않을 것임을 시사

중아국   차관   1차보   2차보   아주국   청와대   안기부

PAGE 1

90.08.09   21:55
외신 2과   통제관 DL
0026

하였는바, 인도정부는 대이락 관계등을 감안, 금번사태에 신중한 대응입장을 견지할
것으로 예상됨.

1)이락은 71 년 3 차 인.파전 이후 독립한 방글라데시를 최초로 승인한 국가중
하나이며, 최근의 이슬람회의기구 외상회의등에서도 카시미르문제 관련, 인도의
입장을 거의 유일하게 지원해 주는등 인도의 대회교국가및 아랍권 외교에 있어 중요한
우방국 역할을 해왔음.

2)또한 인도의 이락및 쿠웨이트로 부터의 원유수입 물량은 전체 수입량의 40%
이상을 차지하고 있고 쿠웨이트거주 인도인은 중요한 외화가득원이 되어 왔기 때문에,
당지에서는 경제적인 측면에서 금번사태가 미칠 영향에 대해서도 매우 우려하는
분위기임.

(대사 김태지-국장)

예고:90.12.31. 일반

원 본

관리
번호 PO/1324

외 무 부

종 별 :

번 호 : CAW-0503

일 시 : 90 0809 1840

수 신 : 장 관(중근동, 영사)

발 신 : 주 카이로 총영사

제 목 : 교민보호

대:WCA-0268

　　대호 관련 당관은 주재국 외무성 SHERIF MURARGIH 국장을 접촉하였는바, 결과 아래
보고함.

　　1. 주재국 정부는 금번 사태발생 즉시 주이락및 쿠웨이트 공관에 훈령, 양국에
거주 또는 취업중인자의 신변안전 보호를 지시했으며, MEGUID 외상은 8.7. 이락대사를
초치, 쿠웨이트에 있는 이집트 국민보호를 요청하였다함.

　　2. 현재 이락에는 약 1 백만명, 쿠웨이트에는 약 12 만명의 주재국인이 체류하고
있는바, 주재국은 이락 체류 자국민에 대해서는 정부차원의 철수 계획은 없다고 하며,
개인이 육로로 철수하는 주재국인에 대해서는 개인이 육로로 철수한 경우 제반편의를
제공하고 있다고 함.

　　3. 이락 및 쿠웨이트 체류 주재국인은 대부분 개별 취업자들이므로, 주재국 정부는
우리가 생각하는것과 같은 정부차원의 철수계획은 없다고 하며, 현 주재국.이락
관계에 비추어 아국 교민의 철수를 협조를 할 수 있는 입장에 있지 않다고 언급했음.

　　4. 한편 당지 신문은 쿠웨이트 주둔 이락 당국이 쿠웨이트 체류 외국인이 육로로
요르단을 경유하여 철수하는 것을 허가하고 있다고 요르단 정부 관리가 언급 했다고
보도했음. 끝.

　　(총영사 박동순-국장)

　　예고:90.12.31. 까지

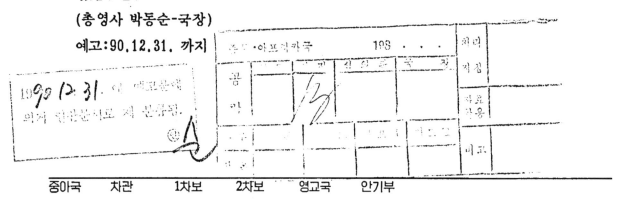

중아국　　차관　　1차보　　2차보　　영고국　　안기부

관리
번호 90/905

원 본

외 무 부

종 별 : 지급

번 호 : IRW-0439

수 신 : 장관(중근동)

발 신 : 주 이란 대사

제 목 :

일 시 : 90 0811 1200

대:WIR-0256

1. 본직은 8.9 SADATIAN 주재국 외무부 아국담당국장과 대호건 협의하였는바, 동인은 쿠웨이트 체류아국인 약 600 여명의 주재국 긴급 대피희망시 입국사증 부여등 행정적 사안에 대해서는 협조가 가능할것으로보나 주재국의 부족하고 열악한 숙박시설등 감안 장기체제는 어려울것으로 사료되며 따라서 숙박등 관련한 문제를 아측이 사전고려하여야 할것이라고 언급하였으니 우선참고바람.

2. 이와관련 당관은 현재 당지 주재 지상사 한인회등과 동건관련 대책을 협의할 예정인바, 특기사항 있을시 추보예정임.끝

(대사정경일-국장)

예고:90.12.31 일반

1990.12.31 대 대고문에
의거 일반문서로 재 분류됨.

종아국   차관   1차보   2차보

관리 번호 PO/P17

외 무 부

종 별 :

번 호 : AEW-0219   일 시 : 90 0812 1130

수 신 : 장 관(중근동,기정)

발 신 : 주 UAE 대사

제 목 : 이락,쿠웨이트사태

대 WAE-0092

연 AEW-0214,0217

1. 연호에 이어 당지주재 일본상사들은 주재원을 포함 가족모두 철수 하였다고함.

2. 소직, 일본대사와 접촉, 일본 상사주재원들 까지의 철수에 관하여 문의한바, 동사태에 과하여 가장정보가 빠를것으로 생각되는 미국, 영국이 가족들의 철수를 이미 권유하였고 또한 상사들의 비지니스도 저조할것임에 따른 영리상의 이유와 만일의 경우 막대한 피해 보상등을 감안한 조치일 것이라고 말하였음.

3. 당관은 8.11 당지교민 각개대표 13 명을 소집, 아래내용의 비상대책회의를 가졌음.

　가. 비상연락망의 재점검

　나. 긴급 대피계획수립

　다. 사태의 장기화및 악화에 다를 대비책

4. 당지주재 아국상사 13 개중 선경, 삼성, 효성등 가족들은 본사의 지시에 의거 이미 귀국하였는바 여타 상사도 이에 따를것으로 예상됨.

　주재국 ZAYED 대통령은 아랍 긴급정상회담 참석후 8.11 귀국 쿠웨이트 난민에 대하여 숙식및 재정적인 보호 조치를 지시 하였으며 당지는 표면상 평온을 유지하고 있음.

　(대사 박종기-국장)

　예고:90.12.31 까지

중아국　차관　1차보　2차보　통상국　청와대　(　)　안기부

관리 번호	𝒫𝑜𝑙𝓍𝑜𝓅

외 무 부

종 별 :

번 호 : IRW-0447   일 시 : 90 0812 1530

수 신 : 장관(중근동,건설부,노동부)

발 신 : 주 이란 대사

제 목 : 이락,쿠웨이트사태 대책

   1. 대:WIR-0263(90.8.10)

   연:IRW-0444(90.8.12)

   2. 연호관련 당관이 알아본바에 의하면 쿠웨이트진출 현대건설(주) 근로자 313
명은 8.9 자 본사 철수명령에 따라 이라크(바그다드)경유 요르단(암만)에서 대한항공
전세기편 서울로 철수할 계획이라하며 사태악화시 이라크진출 현대건설 근로자도 같은
방법으로 철수할것이라하니 참고바람. 끝

   (대사정경일-국장)

   예고:90.12.31 까지

1990. 12. 31. 에 (일었음)
의거 (일반문서)로 재 (분류됨).

중아국	장관	차관	1차보	2차보	통상국	정문국	청와대	안기부
건설부	노동부	대책반						

PAGE 1   90.08.12   21:55

원　본

관리 번호	*po* *Plo*

외　무　부

종　별 :

번　호 : BHW-0152

일　시 : 90 0812 1900

수　신 : 장관(중근동)

발　신 : 주 바레인 대사

제　목 : 쿠웨이트 및 이라크 아국교민 긴급철수

　　대:WBH-0092

　　연:BHW-0145

1. 본직은 금 8.12 쿠웨이트 사태관련 긴급 아랍 정상회의 개최등으로 접촉이 이루어 지지 않던 MAHROOS 외무부 정무 총국장을 면담, 대호 쿠웨이트 및 이라크 아국교민 긴급철수시 당지 입국허가등에 관한 주재국 정부의 협조를 구두및공한을 통해 요청함.

2. 이에 대해 동국장은 내무부등 관련 부처와 협의, 최단 시일내에 주재국 정부의 공식입장을 통보하여 줄것을 약속함. 끝.

　　(대사 우문기-국장)

　　예고:90.12.31 일반

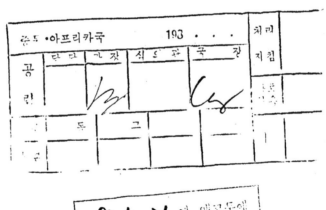

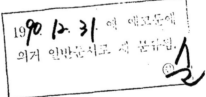

중아국	차관	1차보	2차보	통상국	정문국	영교국	안기부

PAGE 1

90.08.13　15:10

외신 2과　통제관 BT

0032

관리
번호 90/1633

원 본

외 무 부

종 별 :

번 호 : PHW-1129

일 시 : 90 0813 1500

수 신 : 장관(중근동,아동)

발 신 : 주 필리핀 대사

제 목 : 이락.쿠웨이트 분쟁에 따른 아국 교민 보호 대책

연: PHW-1116

1. 당지 ALI SUMAIDA 이락 대사는 8.13.(월) 본직에게 통화하여 연호 아국 요청 사항에 대한 본국 정부의 회시를 받았다고 하면서 본국 정부는 이락. 쿠웨이트 거주 한국인들이 요르단을 경유 귀국시킬 계획이라고 하였음.

2. 동 사실은 이락주재 아국 대사 및 주한 이락 대사에게도 통보 하였다고 함.

(대사 노정기-국장)

예고:90.12.31. 일반

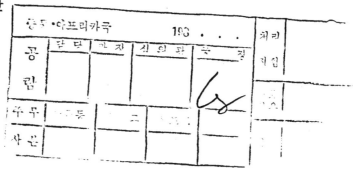

중아국   차관   1차보   2차보   아주국   통상국   영교국   청와대   안기부

PAGE 1

90.08.13   17:05

외신 2과 통제관 BT

0033

외 무 부

암 호 수 신

종   별 :

번   호 : BHW-0153

수   신 : 장관(영사,중근동)

발   신 : 주 바레인 대사

제   목 : 쿠웨이트 사태

일   시 : 90 0813 1400

1. 당지 쿠웨이트 대사관은 금 8.12 당지 주재 전 외교공관에 대하여 공한을 통해 동 대사관에 의하여 확인되지 않은 쿠웨이트 여권에 대하여는 입국사증을 발급하지 말아 줄것을 요청하여 왔음을 보고함.

2. 동 공한 사본 차파편 송부하겠으며, 본부의 지시가 있을때까지는 우선 쿠웨이트측 요청대로 시행하겠음.

(대사 우문기-국장)

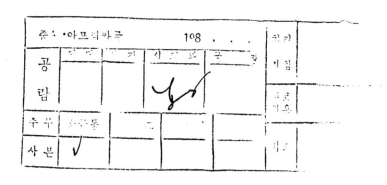

영교국   중아국   안기부

관리
번호 PO/B2

원 본

외 무 부

종 별 : 지 급

번 호 : SBW-0635

일 시 : 90 0813 1510

수 신 : 주쿠웨이트대사(사본:장관(중근동))

발 신 : 주 사우디 대사

제 목 : 교민철수

대:WSB-307,(KUW-425)

당관은 대호관련 <u>양봉렬</u> 영사와 <u>김헌수노무관보</u>를 <u>국경지역인 알바틴</u>에 급파하였음.

동건관련 진전사항 추보하겠음.

(대사 주병국-국장)

예고:90.12.31 일반

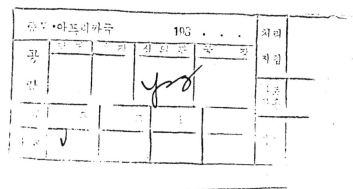

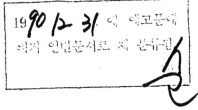

중아국

90.08.13   23:44
외신 2과 통제관 EZ

0035

주 바 레 인 대 사 관

바레인(영)2080-175   1990. 8. 13.

수 신 : 장관
참 조 : <u>영사 교민 국장</u>, 중동 아프리카 국장
제 목 : 쿠웨이트 사태

        연 : BHW-0153

연호 , 당지 주재 쿠웨이트 대사관의 공한 사본을 별첨 송부합니다.

        첨부 : 동 공한 사본 아랍어본 및 영문 번역본 사본 각 1부. 끝.

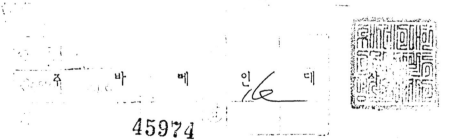

45974

Embassy of the State of Kuwait

In the State of Bahrain

سـفارة دولة الـكويت

لدى دولة البحرين

الرقم ..../٦.٢.٢./٠.٠.١./٥-٤.٣.٢

التاريخ ...../١.٠١./٨.٠./٠.٩.٩.١م

تهدى سفارة دولة الكويت لدى دولة البحرين أطيب تحياتها الـــى
كافة البعثات الدبلوماسيه والقنصليه المعتمده لدى دولة البحـــرين
وترجو التكرم بعدم منح تأشيرات دخول لحامل الجواز الكويتى الا بعــد
مراجعة السفاره لاخذ كافة التفاصيل والبيانات الخاصه بالجواز الكويتـــى
للتأكد من هويته وتزويده بما يثبت ذلك والتوصيه بمنحه التأشيره المطلوبه .

تنتهز سفارة دولة الكويت هذه المناسبة لتعرب لكافة البعثات الدبلوماسيه
والقنصليه الموقره عن فائق تقديرها واحترامها .

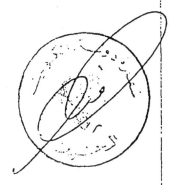

الى / كافة البعثات الدبلوماسية والقنصليه
دولة البحرين .

0037

Embassy of the State of Kuwait
in the State of Bahrain

Ref. 26/100/234-5   Date: 10/8/1990

   The Embassy of the State of Kuwait in the State of Bahrain
presents its compliments to all Diplomatic and Consular Missions
accredited to the State of Bahrain and has the honour to inform
that not to issue an entry visa to any Kuwaiti passport unless
it has been checked by the Embassy of the State of Kuwiat in the
State of Bahrain.

   The Embassy avails itself of this opportunity to renew the
assurances of its highest consideration.

To all Diplomatic and Consular Missions accredited to the
State of Bahrain.

0038

원 본

```
┌──────┐
│관리 90│
│번호/15│3
└──────┘
```

외 무 부

종 별 :

번 호 : TNW-0259   일 시 : 90 0814 1300

수 신 : 장 관(중근동,마그)

발 신 : 주 뷔니지 대사

제 목 : 교민 보호

대:WTN-0315

1. 본직은 8.14 11:00 당지 주재 H.A. JABOURT 이라크대사를 면담, 대호 관련 아국 근로자 및 교민들의 안위에 우려를 표하고 이라크 정부의 적절한 보호 및 안전조치에 관하여 문의하고 빠른 시일내에 이들이 철수할 수 있도록 협조해줄 것을 요청하였음.

또한 이라크 및 쿠웨이트 진출 아국 건설 회사등이 비율빈, 태국인등 다수의 제 3 국인 근로자들을 고용하고 있는점을 알리고 고용회사는 도의적으로나 경제적으로도 이들에게 큰 부담을 안고 있음을 주지시켰음.

2. 동대사는 이라크가 과거 이란과의 전쟁동안은 물론 한국과는 우호관계를유지하고 있음을 지적하고 한국인의 안위는 적절히 보호되고 있다고 말하면서, 이라크정부는 문제를 일으키고 있는 <u>미, 영등 서구라파 국적인의 철수만을 금지시키고 있을뿐</u>이라고 답변하였음.

동대사는 8.13 본국으로 부터의 전문을 인용, 이라크 및 쿠웨이트 거주 아시아 국적인을 조만간 바그다드를 경유 요르단으로 출국 시킬 것이라고 하면서, 자신의 견해로도 불원간 이러한 조치가 실행될 것으로 믿는다고 하였음. 앞으로 동건 상황 진전있으면 본직에게 통보해 주겠다고 약속하였음. 끝.

(대사 변정현-국장)

예고:90.12.31 일반

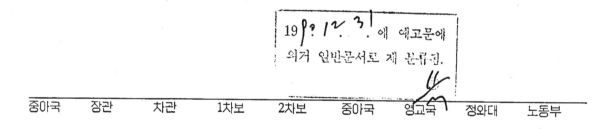

19 9 12 3 에 예고문에
의거 일반문서로 재 분류됨.

중아국	장관	차관	1차보	2차보	중아국	영교국	청와대	노동부

PAGE 1

90.08.14   21:27

외신 2과 통제관 CN

0039

관리
번호 90/1515

원 본

외 무 부

종 별 :

번 호 : JAW-5017   일 시 : 90 0814 2032

수 신 : 장관(중근동,정일,영재)

발 신 : 주 일 대사(일정)

제 목 : 교민 보호

대:WJA-3347

연:JAW-4941

1. 대호 관련, 당관 이준일 참사관이 8.14(화) 외무성 히라오까 방인보호(재외국민보호) 과장을 접촉, 탐문한바에 의하면 일본정부는 쿠웨이트나 이라크로부터의 항공편 이용, 교민철수 가능성이 희박함에 따라 이락크 버스(3 대)를 챠타하여 쿠웨이트로 보내 일단 이락크로 온 후 이락크 교민과 합류시켜 버스(7 대)로 요르단으로 철수시킨 후 암만에서 JAL 특별기로 본국 수송하는 방안을 추진중에 있다 함.

2. 하라오까 과장에 의하면 상기 버스챠타 총비용이 650 만엥(약 4 만 3 천불) 예상되는바, 이락크 정부가 이락크 및 쿠웨이트내 일본인(대사관 포함)의 예금을 모두 동결하였기 때문에 송금방법이 문제점으로 제기되고 있다고 말하는 한편, 이락으로 부터 교민의 육로 출국허가 교섭은 가능성이 큰 것으로 보고 있다고 언급함. 끝.

(공사 김병연-국장)

예고:91.6.30. 일반

1990 12.26에 예고문에 의거 일반문서로 재 분류됨.

중아국 노동부	장관	차관	1차보	2차보	정문국	영교국		청와대
	대싸인							

원 본

관리
번호 91/1405

외 무 부

종   별 : 지 급

번   호 : THW-1239   일   시 : 90 0814 1600

수   신 : 장 관 (중근동,아동)

발   신 : 주 태 국 대사

제   목 : 페르샤만 사태

대 : WTH-0969

1. 8.14. 홍정표공사는 외무부 정무국 PRACHYA DAVI 부국장의 요청으로 동인이 주재한 5 개국(아국, 인도, 파키스탄, 스리랑카, 스웨덴)대사관 차석회의에참석, 페르샤만 사태와 관련한 주재국측의 요망사항을 전달받았는바, 아국 관련사항은 요지 아래임

가. 현재 태국측으로서는 쿠웨이트주재 공관원 철수가 이라크의 쿠웨이트 합병선언을 승인하는 것으로 오인될 소지가 있으므로 당장은 철수를 고려하지 않고 있으나 금후 물리적으로 철수가 불가피한 상황 발생시에는 타국공관과 협력, 공동철수를 희망함. 본건관련 수립된 대책이 있으면 조속 알려주기 바람

나. 8.13. 이라크측은 이라크 및 쿠웨이트내 모든 태국인(약 1 만명)의 본국철수를 허가하였음. 이와관련, 수일전 쿠웨이트소재 현대건설측이 동사고용 약1,200 명의 태국인 근로자 철수시 이들의 본국수송 주선과 관련경비 부담 방침임을 태국측에 밝힌바 있음을 상기시키고 싶음

다. 현지공항 폐쇄로 인해 태국근로자들은 육로를 이용, 바그다드경유 암만에서 항공편으로 귀국하는 것이 가장 현실적인 방안으로 생각됨. 현대건설측등 현지 한국인 철수시 암만에서 전세기를 이용할 것으로 예상되는바, 이 경우, 현대 건설측이 태국근로자의 육로수송과 암만항공에서의 전세기 주선에 협조하여 주고, 특히 한국인 탑승전세기의 공석은 태국 근로자에게 할애하여 주면 감사하겠음. 암만발 태국항공은 이미 상당기간 예약이 초과된 상태임

2. 동인은 상기에 대해 조속 통보해 줄 것을 요망하였는바, 현대건설측의 방침등 아측입장 있으면 회시바람.

끝

중아국	장관	차관	1차보	2차보	아주국	정문국	청와대	안기부

대책반 1990 12 7

PAGE 1

90.08.15   13:24
외신 2과 통제관 CW

0041

(대 사 정 주년-국 장)
예 고 : 90.12.31. 까지

0042

관리	P/13?6
번호	

	분류번호	보존기간

발 신 전 보

번 호 : WTH-O997   900815 1719 FG   종별 :

수 신 : 주 태 국   대사. 총영사

발 신 : 장 관 (중근동)

제 목 : 태국 근로자 철수

대 : THW-1239

1. 주 쿠웨이트 공관 철수 문제는 제반 정세 추이와 타국의 대응책을
종합적으로 검토한후 아국 입장을 정리할 예정임.

2. 현대건설에 근무하는 주 쿠웨이트 태국 근로자는 요르단 도착후
현대건설 책임하에 전세기로 태국에 수송될 예정이라 하니 참고 바람. 끝.

(중동아프리카국장   이 두 복)

1990. 1.?. ?. 에 대?문?
의거 일반문서로 재 분?됨

앙고재	90년8월15일 쿠르크화	기안자	과 장	국 장	차 관	장 관	보안동제	외신과통제

0043

| 관리
번호 | 90/13P0 |

| 원 본 |

외 무 부

종 별 :

번 호 : PAW-0658   일   시 : 90 0816 1800

수 신 : 장 관(중근동,아서)

발 신 : 주파키스탄대사

제 목 : 교민 보호

　　　대:AM-145

　　　연:PAW-636

　　　ISMAIL HAMOUDI HUSSAIN 당지 주재 이라크 대사는 8.14(화) 주재국 독립기념 리셉션시 본직에게 이라크 정부가 이락 및 쿠웨이트에 체류중인 모든 외국인의 출국 (요르단 경유)를 허가 하기로 결정하였다고 알려주었음을 참고로 보고함.끝.

　　　(대사 전순규-국장)

　　　예고 90.12.31 까지

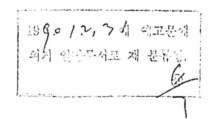

| 중아국 | 차관 | 1차보 | 2차보 | 아주국 | 청와대 | 안기부 | 대책반 |

원 본

관리
번호 PO/1049

외 무 부

종　별 :

번　　호 : BHW-0177

수　　신 : 장관(중근동)　　　　　　　　　　일　시 : 90 0823 1130

발　　신 : 주 바레인 대사

제　　목 : 쿠웨이트 및 이라크 아국교민 철수

연:BHW-0152

연호 주재국 정부는 작 8.22. 외무부 공한을 통하여 쿠웨이트및 이라크의 긴급철수 아국교민의 당지 도착시 주재국 입국허가등의 협조를 제공하겠다고 회보하여 왔음.

공한사본 차파편 송부하겠음. 끝.

(대사 우문기-국장)

예고:90.12.31 일반

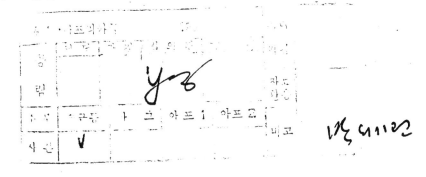

19/0 1~ 3. 1에 예고문에
의거 일반문서로 재 분류됨.

| 중아국 | 차관 | 1차보 | 2차보 | 통상국 | 영교국 | 청와대 | 안기부 | 대책반 |

PAGE 1

90.08.23　18:56

외신 2과　통제관 FE

0045

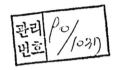

발 신 전 보

	분류번호	보존기간

번   호 : WTU-0393   900823 1422 DY   종별 : 긴급

수   신 : 주 터어키   대사//총영사

발   신 : 장 관   (중근동)

제   목 : 교민 철수

1. 주 요르단 대사 보고에 의하면 요르단 정부는 철수 외국인 과다 유입으로 8.23. 0시를 기하여 이라크와의 국경을 폐쇄 하였다 함. (재확인중)

2. 이와관련, 이라크 및 쿠웨이트 잔류 교민 500여명을 귀 주재국을 경유하여 철수 시키는 방법도 검토중인바 ~~주재국과 이라크와의 관계를 감안할때~~ 아래사항 보고바람

가. 육로 이동의 가능 및 안전성 ~~여부~~ ~~항공편 이용 가능 여부, 수용시설등 관계 사항을~~ ~~종합적으로 검토 보고 바람. 끝.~~

나. 국경에서의 동포 수송 발급 가능 여부

다. 국경에서 국제공항 까지의 이동수단 (육로수송 및 차량편)
(중동아국장   이두복)

라. 지거 체류시 수용시설

마. 기타 의견

예고 : PO. 12. 31. 일반

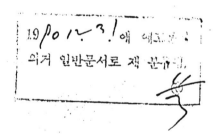

19 PO 12 31 에 예고문
의거 일반문서로 재 분류함.

				보 안 통 제	

앙고재	90년8월23일	기안자 성명		과 장	심의관 전결	국 장		차 관	장 관		외신과통제

0046

관리
번호 90-1045

외 무 부

종 별 :

번 호 : BHW-0177

일 시 : 90 0823 1130

수 신 : 장관(중근동)

발 신 : 주 바레인 대사

제 목 : 쿠웨이트 및 이라크 아국교민 철수

연:BHW-0152

연호 주재국 정부는 작 8.22. 외무부 공한을 통하여 쿠웨이트및 이라크의 긴급철수 아국교민의 당지 도착시 주재국 입국허가등의 협조를 제공하겠다고 회보하여 왔음.

공한사본 차파편 송부하겠음. 끝.

(대사 우문기-국장)

예고:90.12.31 일반

영사교민국	년 인 인	담 당	계 장	과 장	관리관	국 장

중아국   차관   1차보   2차보   통상국   영교국   청와대   안기부   대책반

PAGE 1

90.08.23   18:56

외신 2과 통제관 FE

0047

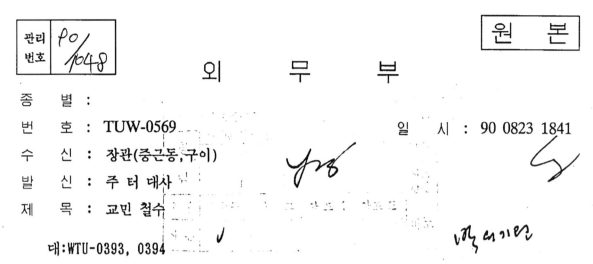

관리 PO/
번호 1048

원 본

외 무 부

종 별 :

번 호 : TUW-0569   일 시 : 90 0823 1841

수 신 : 장관(중근동,구이)

발 신 : 주 터 대사

제 목 : 교민 철수

대:WTU-0393, 0394

대호관련, 본직은 8.23. 외무성 OZAR 중동부국장을 긴급 접촉 사전 협의한바를
포함하여 아래와 같이 보고함.

가. 육로이동의 가능및 안전성 여부

이락 국경 터키도시 HABUR 에서 공항까지 육로이동이 가능하며 동지역은 <u>쿠르드족
테러리스트들이 가끔 출몰하는</u> 지역이므로 다소 위험은 없지 않으나 이용도로가
국도이므로 안전에 큰위험은 없을것으로 보임

나. 국경에서 통과사증 발급

터키와 아국은 사증 면제협정이 체결되어 있으므로 터키입국 사증이 필요없음

다. 국경에서 공항까지의 교통수단

국내항공을 이용하는경우 국경에서 인근 국내공항을 이용할수 있으며, 임차버스를
이용하는 경우 이스탄불 국제공항까지 약 40 시간이 소요됨. 국내항공을이용하는경우
1 일 1 회 있으며, 필요한경우 터키항공으로부터 전세도 가능하다함. 한국에서
전세기를 보내는경우 국경 인근지역에 있는 국내공항이용도 가능하다함.

라. 체류시 수용시설

터키정부가 마련한 특별한 수용시설은 없으며 호텔, 여관등을 이용할수 있다함.

마. 기타

아국정부가 아국인을 터키경유 철수시키고자 하는경우 사전에 외무성과 접촉,
협조해달라고 요청하고, 터키는 터키-이라크 국경지역 관공서에 이라크로부터 오는
외국인에 대하여 최대한의 편의를 제공하도록 특별지시를 내려놓고 있다고 하였음.

(대사 김내성-국장)

예고:90.12.31. 일반

19 . 12.31. 에 예고문에
의거 일반문서로 재 분류됨.

중아국 안기부	장관 대책반	차관	1차보	2차보	구주국	정문국	영교국	정와대

PAGE 1   90.08.24   02:41

외신 2과 통제관 CW

0048

54   걸프 사태 재외동포 철수 및 보호 2: 쿠웨이트 및 이라크(2)

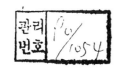

발 신 전 보

분류번호	보존기간

번   호 : WBG-0338   900824 1430 DY   종별 : 긴급   WJO-0251 ✓WTU-0396

수   신 : 주 이라크   대사 //총영사   (사본 : 주 요르단, 터어키 대사)

발   신 : 장 관   (중근동)

제   목 : 교민 긴급 철수

WBG-0315, 0322

1. 요르단 국경 폐쇄로 잔류 교민의 요르단 경유 철수가 사실상 어려운 형편임을 감안, 육로 이동에 의한 터어키 국경 경유, 터어키-서울 직항 KAL 특별 전세기 투입에 의한 철수 방법을 검토 중인바, 이에 대한 귀견 및 여타 최적의 대책 방안이 있을시 이도 함께 지급 보고 바람.

2. 상기 철수방법에 참고코져 하니, 주재국 터어키 국경(자코 및 HABUR) 육로 이동 거리, 소요시간, 안전성 및 터어키 국경 HABUR 까지의 육로 이동 가능 여부등 철수 관련사항 파악 보고 바람.

3. 이와관련, 주 터어키 대사는 별첨과 같이 보고 하였는바 철수 대책에 참고 바람.

첨 부 : 관련 전문 사본. 끝.

1990.12.3에 예고문
의거 일반문서로 재 분류

(중동아프리카국장   이 두 복)

예고문 : 1990. 12. 31 일반분류

앙 고 재	90 중 4 근 월 동 24 연 과	기안자 성명 박정호		과 장	심의관	국 장 전결		차 관	장 관	외신과통제

보 안 통 제	

0049

주 바 레 인 대 사 관

바레인(정) 20804-42   19 90. 8. 25.

수 신 : 장관

참 조 : 중동 아프리카 국장(중근동)

제 목 : 쿠웨이트 및 이라크 아국교민 철수

    연 : BHW-177

    연호, 주재국 정부의 공한을 별첨 송부합니다.

첨부 : 동 공한 아랍어 및 영어 번역본 사본 각 1 부 끝

예고 : 90. 12. 31. 일반

1990 12 31 에 예고문에
의거 일반문서로 재 분류됨

주   바   레   인   대

0050

Directorate of Political Affairs
Ministry of Foreign Affairs
State of Bahrain

결	·		차 석	대 사
재	·			

Ref. 1/100/147-9194   Date: 22/8/1990

        The Ministry of Foreign Affairs presents its compliments
to the Embassy of the Republic of Korea to the State of Bahrain
and with reference to the Embassy's Memorandum No. KEB-90/121
dated 11/8/1990, regarding the facilities you required to evacuation
of Korean nationals in Kuwait and Iraq of their arrivals in Bahrain.

        The Ministry would like to inform that it has no objection
to give facilities for the above mentioned Korean evacuees.

        The Ministry avails itself of this opportunity to renew
the assurances of its highest consideration.

To the Embassy of the Republic of Korea
State of Bahrain.

0051

STATE OF BAHRAIN

MINISTRY OF FOREIGN AFFAIRS

Ref. _____

Date _____

دولة البحرين
وزارة الخارجية
الادارة السياسية
الرقم ـ ١٤٧/١٠٠/١ ـ ٩١٩٤
التاريخ ـ ١٩٩٠/٨/٢٢

عاجـــل جـــدا

تهـدي وزارة خارجية دولة البحرين أطيب تحياتها الى سفارة جمهورية كوريـــا
لدى الدولـة ، وبالأشـارة الى مذكرتها رقم KEB- 90 / 121 بتاريـــخ
١١ أغسطس ١٩٩٠م بشأن طلب توفير تسهيلات عبور للرعايا الكوريين عند وصولهـــم
الى البحرين من الكويـت والعـراق .

تـود الوزارة أن تبدى عدم ممانعتها لتقديم التسهيلات المذكورة وعلى نطـــاق
محــدود .

وتنتهـز وزارة خارجية دولة البحرين هذه المناسبه لتعرب للسفارة الموقرة عن فائق
تقديرها واحترامهــا .

الى /
سفارة جمهورية كوريـــا
البحريـــن

관리	9 0
번호	/57P

외 무 부

종 별 :

번 호 : NDW-1251　　　　　　　　　　일 시 : 90 0907 1920

수 신 : 장관(아동,아서)

발 신 : 주 인도 대사

제 목 : 필리핀의 근로자 철수지원 요청

　　대:WND-0664

　　대호관련, 당관 김원수 서기관은 금 9.7(금) 주재국 외무부 SACHDEV 걸프지역 담당관을 면담한 기회에 인도측 입장을 탐문하였는바, 동인의 언급요지 아래 보고함.

　　1. 필리핀측의 여사한 요청건에 대해서는 상금 파악치 못하고 있으나, 부내여타 관계부서에서 다루고 있는지 여부를 확인, 결과를 알려주겠음.

　　2. 연이나, 본인의 판단으로는 쿠웨이트및 이락에 있는 막대한 숫자(약 18 만명)의 인도인 철수문제로 큰 어려움을 겪고 있는 인도의 입장에서 필리핀을 도와주기는 극히 어려운 형편인 것으로 생각됨.

　　(대사 김태지-국장)

　　예고:90.12.31. 까지

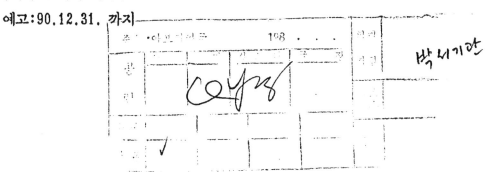

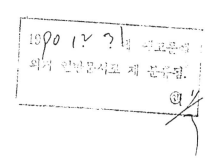

아주국　　아주국　　중아국　　정문국　　대책반

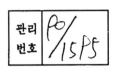

외 무 부

종 별 : 지 급

번 호 : PAW-0742

일 시 : 90 0910 1700

수 신 : 장관(아동,중근동)

발 신 : 주 파 대사

제 목 : 필리핀 근로자 철수지원

대 WPA-419

1. 대호관련, AZMAT GHAYAR 주재국 외무성 동남아과장을 접촉한바, 주재국은 동지역 주재교민(주로 근로자, 쿠웨이트 9 만명, 이락 3 만명) 철수작업(현재3만 7천여명 철수)만도 큰 부담이 되고있어 필리핀에 여사한 지원을 제공할 여력이 없으며, 이러한 사정을 필리핀측에 적의 설명하였다고함.

2. 한편, 주재국 외무성은 지난주 주쿠웨이트대사관을 잠정 폐쇄키로 결정하였다고 발표함. 그러나 대사 및 최소 필수요원은 교민철수 지원을 위해 잔류할것이며, 이러한 결정이 이락의 쿠웨이트 침공에 대한 주재국 정부입장 변화를 의미하는것은 아니라고 강조함. 끝.

(대사 전순규-국장)

예고 90.12.31 까지

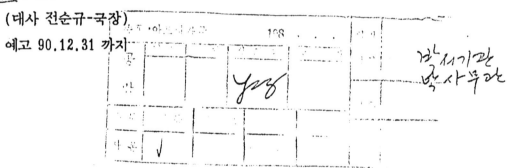

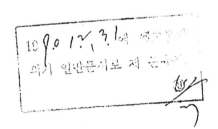

아주국	차관	1차보	2차보	중아국	청와대	안기부	대책반

PAGE 1

90.09.10 20:53

외신 2과 통제관 CF

0054

발 신 전 보

분류번호	보존기간

WBH-0125   900910 1632 AD

번   호 :
수   신 : 주   바레인   대사. 총영사

종별 : 사본: 주 이라크. 요르단대사
WBG -0421   WJO -0307

발   신 : 장   관   (중근동)

제   목 : 교민 철수

    1. 걸프사태에 따른 아국 교민 철수 관련, 이라크 및 쿠웨이트 체류 교민(1,327명)중 무의탁 교민은 사실상 전원 철수가 완료(쿠웨이트 잔류 희망 교민 9명 제외)되었고, 286명만이 이라크에 잔류(공관원 및 가족 11명 포함, 9.9 현재)중임.

    2. 동 잔류교민은 현대건설등 업체 소속 근로자로서(대부분 현대건설) 소속업체가 아국 공관장 지도아래 자체 계획 의거 단계적으로 조속 철수를 추진 중인바, 동 철수 교민의 요르단 국경 통과, 체류후 귀국 항공편 연결 사정으로 잠시 귀지 경유할 경우 입.출국 관련 필요조치 및 항공편 연결에 따른 협력등 제반 편의 제공, 안전 귀국토록 지원 바람.

    3. 상기 철수교민 귀지 경유 일정 관련, 귀지 현대건설 지점과 수시 접촉, 협의바람. 끝.

(중동아프리카국장 이 두 복)

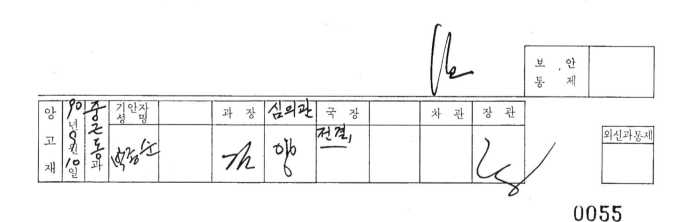

정 리 보 존 문 서 목 록					
기록물종류	일반공문서철	등록번호	2020120197	등록일자	2020-12-28
분류번호	721.1	국가코드	XF	보존기간	영구
명 칭	걸프사태 : 재외동포 철수 및 보호, 1990-91. 전14권				
생 산 과	북미1과/중동1과	생산년도	1990~1991	담당그룹	
권 차 명	V.6 걸프지역 체류 동포에 대한 방독면 지원, 1990.9-91.2월				
내용목차	★ 방독면, 예비정화통 등 화학장비 지원 ★ 재외동포 철수 및 비상철수계획 수립 등				

0001

관리
번호 90-581

원 본

외 무 부

종 별 :

번 호 : SBW-0841

일 시 : 90 0916 1540

수 신 : 장 관(봉일,국방부,상공부(봉진국),기정)

발 신 : 주 사우디 대사

제 목 : 방독면 화생방물자 수급동향보고

1990.12.31.에 예고문에 의거
일반문서로 재분류됨

걸프만 사태와 과련 주재국의 방독면등 화생방물자 수급동향을 보고함.

1. 방독면

가. 최근 인콰이어리 동향

-사태발생직후 활발한 인콰이어리가 있어으나 최근에는 추가문의가 없으며 이미 진행중이던 상담도 거의 중단되고있음.

나. 수요처 및 물량

-수요처는 거의 군 및 경찰관련 기관으로서 창구가 일원화되지 않고 전국 15-16 개 단위기관별로 구매활동을 벌인바 있으며 당초 총물량은 약 150 만개 추정되었으나 정확한 물량은 파악되지 않고 있음. 또한 동품목은 군수물자로 분류되어있어 일반상거래를 위한 수입은 허용되지않으므로 현재까지 민간 수요는 없는 상태임.

다. 제품규격 가격 및 공급선

-사우디측은 주로 NATO 규격(어깨까지 내려오는 대형 마스크)을 선호함. 아국제품의 경우 미국형인 M1 형으로서 기존 재고품의 경우 포장용기 및 마스크등에 부착된 설명문이 한글로 되어있는등 문제가 있다고함.

-가격은 아국제품은 개당 60$선에서 상담이 있었으나 이태리등 유럽제품은 50$선임

-당초 긴급한 수요물량은 주로 서독, 불, 이태리등 유럽국가와 미국등으로 부터 구매한것으로 보임.특히 군, 경찰은 거의 독일제품을 사용하고있음.

다. 아국상사 지사 수주동향

-사태발생 직후 종합상사별로 각각 10 만개 내외의 인콰이어리를 받고 상담을 추진해왔으나 현재까지 L/C 개설이나 상담이 확정된 사례는 없으며 최근에는 신규상담은 거의 중단됨.

-각상사는 직접 또는 거래선을 통하여 수요처에 견본을 제출한바 있으며 기관별로

통상국 2차보 안기부 국방부 상공부

일부는 합격판정을 하고 일부는 판정보류 및 불합격판정한 사례도 있다고하나 상세내용은 확인되지않고있음.

-아국제품의 수출이 성사되지않고 있는것은 주재국이 이미 긴급물량을 유럽제국에서 조달한점과, 규격등에서 다소 차이가 있는데 기인하는 것으로 추정됨. 또한 수요량 추정도 당초보다 크게 축소된것으로 보임.

2. 기타제품.

가. 화생방 및 핵전용 방호복(NBC SUIT)과 방염담요는 인콰이어리가 있으나 아국에서 생산, 공급하기는 어려운것으로 보임.

나. 군용 나침판의 경우 약 4-5 만개의 구매 인콰이어리를 받은 상사가 있으나 아국에서 생산하는 경우 주요부품을 미국에서 수입하는 관계로 선적까지 6 개월이상 소요되어 수요측이 요구하는 2 개월내 선적이 불가능하다고 함.

다. 겨울 방한복, 군화, 군담요는 인콰이어리가 많으며 각상사별로 상담이 활발히 이루어지고 있음. 끝

(대사 주병국-국장)

예고:90.12.31 파기

PAGE 2

| 관리
번호 | 90-1728 | | | 원 본 |

외 무 부

종   별 :

번   호 : SBW-0854   일   시 : 90 0919 1500

수   신 : 장관(통일,중근동,국방부,상공부,기정)

발   신 : 주 사우디 대사

제   목 : 방독면 수주보고

대:SBW-841

1. 대호관련 보고함.

2. 주재국내 아국상사 지사들이 상담중이던 방독면 물량중 삼성물산이 동사의 런던지사를 통하여 주재국 국방부로부터 20만개를 주문받아 수주가 확정되었으며, 동사의 리야드지사도 15만개의 상담이 확정되어 총 35만개가 9.21 부터 선적을 개시할것이라함. 끝

(대사 주병국-국장)

예고:90.12.31. 파기

1990.12.31. 에 예고문에 의거
일반문서로 재분류됨

| 통상국
대책반 | 차관 | 1차보 | 2차보 | 중아국 | 청와대 | 안기부 | 국방부 | 상공부 |

관리 번호	90/1706

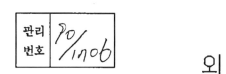

외　무　부

종　별 :		원　본

번　호 : SBW-1214　　　　　　　　일　시 : 90 1226 1500

수　신 : 장 관(중근동)

발　신 : 주 사우디 대사

제　목 : 방독면추가 송부요청

대:WSB-518

　대호 당관 관할 리야드 및 담맘 한국학교에는 교사 5 명이 파견되어 있는바,동인들이 공무원 신분이고, 학생관리 문제등 고려시 비상사태발생 후에도 상당기간 체제해야 할것으로 사료되는바, 동 파견교사 및 가족용 방독면 19 개를 추가로 송부하여 주시기 건의함

　(대사 주병국-국장)

중아국

PAGE 1

원 본

관리
번호

외 무 부

종 별 :

번 호 : BHW-0295

일 시 : 90 1229 1400

수 신 : 장관(중근동)

발 신 : 주 바레인 대사

제 목 : 방독면 보유 현황

대:WBH-0183

1. 대호, 당지 체류민의 방독면 보유는 전무함.

2. 금 12.29 현재 체류민 현황(단위:명)은 아래와 같음. (전원 방독면 없음)

가. 파견 공무원:4(한국학교장 가족)

나. 상사및 건설업체 근로자:264

321-264 = 57명

다. 의료요원:없음

라. 개인취업자:14

마. 개인사업:(297)1

바. 기타:8

3. 상기 총원 321 명중 금 12.29 현재로서는 철수 예정인원 상금 미확정이며 공관원과 그 가족은 본부 송부 방독면을 보유하고 있어 상기에서 제외하였음.

(대사 우문기 국장)

중아국

외 무 부

증 별 :

번 호 : AEW-0410　　　　　　　　　　　일 시 : 90 1230 1300

수 신 : 장관(중근동)

발 신 : 주 UAE 대사

제 목 : 방독면 보유현황 파악보고

대:WAE-0291

　　대호, 당지 교민의 방독면 보유현황을 아래 파악 보고함.(각 구분별 총인원,보유인원순)

　　1. 파견 공무원(코트라):3 명,0

　　2. 상사및 건설업체 근로자:310 명,6 명

　　3. 의료요원:3 명,0

　　4. 개인 취업자:108 명,0

　　5. 개인 사업자:56 명,0

　　6. 기타:170 명,0

　　7. 계:650 명(총인원),6 명(보유인원). 끝.

　　(대사 박종기-국장)

중아국

걸프사태 : 재외동포 철수 및 보호, 1990-91. 전14권 (V.6 걸프지역 체류 동포에 대한 방독면 지원, 1990.9-91.2월)　69

외 무 부

종 별 :

번 호 : QTW-0188

수 신 : 장관(중근동)

발 신 : 주 카타르 대사

제 목 : 방독면 보유현황 파악

일 시 : 90 1231 0730

중근동

64 - 6 = 58 명

대:WQT-0146

1. 당지교민 64 명 전원 방독면 보유자 없음.

가. 상사 직원 6 명

나. 개인취업자:46 명(본인 17 명, 가족 29 명)

다. 개인사업자:12 명(본인 6 명, 가족 6 명)

끝

(대사 유내형-국장)

예고:91.12.31 일반 예고문에
의거 일반문서로 분류됨.

중아국

원 본

외 무 부

종 별 :

번 호 : SBW-0005   일   시 : 91 0101 1200

수 신 : 장 관(중근동,경이,노동부,기정,국방부)

발 신 : 주 사우디 대사

제 목 : 방독면 보유현황

대:WSB-603

대호관련, 주재국의 아국인 방독면현황

(구분, 계, 대사관할, 총영사관할)

계: 330 개(4980 명) 321 개(3622 명) 9 개(1358 명)

공관: 109(136) 109(102) 0(34)

파견공무원: 4(48) 4(28) 0(20)

진출업체: 216(2968) 207(2186) 9(782)

현지업체및가족: 1(1483) 1(1064) 0(419)

의료요원: 0(345) 0(242) 0(103)

주기: 방독면수(인원). 끝

예고:91.6.30. 일반예고문에
의거 일반문서로 재 분류됨.

[handwritten calculations:]

2부
1063
242
1329

3622 - 102 - 2186
= 1334 + 33 명
(중가)
= 1367 명

· 주 사우디 대사관 :
3622 - 102 - 2186 = 1334
1334 + 33 명 (북부지역 추가) = 1367 명

0 주젯다 총영사관 : 1358 - 782 - 33 = 543
※ 젯다 주재부이 분 지역 체류자 : 111명

중아국   2차보   경제국   안기부   국방부   노동부

PAGE 1   91.01.01   21:21
                                외신 2과   통제관 DO

0009

걸프 6개국 체류 교민 현황

(91.1.3. 현재)　　　　　　　　　　　　　　　　　- 중동아프리카국 -

지 역 별	총 체 류 자 수	공관원, 상사 및 건설업체 근로자	순 수 교 민 (현지취업자등)
사 우 디	4,980 (사우디대사관관할 : 3,622 (젯다총영사관 관할 : 1,358)	3,070 (공관원 147, 업체 2,923)	1,910
이 라 크	125 (쿠웨이트 교민 9명 포함)	116 (공관원 9, 업체 107)	9 (쿠웨이트 체류 교민 9명)
요 르 단	89	12 (공관원 12, 업체 0)	77
바 레 인	335	278 (공관원 14, 업체 264)	57
카 타 르	77	19 (공관원 13, 업체 6)	58
U. A. E.	650	329 (공관원 19, 업체 310)	321
총 6개지역	6,256	3,824	2,432

0010

외 무 부

종 별 :

번 호 : IRW-0007

일 시 : 91 0106 1500

수 신 : 장 관 (기재,중근동)

발 신 : 주 이란 대사

제 목 : 방독면

예

페만사태관련, 화생방전에 대비키 위해 현재 당지주재 각국공관들이 방독면을 준비중이며, 당관은 하기 방독면 32 조를 장비하고 있으나 <u>유효기간 3년이 경과하여 이의사용 가능성이 의문시되는바 만일의 경우에 대비 가능하다면 동 보유방독면을 신품으로 교체 송부하여 주는 것을 검토바람.</u>

하기

1. 방독면

분유번호: 42400004-1075

로트번호: SG-87H901-028

제조일: 1987.8.28

오즈리

유효기간: 제조일로부터 3년

제조회사: 상공물산

2. 정화통

모델: KI-정화통

제조일: 1988.4

제조회사: 상공물산.끝

(대사 정경일-기획관리실장)

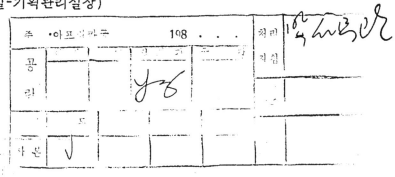

기획실   중아국

PAGE 1

91.01.07   00:15 FC

외신 1과 통제관

0011

관리 번호	9¹₋₃₁

원 본

외 무 부

종 별 :

번 호 : JDW-0005   일 시 : 91 0108 1530

수 신 : 장관(중근동)

발 신 : 주 젯다 총영사

제 목 : 방독장비 송부 요청

1. "걸프만"사태가 혼미해짐에 따라 만약의 사태에 대비코저하여 당관직원 및 가족용 방독장비 소요량을 아래와 갑이 보고하니 동 장비를 송부하여 주시기바람.

    가. 공관직원 및 가족:16 명

    나. 아국인고용원 및 가족:9 명

    다. 코트라직원 및 가족:8 명

    라. 한국인학교교사 및 가족:8 명

    계:41 명

2. 상기 41 명중 18 명은 미성년 자녀들인바 동미성년자연령별 인원수는 아래와 갑음.

    가.1-5 세:4 명

    나.6-10 세:4 명

    다:11-15 세:10 명. 끝.

(총영사-김문경-국장)

예고:91.6.31 까지

중아국   차관   1차보

91.01.09   00:06

외신 2과 통제관 CF

0012

대 한 무 역 진 흥 공 사

무궁기획   제 // 호   1991. 1. 9.

수   신   외무부 장관
참   조   외무부 중근동 과장
제   목   방독면 송부 협조 요청

1. 귀부의 일익 번창함을 기원합니다.

2. 폐사는 무력충돌의 가능성이 고조되고 있는 페만사태와 관련,
화학전에 대비코자 외고 파우치를 이용, 중동주재 무역관 직원 및 가족 등에게
다음과 같이 방독면을 지급코자 하오니 협조하여 주시기 바라며,

3. 아울러 파우치 이용에 따른 운송료 등 제반 비용은 당 궁사가
지불 하겠으니, 양지하시기 바랍니다.

= 다   음 =

o 젯다 (사우디) 무역관
   - KI-GAS MASK : 6개,   CIVILIAN GAS MASK : 4개

o 두바이 (UAE) 무역관
   - K1-GAS MASK : 9개,   CIVILIAN GAS MASK : 4개

o 암만 (요르단) 무역관
   - K1 GAS MASK : 6개,   CIVILIAN GAS MASK : 2개 .   끝.

대 한 무 역 진 흥 공 사   사

0013

분류기호 문서번호	총근총 720-	기안용지 (720-2327)	시행상 특별취급	
보존기간	영구·준영구 10. 5. 3. 1	차 관	장 관	
수신처 보존기간				
시행일자	1991. 1. 10.			
보조 기관	국 장	협 조 기 관	기획관리실 총무과장	문서통제
	심의관			
	과 장			
기안책임자	박규욱			반송인
경 유		발 신 명 의		
수 신	내부결재			
참 조				
제 목	무연고 아국민에 대한 방북민 지원 예비비 신청			

　　1.　최근 걸프 사태는 미·이라크 양측이 강경한 입장을 계속

견지 함으로써 미·이라크 직접 협상등 외교적 노력을 통한 평화적 해결

전망이 매우 어두운 실정으로 전쟁 발발 위험이 고조되고 있습니다.

　　2.　이러한 상황에서 서방국을 포함한 대부분의 국가들은

요르단, 이라크, 이스라엘 및 걸프제국등 전쟁 피해가 예상되는 주변국

들로부터 자국 공관원 및 체류자의 철수를 지시 내지 권장하고 있으며,

우리나라도 동 지역 체류자에 대한 긴급 철수계획을 수립, 시행중에

있습니다.

/ 계속 . . .

0014

3. 상사 주재원 및 건설업체 근로 자원은 본사의 협조로 방독면 지급에 문제점이 없으나, 현지 개인취업자, 개인기업자등 2,000명의 부인교 체류자들은 현지 고용주외의 계약관계 내지 개인적인 사유들으로 상당수가 잔류하게 되니 이들의 방독면 구입 및 호송에는 제반 어려움이 많으므로 국가적 차원의 교민보호 측면에서 정부의 일괄 지원이 절실히 요망되고 있습니다.

4. 지난 1.5. 개최된 제민 사태 관련 관계부처 연석회의 예기는 이들 부인교 체류자들에게 방독면을 지원키로 하였으니, 국방부는 대금 지급 조건하에 방독면 공급이 가능하다 하나 수 어려 지원 대한 확보를 위해 아래와 같이 예비비 사용을 신청코자 하오니 특지하여 주시기 바랍니다.

- 아 래 -

1. 교민별 지원 내역 (7개 공관, 2,000명)

   가. 사우디 (1,478 명)

   (주사우디 대사관 : 1,367명)

   ○ 지원품목 : 방독면 1,367, 정화통 2,734,

   해독제갑 4,101, 피부제독갑 1,367

   ○ 소요예산 : ₩ 121,950,   대주

0015

(쿠웨이트 총영사관 : 111명)
ㅇ 지원품목 : 방독면 111, 정화통 222, 해독제킷 333,
피부제독킷 111
ㅇ 소요예산 : W 9,902,310
나. 요르단 (77명)
ㅇ 지원품목 : 방독면 77, 정화통 154, 해독제킷 231,
피부제독킷 77
ㅇ 소요예산 : W 6,869,170
다. 이라크 (쿠웨이트 교민 9명)
ㅇ 지원품목 : 방독면 9, 정화통 18, 해독제킷 27,
피부제독킷 9
ㅇ 소요예산 : W 802,890
라. 카타르 (58명)
ㅇ 지원품목 : 방독면 58, 정화통 116, 해독제킷 174,
피부제독킷 58
ㅇ 소요예산 : W 5,174,180
마. U.A.E. (321 명)
ㅇ 지원품목 : 방독면 321, 정화통 642, 해독제킷 963,
피부제독킷 321   / 계속 ...

0016

ㅇ 소요예산 : ₩ 28,636,410

비. 바레인 (57명)

ㅇ 지원품목 : 방독면 57, 정희통 114, 해독재킷 171,

피부재독킷 57

ㅇ 소요예산 : ₩ 5,084,970

* 단가 보전비(3.5%) : ₩ 6,244,700

계 : ₩ 184,664,700

2. 운송료(11,802.5 kg) : $ 117,505 (₩ 82,841,025)

누 계 : ₩ 267,505,725

첨 부 : 1. 예비비 사용 승인 신청서

2. 국방부 공분 사본. 끝.

0017

예비비 사용 신청

1. 배 경
   ○ 90.8.2. 이라크의 쿠웨이트 무력 침공 및 병합 조치로 위기 상황 전개

   ○ 미.이라크 외무장관간 91.1.9. 제네바 협상 결렬과 유엔이 정한 1.15. 시한 임박으로 걸프역내 에서의 전쟁 충돌 가능성 고조

   ○ 서방국을 포함한 대부분의 나라들은 이라크, 요르단, 이스라엘은 물론 기타 전쟁의 피해가 예상되는 주변국들로 부터 자국 대사관을 폐쇄하기 위한 조치 및 자국민에 대한 철수명령 또는 적극 권고

2. 예산 신청 사유
   ○ 전쟁 피해가 예상되는 이라크, 요르단, 사우디, 바레인, UAE, 카타르등 걸프지역 6개국에 거주하고 있는 개인 취업자, 개인 사업자등 무연고 아국민들은 방독면 구입 및 운송이 어려우므로 정부의 교민 보호 측면에서 현지 스폰서의 보호 기대 가능성이 없는 이들에게 회학전에 대비한 방독면을 지급코자 함.

   ○ 이들 무연고 아국민에 대한 방독면 지원은 예기치 못한 사태의 발생에 기인한 사업으로서 동 사업 관련 예산은 금년도 예산에 반영되어 있지 않으며 더우기 소요예산 규모나 여타 사업 여건등을 고려시 타 사업 예산의 전용도 현실적으로 불가능 하므로 예비비 사용을 신청함.

0018

3. 예비비 신청 내역

관	항	세항	목	금액	내 역
(130) 132	7100	7111	341	W 267,505,725	* 순수교민에 대한 방독면등 지원 o 방독면(2,000개): W 41,800 　　×2,000= W 83,600,000 o 예비정화통(4,000개) 　W 10,500×4,000= 　W 42,000,000 o 해독제킷(6,000개) 　W 7,400×6,000= 　W 44,400,000 o 피부제독킷(2,000개) 　W 4,210×2,000= 　W 8,420,000 o 단가보전비(3.5%) 　W 6,244,700 소계 : W 184,664,700 o 운송료 (소요내역 별첨) 　$ 117,505 　(W 82,841,025) 합 계 : W 267,505,725

0019

지역별	kg당 단가	소 요 내 역				중량	총예상중량	총소요금액
		방독면	예비정화통	해독제	피부제독킷			
사우디(리야드)	$ 10.21	1,367	2,734	4,101	1,367	5.5 kg	7,518.5 kg	$ 76,764
사우디(젯다)	$ 9	111	222	333	111	5.5 kg	610.5 kg	$ 5,495
예멘	$ 8.69	77	154	231	77	5.5 kg	423.5 kg	$ 3,680
이라크	$ 8.69	9	18	27	9	5.5 kg	49.5 kg	$ 430
카타르	$ 10.21	58	116	174	58	5.5 kg	319 kg	$ 3,257
U. A. E.	$ 9.61	321	642	963	321	8 kg (파우치백 무게포함)	2,568 kg	$ 24,678
바레인	$ 10.21	57	114	171	57	5.5 kg	313.5 kg	$ 3,201
계	-	2,000	4,000	6,000	2,000	-	11,802.5 kg	$ 117,505

0020

국   방   부

장비 24431-ㅂ((793-9505)   1991. 1 . 10.

수신   외무부장관

참조   중동아프리카국장

제목   교민보호용 화생방 물자 지원

1.   관련근거 : 중근동 720-430 ('91. 1.7) 방독면 공급.

2.   위 관련근거에 의거 교민보호용 화생방 물자에 대한 지원은 예산지원시
가능하며 예산판단은 아래와 같습니다.

단위 : 원

품 명	수 량	단 가	금 액
방 독 면	2,000	41,800	83,600,000
여과정화통	4,000	10,500	42,000,000
해독제 킷	6,000	7,400	44,400,000
피부제독 킷	2,000	4,210	8,420,000
소 계			
단가보전비	3.5%		
합 계			184,664,700

-끝-

국   방   부   장

군수국장전결

0021

이중경

국 방 부

장비 24431-51   ('793-9505)   1991. 1 . 10.   창소

수신   외무부장관

참조   중동아프리카국장

제목   교민보호용 확성방 물자 지원

1.   관련근거 : 중근동 720-430 ('91. 1.7) 방독면 공급.

2.   위 관련근거에 외거 교민보호용 확성방 물자에 대한 지원은 예산지원시
가능하며 예산판단은 아래와 같습니다.

단위 : 원

품 명	수 량	단 가	금 액
방 독 면	2,000	41,800	83,600,000
예비정화통	4,000	10,500	42,000,000
해독제 킷	6,000	7,400	44,400,000
피부제독 킷	2,000	4,210	8,420,000
소 계		63,910	
단가보전비	3.5%		
합 계			184,664,700

-끝-

국 방 부 장

군수국장전결

분류기호 문서번호	중근동720-13	협조문용지 (720-2327)	결재	담 당		과 장
시행일자	1991. 1. 10.					24
수 신	문서담당관	발 신		중근동과장		(서명)
제 목	방독면 송부 협조					

걸프사태와 관련, 대우 주식회사는 아랍에미리트에

체재중인 자사 근로자들의 안전을 위하여 방독면 44개를 파우치편

송부(송료는 동 회사 부담)해 줄것을 요청하여 왔는 바, 동 물품이

최우선 파우치편 송부되도록 협조하여 주시기 바랍니다. 끝

0023

주식회사 대우

서울·중구 남대문로5가 541 (대우센터) 우편번호 100 - 714 (텔렉스 : DAEWOO K23341, K24295, K24444)
• 무역부문 : 중앙사서함2810/전화 : 759 - 2114 • 건설부문 : 중앙사서함 8269/전화 : 759 - 2114 • 선박영업 : 중앙사서함 6208/전화 : 779 - 0761 • FACSIMILE : 753 - 9489

(634-5061)

해인이 제1241-*0016*호   1991.1.10

수 신 : 외무부장관

참 조 : 중근동과장

제 목 : 방독면 송부 협조

　　1. 귀부처의 일반행정 협조에 감사드립니다.

　　2. GULF사태 관련, 중동지역의 당사 근로자에게 지급할 방독면을 아래와 같이

　　　외교파우치편으로 송부 요청하오니 조치하여주시기 바랍니다.

　　3. 물품의 항공운송에 따른 운송료는 당사에서 부담하겠습니다.

- 아　　　　래 -

1. 송부내역

품 명	단 위	수 량	예 상 중 량	비 고
방 독 면	개	44	110 kg	

2. 송부국가 : U.A.E 국 (DUBAI현장)

3. 송부일자 : '91.1.15 이내 도착 요망. 끝.

서울시 중구 남대문로 5가 541

주 식 회 사 대 우

대 표 이 사 장 영 수

0024

현 대 건 설 주 식 회 사

(746 - 2523)

현 건   외업제 **91-0016**호   1991. 1. 10.

수 신   외무부장관

참 조   중동.아프리카 과장

제 목   방독면 이락 송부 협조 요청

　　　1.표제의 건, 폐사 공문 현건 제 외업 91-0004(91.1.8 字)
관련입니다.

　　　2.대다수 인원이 이락에서 철수 예정이며 불가피하게 잔류하는
인원에 대해서만 방독면을 송부코자 합니다.

　　　3.따라서 당초 계획했던 150개에서 하기와 같이 50개만을 송부코저
하오니 업무 협조바랍니다.

- 하 기 -

수신 : 현대건설 이락 사업본부 김 종훈 이사

발신 : 현대건설 비상대책 본부장

수량 : 50 개

포장 : 10개 포장 / 580X535X315MM / 20KG
　　　(50개 포장 / 0.5M3)   끝

서울시 종로구 계동 140-2
현 대 건 설 주 식 회 사
대표이사 정 　 훈 　 목

0025

현 대 건 설 주 식 회 사

(746 - 2523)

현 건   제 91-0014호   1991. 1. 11

수 신   외무부장관

참 조   중동·아프리카 과장

제 목   방독면 요르단 송부 협조 요청

　　　　　1. 폐사는 현 페만 사태와 관련하여 폐사에서 요르단에 파견한
인원에게 방독면을 지급하고자 합니다.

　　　　　2. 그러나 방독면의 송부의 제반 어려움을 고려, 1월 12일자
귀 부의 외교 파우치편으로 방독면을 하기와 같이 송부하여 주시면
감사하겠읍니다. 이에 따른 모든 운송 경비는 폐사가 부담하겠읍니다.

                            - 하 기 -

수신 : 현대건설 요르단 지점 박 철수 차장

발신 : 현대건설 비상대책 본부장

수량 : ⑤ 개

무게 : 10KG   끝

                        서울시 종로구 계동 140-2 번지

                        현 대 건 설 주 식 회 사

                        대표이사 정 훈 목

0026

현 건   제91-0015호   1991. 1. 11

수 신   외무부장관

참 조   중동·아프리카 과장

제 목   방독면 사우디 송부 협조 요청

　　　　1.폐사는 현 페만 사태와 관련하여 폐사에서 사우디에 파견한
인원에게 방독면을 지급하고자 합니다.

　　　　2.그러나 방독면의 송부의 제반 어려움을 고려, 1월 17일자
귀 부의 외교 파우치편으로 방독면을 하기와 같이 송부하여 주시면
감사하겠읍니다. 이에 따른 모든 운송 경비는 폐사가 부담하겠읍니다.

- 하 기 -

수신 : 현대건설 사우디 사업본부 양 한호 상무

발신 : 현대건설 비상대책 본부장

수량 : 95 개

포장 : 10개 포장 / 580X535X315MM / 20KG
　　　(95개 포장 / 1M3)

　　　　　　　　서울시 종로구 계동 140-2 번지

　　　　　　　　현 대 건 설 주 식 회 사

　　　　　　　　대표이사 정   혼   묵

0027

현 대 종 합 상 사 주 식 회 사
(746-1887)

현상기획 : 제 91-01-○38호   1991. 1. 11
수   신 : 외무부장관
참   조 : 중근동과 / 문서담당관실
제   목 : 사우디 지점 주재원 신변보호용 방독면 송부 협조의뢰의 건

        최근 전쟁위험이 가시화되고 있는 페르시아만 사태와 관련하여 폐사 사우디지점 주재원의 신변보호 조치의 일환으로 화학전 대비용 방독면을 국내에서 구입 송부코져 하오나 국내외 통관상의 문제로 부입지연이 우려되어 주 사우디 한국대사관 공문에 의거 외무부 외교행랑을 이용코자 하오니 하기사항을 참조하시어 선처해 주시기 바랍니다.

            품   명 : KI 방독면 및 SPARE 정화통
            수   량 : 방독면 6EA, SPARE 정화통 12EA
            소요처 : 현대종합상사 JEDDAH 지점
            주   소 : HYUNDAI CORPORATION JEDDAH OFFICE
                               P.O. BOX 5678
                               AL-KAYAL STREET
                               HAI AL-ROUDAH DIST JEDDAH
                               KINGDOM OF SAUDI ARABIA
            기   타 : 상기 방독면 송부와 관련 발생되는 비용은
                      폐사가 부담 위계임.

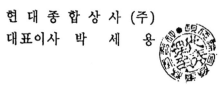

                                  현 대 종 합 상 사 (주)
                                  대표이사 박 세 용

                                                         0028

분류기호 문서번호	중근동 720- 14 ( )	협 조 문 용 지	결 재	담당 👤	： ／	과장 24
시행일자	1991. 1. 11.					
수 신	문서담당관	발 신	중근동과장			(서명)
제 목	방독면 송부 협조.					

걸프 사태와 관련, 하기회사는 걸프지역에 체류중인 자사 근로

자들의 안전보호를 위해 아래와 같이 방독면 송부를 요청(송료는

동사 부담)하여 왔는 바, 동 물품이 송부되도록 조치하여 주시기

바랍니다.

- 아 래 -

1. 현대 건설

   - 사우디(리야드) : 방독면 ⑨⑤개

   - 이라크 : 방독면 50개 √

   - 요르단 : 방독면 5개 √

2. 대한 무역진흥공사

   - 사우디(젯다) : 방독면 10개

   - UAE : 방독면 13개 -

   - 요르단 : 방독면 8개. 끝.   0029

1505 - 8 일 (1)   190mm×268mm(인쇄용지 2급 60g / ㎡)
85. 9. 9 승인 "내가아낀 종이 한장 늘어나는 나라살림"   가 40-41 1990. 7. 9.

長 官 報 告 事 項

報 告 畢

199 1.1○.12.
非常對策班

題 目 : 걸프地域 滯留 無緣故 我國民에 대한 防毒面 支援

1. 支援 背景

○ 91.1.5. 페灣事態 관련 關係部處 長官 會議에서 걸프지역 6개국 滯留 無緣故 僑民 2천명에 대한 防毒面 2천개등 支援 決定

○ 91.1.11. 大統領 각하께서 防毒面 支援에 대해 萬全 기하도록 指示

2. 支援 內譯

가. 支援 對象 地域 및 對象 僑民

公 館 名	支 援 對 象 者
주 사우디 대사관	1,367 명
주 젯다 총영사관	111 명
주 요르단 대사관	77 명
주 이락 대사관	9 명
주 카타르 대사관	58 명
주 U.A.E. 대사관	321 명
주 바레인 대사관	57 명
계	2,000 명

나. 支援 內譯

○ 1인당 방독면 및 피부제독킷 1개, 정화통 2개, 해독제킷 3개씩 지급

다. 지원 소요 예산 : ₩ 2억 6,768 만원

3. 措置 및 措置 豫定 事項

○ EPB 에 사용 신청(1.11) 및 설명(1.12)

○ 국방부에 발송 준비 만전 요청 (1.11)

○ ~~체류교민 철수 위한 KAL 전세기 운항편에 방독면 발송 예정~~

~~등 발송은 1.14~16일중 조치 예정. 끝.~~

○ 송부 방법안 : 파우치, 국방부 전세기, 교민철수 전세기등 최선방안중 공관별로 선별적 선택

앙고재 81년 4월 11일 아프리카1과 담당 과장 심의관 국장

0030

長 官 報 告 事 項

報告畢

1991. 1. 12.
非常對策本部

題 目 ： 걸프地域 滯留 無綠故 我國民에 대한 防毒面 支援

1. 支援 背景

o 91.1.5. 페灣事態 관련 關係部處 長官 會議에서 걸프지역 6개국 滯留
無綠故 僑民 2천명에 대한 防毒面 2천개등 支援 決定

o 91.1.11. 大統領 각하께서 防毒面 支援에 대해 萬全 기하도록 指示

2. 支援 內譯

가. 支援 對象 地域 및 對象 僑民

公 館 名	支 援 對 象 者
주 사우디 대사관	1,367 명
주 젯다 총영사관	111 명
주 요르단 대사관	77 명
주 이락 대사관	9 명
주 카타르 대사관	58 명
주 U.A.E. 대사관	321 명
주 바레인 대사관	57 명
계	2,000 명

나. 支援 內譯

o 1인당 방독면 및 피부제독킷 1개, 정화통 2개, 해독제킷 3개씩
지급

다. 지원 소요 예산 ： 2억 6,768 만원

3. 措置 및 措置 豫定 事項

o EPB에 豫備費 신청(1.11) 및 실명(1.12)

o 국방부에 발송 준비 만전 요청 (1.11)

o 송부방안 ： 파우치, 국방부 전세기, 교민철수 전세기편등 最先
方案中 공관별로 選別的 선택. 끝.

0031

분류기호 문서번호	중근동 720-	협조문용지 ( )	결 재	담당		과장
시행일자	1991. 1. 12.					(서명)
수 신	문서담당관	발신 중근동과장				
제 목	방독면 송부 협조					

걸프 사태와 관련, 현대 통합상사는 젯다에 주재하는 자사

직원들을 위하여 방독면 6개, 예비정화통 12개 송부(송료는 동

회사 부담)를 요청하여 왔는 바, 동 물품이 송부되도록 조치하여

주시기 바랍니다. 끝.

0032

✢ 三星電子

서울시 중구 순화동 7번지
중앙일보빌딩
전화 : 751-6 1 1 4

(751-6294) 백미현 .   1991. 1. 12.

수   신 : 외무부 장관

참   조 : 중근동 과장

제   목 : 중동 주재원 방독면 송부 협조 요청 건

　　　　최근 중동 사태 악화에 따라 만일의 사태에 대비, 중동지역에 근무하고 있는

당사 주재원들에게 다음과 같이 방독면을 송부하고자 하오니, 협조 바랍니다.

- 다 음 -

1. 송부 대상 지역

　- SAUDI ARABIA (JEDDAH), U.A.E (DUBAI) 소재 당사 지점

　- 주 소

　　JEDDAH 지점 : Mr. B.W.SUNG
　　　　　　　　　　WALID ALTABSH EST.
　　　　　　　　　　P.O.BOX 12280
　　　　　　　　　　JEDDAH, SAUDI ARABIA

　　DUBAI 지점 : Mr. J.K.KIM
　　　　　　　　　　BRITISH BANK OF THE MIDDLE EAST BLDG.
　　　　　　　　　　5th FLOOR, AL NASSER SQUARE
　　　　　　　　　　P.O.BOX 4246
　　　　　　　　　　DUBAI, U.A.E

2. 송부 수량

　- JEDDAH 지점 : 12개

　- DUBAI 지점 : 8개

3. 송부를 함에 있어 드는 제반 비용은 전액 당사가 부담할 것 임.

- 이 상 -

삼 성 전 자 주 식 회 사
대 표 이 사 강 진 구

0033

관리기호 문서번호	중근동 720-	협조문용지 ( )	결 재	담당		과장
시행일자	1991· 1· 12·			ㅁ	/	(서명)
수 신	문서담당관	발 신 중근동과장				
제 목	방독면 송부 협조					

걸프 사태와 관련, 삼성전자(주)는 젯다 및 두바이에 주재하는

자사 직원등을 위하여 아래와 같이 방독면 송부(송료는 동 회사

부담)를 요청하여 왔는 바, 동 물품이 송부되도록 조치하여 주시기

바랍니다.

- 아   래 -

1. 사우디(젯다) : 방독면 12개

2. 아랍에미리트 : 방독면 8개· 끝·

751-6294 김미선 씨

0034

1505 - 8 일 (1)
85. 9. 9 승인 "내가아낀 종이 한장 늘어나는 나라살림"

190mm×268mm(인쇄용지 2급 60g / ㎡)
가 40-41 1990. 7. 9.

기 안 용 지

분류기호 문서번호	아프일 720- 7분석	(전화 : 720-2351)	시 행 상 특별취급	
보존기간	영구. 준영구 10. 5. 3. 1.	장	관	

장 관

예

<table>
<tr><td rowspan="3">보
조
기
관</td><td>국 장</td><td>전 결</td><td rowspan="3">협
조
기
관</td><td></td><td></td><td>문 서 통 제</td></tr>
<tr><td>심의관</td><td></td><td></td><td></td><td>검토
1991.1.12
공지관</td></tr>
<tr><td>과 장</td><td></td><td></td><td></td><td rowspan="2">발 송 인
반송승
1991.1.12
의무부</td></tr>
</table>

수신처 보존기간	
시행일자	1991.1.12.

기안책임자	구본우

경 수 참	유 신 조	국방부 장관	발 신 명 의	

제 목 고민 보호용 화생방 물자지원 요청

　　　　1. 장비 24431-51(91.1.10), 중근동 720-430(91.1.7)과 관련임.

　　　　2. 상기 관련사항 아래와 같이 통보하오니 긴급 조치하여 주시기

바랍니다.

　　　　　　가. 공관별 수량 및 포장 방식

공 관 명	방 독 면	정 화 통	해독 재킷	피부제독 킷
주사우디(대)	1,367	2,734	4,101	1,367
주 젯다 (총)	111	222	333	111

0035

/ 계 속....

주요르단(대)	77	154	231	77
주이라크(대)	9	18	27	9
주카타르(대)	58	116	174	58
주U.A.E.(대)	321	642	963	321
주바레인(대)	57	114	171	57
총 계	2,000	4,000	6,000	2,000

나. 인계.인수 일시 및 장소

　　ㅇ 일　시 : 91.1.14(월) 10:00

　　ㅇ 장　소 : 정부종합제1청사　외무부 파우치실

다. 대금 지급 방법

　　ㅇ 외　상

　　ㅇ 경제기획원 승인후 추후 통보.　끝.

0036

대 한 민 국
외 무 부

아프일 720- *78f*　　　　　　　(720-2351)　　　　　　　　1991.1.12.

수 신　국방부 장관

제 목　교민 보호용 화생방 물자지원 요청

　　1.　장비 24431-51(91.1.10), 중근동 720-430(91.1.7)과 관련임.

　　2.　상기 관련사항 아래와 같이 통보하오니 긴급 조치하여 주시기
바랍니다.

　　　　가.　공관별 수량 및 포장 방식

공관명	방독면	정화통	해독 재킷	피부제독 킷
주사우디(대)	1,367	2,734	4,101	1,367
주 젯다 (총)	111	222	333	111
주요르단(대)	77	154	231	77
주이라크(대)	9	18	27	9
주카타르(대)	58	116	174	58
주U.A.E.(대)	321	642	963	321
주바레인(대)	57	114	171	57
총 계	2,000	4,000	6,000	2,000

／ 계　　속 ／

0037

나 . 인계.인수 일시 및 장소

　　ㅇ 일 시 : 91.1.14(월) 10:00

　　ㅇ 장 소 : 정부종합제1청사 외무부 파우치실

다 . 대금 지급 방법

　　ㅇ 외 상

　　ㅇ 경제기획원 승인후 추후 통보.　　끝.

　　　　외　　무　　부　　장

0038

대 한 민 국
외 무 부

아프일720-*790*   1990. 1 .12.

수신 국방부장관

제목 교민보호용 화생방 물자지원 요청

　　1. 아프일 720-789(91.1.12)과의 관련입니다.

　　2. 상기관련 나항 인계인수일시 및 장소를 아래와 같이
변경함을 통보하니 지급 조치하여 주시기 바랍니다.

	변 경 전	변 경 후
일 시	91. 1. 14(월) 10시	1.14(월) 07:30
장 소	정부종합청사 외무부	김포공항 화물 터미널

외　무　부　장　관

중동아프리카국장전결

0039

걸프만 지역 무연고 결미한 방독면등 지원 내역

세기 도착지	지원대상공관	대상자수	방독면 (Box당 10개)	정화통 (Box당 20개)	해독제 (B당 3-250)	피부제독킷 (B당 100개)	Box 수량 (개)
사 우 디 (리야드)	주사우디(대)	1,367			18 B	14 B	
	주젯다(총)	111			2 B	2 B	
	주카타르(대)	58			1 B	1 B	
	주UAE(대)	321			4 B	4 B	
	주바레인(대)	57			1 B	1 B	
	소 계	1,916명	192 B	96/192 B	196 B	22 B	356 B
요 르 단 (암)	주요르단(대)	77			1 B	1 B	
	주이라크(대)	9			1 B	1 B	
	소 계	84	9 B	9 B	45 B	2 B	17 B
	총 계	2,000명			B	24 B	454 B

373 B

(주) 1인당 방독면 및 피부제독킷 1개, 정화통 2개, 해독제 3개씩 지급

0040

방독면 소요 내역

KAS 방역의약품
공급업체
Tel. 730~8293~6 (FAX 736~8286)

지역별	kg당 단가	송부내역					총예상중량	총 소요금액
		방독면	예비정화통	해독제	피부제독킷	중량		
사우디(리야드)	$ 10.21	1,367	2,734	4,101	1,367	5.5 kg	7,518.5 kg	$ 76,764
사우디(젯다)	$ 9	111	222	333	111	5.5 kg	610.5 kg	$ 5,495
요르단	$ 8.69	77	154	231	77	5.5 kg	423.5 kg	$ 3,680
이라크	$ 8.69	9	18	27	9	5.5 kg	49.5 kg	$ 430
카타르	$ 10.21	58	116	174	58	5.5 kg	319 kg	$ 3,257
U.A.E.	$ 9.61	321	642	963	321	8 kg (파우치별 무게포함)	2,568 kg	$ 24,678
쿠웨이트	$ 10.21	57	114	171	57	5.5 kg	313.5 kg	$ 3,201
계	-	2,000	4,000	6,000	2,000	-	11,802.5 kg	$ 117,505

분류번호	보존기간

발 신 전 보

WSB-0062   910112 2254 FC

번 호 : _____   종별 : 지급

수 신 : 주   수신처참조   대사 ·총영사

WJO -0041	WBG -0038
WQT -0011	WAE -0017
WBH -0013	WJD -0006

발 신 : 장 관   (아프일)

제 목 : 무연고 교민용 방독면등 지원

1. 귀관 관할 거주 무연고 교민용 방독면, 정화통, 해독제, 피부제독킷을

1.14(월) 서울발 대한항공 특별기편 이용, 외교화물로 아래와 같이 지원예정임.

　　가. 특별기는 사정상 리야드와 암만에만 기착

　　나. 리야드, 젯다, 카타르, UAE, 바레인 지역교민용은 리야드로 송부예정임으로

　　　　주사우디 대사관과 협의, 수령하는 방안 강구

　　　　- 젯다의 경우는 공관원 및 가족용도 포함

　　다. 요르단, 이라크 거주 교민용은 주요르단 대사관에 송부

2. 상기 관련, 물품수량등 상세사항은 특별기 출발후 추보하겠음.

예고 : 19 . . . 에 역고군애
　　　　외91.6.30.일반재 분규됨.

수신처 : 주 사우디, 요르단, 이라크, 카타르, UAE, 바레인 대사, 주 젯다 총영사. 끝.

　　　　　　　　　　　　　　　　(중동아국장 이 해 순)

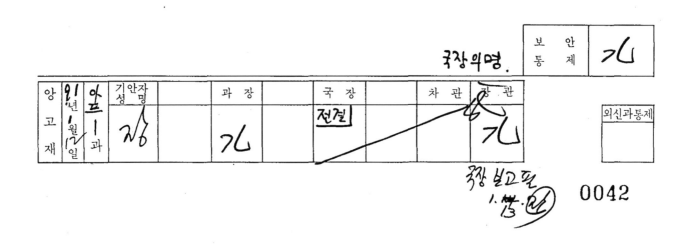

국장의명.

보 안 통 제	∠

앙 고 재	91년 1월 12일 아 과	기안자 성명	과 장	국 장 전결	차 관	장 관	외신과통제

국장 보고필
1.쌍

0042

분류기호 문서번호	아프일720-	협조문용지		심의관 앵		
		( )	결 재	담 당	과 장	국 장
시행일자	1991. 1. 14.					(서명)
수 신	기획관리실장	발 신		중동아프리카국장		
제 목	방독면 송부 협조 의뢰					

1. 페만 사태관련, 주이란 대사는 각국 공관들은 화생방전에

대비하기 위하여 방독면을 준비중에 있다고 보고하면서 아국

공관이 보유하고 있는 방독면이 유효기간 (3년) 이 경과하여

사용가능성이 의문시 되므로 만일의 사태에 대비하여 보유

방독면을 신품으로 교체 송부해 줄 것을 건의하여 온바

있읍니다.

2. 상기관련 아래와 같이 방독면 (신품)을 송부하여 줄것을

의뢰하오니 조치하여 주시기 바랍니다.

- 아 래 -

1. 품 명 : 방독면

2. 수 량 : 32개

3. 송 부 처 : 주이란 대사관. 끝.

0043

페만 지역 무연고 교민위한 방독면 송부 내역

(91.1.14. 08시 현재)

전세계기 도착지	지원대상공관	대상자수	방독면 (Box당 10개)	정화통 (Box당 20개)	해독제 (B당 3-250개)	피부제독킷 (B당 100개)	Box 총 수량
사 우 디 (쿠와이트)	주사우디(대)	1,367			18	14	
	주젯다(중)	111			2	2	
	주카타르(대)	58			1	1	
	주UAE(대)	321			4	4	
	주바레인(대)	57			1	1	
	소 계	1,916명	192 Box	96 Box	26 Box	22 Box	336 Box
요 르 단 (함)	주요르단(대)	77			1	1	
	주이라크(대)	9			1	1	
	소 계	84	9 Box	4 Box	2 Box	2 Box	17 Box
	총 계	2,000명	201 Box	100 Box	28 Box	24 Box	353 Box

(주) 1인당 방독면 및 피부제독킷 1개, 정화통 2개, 해독제 3개씩 지급

0044

차용증

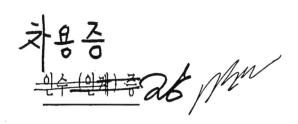

~~인수 (인계) 증~~

아래 물품을 정히 수령함.

- 아   래 -

1. 품명 및 수량

품 명	수 량	Box
방 독 면	2,000 (개)	~~200 B~~ ~~201 B~~
정 화 통	4,000 (개)	~~100 B~~ ~~101 B~~
해 독 제	6,000 (개)	~~28 B~~ ~~25 B~~
피부제독킷	2,000 (개)	24 B

2. 장 소 : 김포세관 화물터미널

3. 일 시 : 1991.1.14. 07:30

4. 인계자 : 국방부 군수국장 이근택 육군소장 代 중영 이동하

   인수자 : 외무부 중동아프리카국장 이해순 代 외무서기관 장석환

0045

인수 (인계) 증

아래 물품을 정히 수령함.

- 아   래 -

1. 품명 및 수량

품 명	수 량	Box
피부제독킷	2,000 (개)	24 B

2. 장 소 : 김포세관 화물터미널

3. 일 시 : 1991.1.14. 07:30

4. 인계자 : 제707대대   병기관 준위 김 광 남 *[서명]*

   인수자 : 외무부 장석철 서기관 ▮▮▮▮ *[서명]*

   확인관: 국방부 군수국 중령 이동하 (20508)

0046

인수 (인계) 증

아래 물품을 정히 수령함.

- 아   래 -

1. 품명 및 수량

품 명	수 량	Box
방 독 면	2,000 (개)	200B ~~201 B~~
정 화 통	4,000 (개)	100B ~~201 B~~

2. 장   소 : 김포세관 화물터미널

3. 일   시 : 1991.1.14. 07:30

4. 인계자 : 제55사단 *정비대* *준위* *조 주성* (309735)

   인수자 : 외무부 장석철 서기관 ███

   확인란: *국방부 군수국 중계 이동하* (20508)

0047

걸프사태 : 재외동포 철수 및 보호, 1990-91. 전14권 (V.6 걸프지역 체류 동포에 대한 방독면 지원, 1990.9-91.2월) 109

인수 (인계) 증

아래 물품을 정히 수령함.

- 아   래 -

1. 품명 및 수량

품 명	수 량	Box
해 독 제	6,000 (개)	28B ~~25 B~~ 26

2. 장 소 : 김포세관 화물터미널

3. 일 시 : 1991.1.14. 07:30

4. 인계자 : 제72사단 군수처 대위 이봉두 (268008)

   인수자 : 외무부 장석철 서기관

   확인관 : 국방부 군수국 중령 이동하 (20568)

0048

페만 지역 무연고 교민위한 방독면 송부 내역

(91.1.14. 08시 현제)

전세기 도착지	지원대상공관	대상자수	방독면 (Box당 10개)	정화통 (Box당 20개)	해독제 (B당 3-250개)	피부제독킷 (B당 100개)	Box 총 수량
사우디 (리야드)	주사우디(대)	1,367			18	14	
	주제다(총)	111			2	2	
	주카타르(대)	58			1	1	
	주UAE(대)	321			4	4	
	주바레인(대)	57			1	1	
	소 계	1,914명	192 Box	96 Box	26 Box	22 Box	336 Box
요르단 (암만)	주요르단(대)	77			1	1	
	주이라크(대)	9			1	1	
	소 계	86명	9 Box	4 Box	2 Box	2 Box	17 Box
	총 계	2,000명	201 Box	100 Box	28 Box	24 Box	353 Box

(주) 1인당 방독면 및 피부제독킷 1개, 정화통 2개, 해독제 3개씩 지급

0043

韓逸開發株式會社
HANIL DEVELOPMENT CO., LTD.
C. P. O. BOX 2034, SEOUL 133-200, KOREA

TELEX : HANDECO K28573
CABLE : HANDECO
FAX : (02) 454-1154

PHONES : 454-2233
454-2255

한개(해사) 제 90 - 7ß 호   1991. 1. 14.

수 신 : 외무부장관

참 조 : 중기동거

제 목 : 방독면 송부의뢰

1. 귀부의 일익번창함을 기원합니다.

2. 중동사태 관련 사우디 아라비아에 건설현장을 가지고 있는 폐사는 개전시 화학전에 대비 아국근로자의 안전을 위하여 방독면을 현지에 아래와 같이 송부코저 하오니 외교행낭(1월 17일 Flight)을 통하여 전달될수 있도록 요청하오니 선처하여 주시기 바랍니다.

" 송 부 내 역 "

1. 방독면 갯수 : 310 개

2. 도 착 지 : Jeddah(Jeddah 불가시 Riyadh), Saudi Arabia)

3. 통지처(수탁자): - Jeddah :
   한일개발(주)
   P.O. BOX 3488, Jeddah, Saudi Arabia
   Tel) (02)671-3015/3169

   - Riyadh :
   한일개발(주)
   P.O. BOX 3627, Riyadh, Saudi Arabia
   Tel) (01)220-2175/2764

4. 기 타 : 수송운임은 당사에서 지불.

한 일 개 발 주 식 회 사

대표이사 전 창 수

1991. 1. 14   1243

0050

HANIL DEVELOPMENT CO., LTD.

FAX MESSAGE

REF :   DATE: 1991. 1. 16.

FROM	FAX NO: SEOUL 454 - 1154 한일개발주식회사 해외사업본부영업부 이 수 경 (SIG)	TO	FAX NO : 730 - 8285 외무부 페만 비상대책본부 상 석 진 서기관님
		CC	
		CC	

TOTAL NO. OF PAGES INCLUDING THIS PAGE   2

제 목 : 방독면 송부의뢰

　　　대책반 초일에 노고가 많으십니다.

　　　오늘아침 전화통화 드린대로 지난번 기 제출한 방독면 송부의뢰
　　공문사본 송부하오니 잘 처리될수 있도록 부탁드립니다.

　　　수량은 당초 310개에서 100개로 변경되있습니다(현지에서 그동안
　　인수 구입한 사유임)

첨 부 : 공문 사본 1부 (끝).

0051

럭키금성商事株式会社
LUCKY·GOLDSTAR INTERNATIONAL CORP.

서울특별시 영등포구 여의도동 20번지 (럭키금성빌딩 2 한국위의) 여의도사서함 639 電話安內 : 787 - 1111 Telex : LGINTL K27266 FAX : 785 - 7762/3

지사103-24   (787 - 5242)   1991. 1. 14

수신 : 외무부 장관

참조 : 중동. 아프리카국장

발신 : 럭키금성상사 대표이사

제목 : 방독면 송부 협조요청

　　　중동사태관련 당사지사에 근무하는 주재원을 위하여 아래와 같이 방독면을 송부코자
하오니 선처하여 주시기 바랍니다.

　　- 송부지역

　　　. SAUDI ARABIA　　　　: RIYADH (5), JEDDAH (11)

　　　. UNITED ARAB EMIRATE : DUBAI (6)

　　同件관련 외교 POUCH 발송료는 당사가 부담함을 첨언합니다.

　　　　　　　　　　　　　　　　　　　　　　럭키금성상사주식회사
　　　　　　　　　　　　　　　　　　　　　　대표이사　변　규　칠

0052

관리	90/37

분류번호	보존기간

발 신 전 보

WSB-0086   910114 1710 AO   종별 : 초긴급

WJO -0062   WJD -0014

번   호 :

수   신 : 주 사우디, 요르단 대사//총영사
             주 젯다 총영사

발   신 : 장 관 (아프일)

제   목 : 특별기편 방독면 송부

연 : WSB - 0083, 0062
    WJO - 0060, 0041

재: JDW- 0005

1. 연호 특별기편 외교화물로 송부한 방독면의 Airway Bill 번호는 아래와
   같은바 동 방독면을 수령, 인출하기 위한 사전 준비 바람.
   - 주사우디 : 180-2222 4930
   - 주요르단 : 180-2222 4672

2. 동 방독면 Set 의 부피 및 중량은 주사우디 대사관 수령 2.5톤 트럭 6대분
   이며, 주요르단의 경우는 1대분인 바, 수송편 확보등 사전 조치 바람.

3. 리야드로 송부한 Box 의 총갯수는 336개인 바 착오 없기 바람.

4. 또한 주젯다 교민용 (리야드에서 우선 수령)중 41명분은 JDW-0005 전문
   제1항대로 조치하고, 나머지 70명분은 젯다 북부지역 교민에 지급 바람.

끝.

(중동아프리카국장 이 해 순)

예고 : 19 에 예고문에
      회겨 6 열반 문의 보 재 분규·담.

보 안 통 제	7C

앙고재	91년1월14일	안1과	기안자성명		과장	심의관	국장		차관 장관		외신과통제

0053

관리
번호 91 ~~-24~~

외 무 부

종 별 : 지 급

번 호 : AEW-0020

수 신 : 장관(노동부,경일)

발 신 : 주 UAE 대사

제 목 : 해외근로자 신변안전대책 보고

일 시 : 91 0114 1900

대:WAE-0014

1. 대호, 당지내 근로자의 방독면 보유현황을 아래 보고함.(각구분, 근로자수, 보유인원순)

   -현대건설:9,0

   -대우경남:43,4

   -한국중공업:129,0

   -동아건설:2,2

   -신화건설:1,0

   -대림산업:4,0

   -현대중공업:7,0

   -현지업체:113,0

   -계:308(총인원),6(보유인원)

2. 근로자 철수계획(요약)

가. 철수방안

0 하공철수(제 1 방안)

   -당지내 FUJAIRAH 국제공항을 근로자 집결장소로 선정, 대한항공 특별기를 이용하여 철수

   -FUJAIRAH 국제공항 현지답사 완료

0 육로철수(제2 방안)

   -주오만 아국대사관과 협조, 인접국인 오만으로 육로를 통한 철수

   -철수로:AL AIN(주재국내 집결장소)-AL MAHADA(입국수속 대기장소)-WADI JIZZI(오만 이민국사무소)

1991. 6. 57. 에 예고문에 띄가 일반문서로 재 분류됨.

노동부   차관   1차보   2차보   경제국

-오만 입국비자 획득(420)는 주오만 아국대사관을 통해 오만 관계당국과 사전 협조완료

-철수로 사전점검및 현지답사 완료

0 해상철수(제 3 방안)

-당지내 KHOR FAKKAN 항구를 근로자 집결장소로 선정, 현지 원양업체인 한국해외수산의 선박을 동원, 해상을 통한 철수

-한국해외수산의 선박 보유척수는 총 9 척(1 척당 150 명 승선가능)이며, 현재 오만해역및 인도양에서 조업중임

나. 기타 준비사항

0 각 건설현장별 1 개월분 이상의 비상식량및 식수확보 완료

0 근로자 이동수단 확보완료. 끝.

(대사 박종기-국장)

예고:91.6.30 일반

PAGE 2

0055

발 신 전 보

분류번호	보존기간

번 호 : WIR-0038   910115 1403   FK종별 : (지급) 암호화 송신

수 신 : 주 이 란   대사. 총영사//

발 신 : 장 관   (아프일, 기문)

제 목 : 방독면 송부

대 : IRW-0007

　　　1. 대호, 귀관 건의대로 방독면 32조(신품)를 1.16.(수) 서울발 특파편 송부하니 수령후 보고 바람.

　　　2. 상기 AIRWAY BILL 번호 추보할 예정임. 끝.

(중동아국장 이 해 순)

보 안 통 제	(서명)

앙고재	91년1월15일 아프1과	기안자 성명 26	과 장 (서명)	심의관 (서명)	국 장 전결	차 관	장 관 대

외신과통제

0056

걸프지역 체류교민 철수현황

(91.1.15 19시 현재)

국 별	총 원 (91.1.5)	기철수자 (괄호는 KAL 특별기)	잔 류 자	비 고 (추가철수희망자)
사 우 디	4,980	200 (200)	4,780	38
이 라 크	96	72 (37)	24 (현대소속 23 공관고용원 1)	0
쿠 웨 이 트	9	0	9 (개인사업상 잔류희망)	0
요 르 단	66	40 (16)	26	0
카 타 르	82	14	68	17
바 레 인	335	76 (48)	259	0
U. A. E.	650	142	508	41
총 7개국	6,218	544 (301)	5,674	96

0057

曉星物産株式會社

효태외 : 제 91-033 호   1991. 1. 17.

수 신 : 외 무 부 장 관

참 조 : 중 동 대 책 반

제 목   중동지역 거주 직원용 방독면 송부 협조 요청

1. 귀부의 노고와 지원에 깊이 감사드립니다.

2. 중동사태가 점차 악화됨에 따라 폐사의 중동지역 주재원과 가족 및 현지
   채용인에게 아래와 같이 방독면을 송부코자 하오니, 폐사 현지지점에
   동 물품이 전달될 수 있도록 선처하여 주시기 바랍니다.

----- 아   래 -----

1. 해당지역 : 사우디 아라비아 , U.A.E

2. 송부 수량

국 가 명	폐사지점	인 원	송부수량	송부지역
사 우 디 아 라 비 아	JEDDAH지점	주 재 원 2 명 주재원가족 6 명 현지채용인 2 명	10 개 ✓	JEDDAH
	RIYADH지점	주 재 원 1 명 주재원가족 없음 현지채용인 2 명	✓	RIYADH
U.A.E	DUBAI 지점	주 재 원 1 명 주재원가족 3 명 현지채용인 4 명	✓	DUBAI
합 계		주 재 원 4 명 주재원가족 9 명 현지채용인 8 명	21 개 ✓	

3. 부료 : 폐사 부담

서울특별시 중구 남대문로 4가 17-7

효 성 물 산 주 식 회 사

0058   대표이사 사장 허 정 욱

원 본

관리번호 91ㅎㄷ

외 무 부

종 별 : 지 급

번 호 : BHW-0047

일 시 : 91 0119 1230

수 신 : 장관(아프일,중근동)

발 신 : 주 바레인 대사

제 목 : 걸프사태

대 WBH-0021

1. 대호 방독면은 주사우디 대사관의 최선 노력에도 불구, 지난 1.17 새벽 개전과 동시 공항 폐쇄및 도로 봉행 제한등으로 상금 당관에 인도되지 못하고 있음.

2. 당관은 동 방독면의 최선 인수를 위하여 주사우디 대사관과 긴밀 협조중임을 우선 보고함. 끝.

(대사 우문기-국장)

예고 : 91. 6. 30. 일반교문에 외거 일반문서로 재 분류됨.

중아국   차관   1차보   2차보   중아국

PAGE 1

외 무 부

종 별 : 지 급

번 호 : SBW-0163

일 시 : 91 0119 1100

수 신 : 장 관(아프일,중근동,노동부,국방부,기정)

발 신 : 주 사우디 대사

제 목 : 방독면

대:WSB-83

1. 1.14 KAL 특별기 편으로 도착한 방독면 1,914 세트를 1.15 무위수령, 대호 지시에 따라 최선 항공편을 이용, 해당공관으로 송부키위해 항공예약후 공항에서 발송대기중 전쟁발발로 인한 민간항공의 운항 정지로 현재까지 발송치 못하고 있음

2. 한편, 주재국의 국경봉제 강화로 육로운송도 난망시 되고 있는바, 수송편이 확보되는대로 해당공관에 조속 송부예정임. 끝

(대사 주병국-국장)

해고:91.6.30 일반
외거 일반문서

| 중아국
국방부 | 장관
노동부 | 차관 | 1차보 | 2차보 | 중아국 | 청와대 | 총리실 | 안기부 |

91.01.19 17:07

외신 2과 통제관 DO

0060

외 무 부

원 본

암호수신

종 별 :

번 호 : IRW-0046

일 시 : 91 0120 1430

수 신 : 장관(아프일,기문)

발 신 : 주 이란 대사

제 목 : 방독면 수령

대:WIR-0038,0042

대호, 방독면 1.20(일) 무위 수령함. 끝

(대사 정경일-국장)

중아국   기획실   중아국

PAGE 1

제 목 : KAL 특별기 운항

1. 1.12. 제2차관보 주재 관련부처 회의는 KAL 전세기 한대를 아래와
   같이 운항하기로 결정함.
   - 목적은 의료지원단 파견 사전 조사단(26명) 수송 및 **방독면 2,000개**
     운송과 귀로 걸프지역 6개공관(사우디, 요르단, 바레인, UAE, 카타르,
     젯다) 가족 및 철수를 희망하는 교민 본국 수송
   - 일정은 1.14. 서울출발 동일 리야드 및 암만 경유 1.15발 서울도착
   - 전세기 취항 비용은 추후조치(전세기 34만불, 보험료 30-60 만불)

2. 상기 결정에 따라 해당공관에 다음과 같이 훈령함.
   - 공관별 철수희망인원 파악 및 리야드, 암만에 집결(단 공관원 가족의
     철수가 의무적은 아님을 확실히 함. 이점은 주변국 대사와의 통화
     결과임)
   - 교민의 경우 1인당 항공임 약 1,500불은 자담원칙으로 하되 부담능력
     없는 경우 숫자가 많지않으면 공관장 건의시 정부 부담할 수 있음.
   - 철수교민이 많으면 특별기 추가운항 가능

3. 관계부처 회의는 그밖에 다음사항 협의함.
   - 의료지원단 파견
   - 본부- 재외공관간 비상통신망 구성
   - 주변해역의 아국선박 보호
   - 대터러대책
   - 부처별 대책반 운영 및 대책본부와의 협조
   - 원유수급, 건설, 교역분야등 경제이익 보호

0062

FAX TRANSMISSION

KOREAN AIR, HEAD OFFICE
FAX NO : 751 - ~~7522~~ 7927

DATE : 1991. 01. 21.

TO : NAME : 박 서기관

DEP'T : 외무부 GULF 사태 대책본부

FROM : NAME : 영업 계획부장

DEP'T : 대한 항공 영업 계획부

SUBJ : 제 2차 특별기 운항 스케줄 (안)

NBR OF PAGES :   SHEETS (INCLUDED COVER SHEET)

NOTE : 1. OVERFLY & L/D PERMISSION 획득 위해 관계 당국
허가 신청 요망

2. OVERFLY 획득 구체적 내용 검토 대책 본부에서 각접
송부 여정 입니다.

1991-01-21 10:32 FROM SEOUL AIRPORT   TO   97308286 P.02

0063

KE8051/61 運航時間(案)

＊ 기 종 : B747/등록번호 HL7447　　　　1991. 1. 21〈月〉 現在

運航區間	國際標準時	現地時間	韓國時間
서 울	1月 24日 12:30 出發	1月 24日 21:30 出發	1月 24日 21:30 出發
방 콕 (기술 착륙)	18:10 到着 19:40 出發	1月 25日 01:10 到着 02:40 出發	1月 25日 03:10 到着 04:40 出發
리 야 드	1月 25日 04:00 到着 06:00 出發	07:00 到着 09:00 出發	13:00 到着 15:00 出發
제 다	07:40 到着 09:40 出發	10:40 到着 12:40 出發	16:40 到着 18:40 出發
방 콕 (기술 착륙)	17:10 到着 19:10 出發	1月 26日 00:10 到着 02:10 出發	1月 26日 02:10 到着 04:10 出發
서 울	1月 26日 00:20 到着	09:20 到着	09:20 到着

＊ KE8051 : 서울/(방콕)/리야드,　　KE8061 : 리야드/제다/(방콕)/서울

＊ 총 비행시간 : 29 시간

0064

TOTAL P.02

外務部 걸프事態 非常對策 本部

題 目 : 방 독 면 지 급   1991. 1 . 21 .

1. 걸프 전쟁지역 체류 아국 교민용 방독면 송부 내역 (별첨)

   o 정부 예산으로 구입, 91.1.14-15간 KAL 특별기편으로 2,000개를 주사우디

      대사관(1,914개) 및 주요르단 대사관(86개)에 송부

   o 특별기 운항 일정상 카타르, UAE, 바레인등 인근국 거주 교민용 방독면

      (436개)은 리야드에 송부하면서 최선 수송편으로 관계공관에 긴급 송부토록

      주사우디 대사관에 지시(1.14)

2. 지급 상황

   o 요르단 체류 교민 및 체류자(기자 포함) 전원에게 방독면 지급 완료

   o 사우디 체류 교민용 방독면은 사우디 도착직후 전쟁 발발에 따른

      민간항공기 운항 정지 및 국경 통제로 1.21. 까지 해당 공관에 미발송

      - 수송편(육로 수송 포함) 확보 즉시 송부 조치 예정

청와대 외교안보 김재섭
비서관에게
FAX 함

/.   0065

政府綜合廳舍 810號   電話 : 730-8283/5, 730-2941. 6. 7. 9, (구내)2331/4, 2337/8   Fax : 730-8286

外務部 걸프事態 非常對策 本部

題 目 :   1991.   .   .

별첨 : 순수 교민용 방독면 송부(1.14-15) 내역

대 상 국 가	지 역	대 상 교 민 수	비 고
사 우 디 (1,478 SET)	리 야 드	1,367 SET	주사우디 대사관에 송부
	젯 다	111 SET	
카 타 르		58 SET	
U. A. E.		321 SET	
바 레 인		57 SET	
요 르 단		77 SET	주요르단 대사관에 송부
쿠웨이트		9 SET.	
계		2,000 SET	

2.

끝0066

政府綜合廳舍 810號   電話 : 730-8283/5, 730-2941. 6. 7. 9, (구내) 2331/4, 2337/8   Fax : 730-8286

방 독 면 지 급

1. 업체별 송부, 지급

    o 업체에서 개별 구입, 외교 행랑편 이용 1,800 여개 이미 송부
       (90.8-91.1.14), 지급 완료

    o 추가분 900여개, 1.24. KAL 특별기편 이용 송부 예정 (준비 완료)

2. 순수교민용 방독면

    가. 송부 내역

       o 정부 예산으로 구입, KAL 특별기편으로 2,000개 주사우디 대사관
          및 주요르단 대사관에 이미 송부 (91.1.14-1.15)

       o 특별기 운항 일정상 카타르, UAE, 바레인등 인근국 거주 교민용
          (계 436개) 리야드에 송부

          - 최선 수송편 이용, 긴급 송부토록 주사우디 대사관에 지시(1.14)

    나. 인근지역 거주 교민에 대한 방독면 송부

       o 주사우디 대사관에서 카타르, UAE, 바레인 지역 교민용 방독면
          송부 위해 항공편 예약후 공항에서 발송 대기중 전쟁 발발로 인한
          민간 항공 운항 정지로 1.19.까지 미 발송 (주사우디 대사 보고)

          - 육로 수송편도 사우디 정부의 국경 통제로 어려우나 수송편
            확보 즉시 송부 조치 예정

    다. 조치사항

       o 상기 미수령지역 거주 교민 위한 방독면 긴급 발송토록 주사우디
          대사관에 재차 지시 (1.21)

0067

FACSIMILE MESSAGE

HYUNDAI ENGINEERING & CONSTRUCTION CO.LTD.   TLX NO:K23111-5 HYUNDAI
140-2-KYE-DONG,CHONGRO, SEOUL, KOREA   FAX NO:(02)743-8963

REF. NO.: HDEC/FAX-- **11256** | DATE : 1991년 1월 21일

수신 : 외무부 비상대책본부장 | PAGE : 1 OF 1 INCLUDING
      (FAX 730-3256) | THIS PAGE

발 : 장석침 시가관

제목 : 대국이송 방독면 수송협조 의뢰

1. 폐사는 사우디 지역 폐사 인원을 위한 방독면 조달을 위해 사우디 정부
   CIVIL DEFENSE 측에 방독면 대금을 지급코 금일중 폐사가 필요로 하는
   물량을 불출받을 계획으로 있습니다.

2. 그러나 현지 사정으로 만약 상기 사우디 당국의 방독면 불출 물량이 폐사
   소요에 부족하거나, 추가로 물량이 필요한 경우에 대비하여, 그동안 폐사
   본사에 준비한 방독면 395개를 가능한 <u>빠른 수송수단편에 사우디 리야드</u>
   주재 폐사 사업본부로 송부할 예정입니다.

3. 이와 관련, 정부측에서 KAL 전세기 운항 등 수송수단을 확보하시는 경우
   상기 395개의 방독면이 우선적으로 실려 현지로 보내질 수 있도록 배려하여
   주시면 감사하겠습니다.

4. 상기 관련 폐사 담당자는 다음과 같습니다.

   대책일무 이사 김효영 (746-2523, 2510)
   수출이팀 과장 김인만 (746-2601)   끝.

發送
1991. 1. 21

0068

FAX MESSAGE
HANIL DEVELOPMENT CO., LTD.
C.P.O. BOX 2034, SEOUL KOREA
TELEPHONE : (02)454-2233   TELEX : K26973   FAX : (02)454-1154

FAX NR.	91-118	DATE	91. 1. 21.
TO	외무부 비상 대책반	OUR REF.	
ATTENTION	장서기관 님 / 오세현 님	FROM	한일개발 심정영
COPY TO		TOTAL PAGE(S) INCLUDING COVER SHEET	
RE	페만 사태 INFORMATION		

비상 대책 수집에 대단히 수고 많으십니다.

지를 사침의 RIYADH 로 MISSILE 공격으로 상황이 바뀌었
으나 먼 어제 저희 中東 호텔에서 보내온 空港 사정
에 대한 INFORMATION를 보내드리오니 꼭 참고가
되면 좋겠습니다.

"91. 1. 20. 부터 JEDDAH 와 RIYADH 공항이 복불력 OPEN
예정이며 JEDDAH/RIYADH, CAIRO, PARIS, NEW YORK,
MANILA, CASABLANCA 로 주 1~3회 SAUDIA 가
운항 예정"

※ 저희의 방독면 송부에 대한 애타는 심정을 서울
에서 하여서 아무쪼록 빨리 송부할 수 있게끔
최선을 다 해 주십시요.

한일개발 비상대책반
FAX 454-1154
외무부
대책반 장서기관
FAX 송부 1. 19 1부

0069

관리 번호	91-66

분류번호	보존기간

발 신 전 보

번 호 : WJO-0109   910121 1407   AO 종별 : 긴급

수 신 : 주 요르단   대사. 총영사

발 신 : 장 관   (아프일)

제 목 : 방독면 지급

연 : WJO-0060

수령 여여부

연호 방독면 지급 현황 긴급 보고 바람. 끝.

(중동아국장   이 해 순)

예 고 :
19. . 에 예고문에
외거 1991.6.30.서 일반 분류됨.

보 안 통 제	

앙 고 재	91년 1월 21일	아프 1 과	기안자 성명		과 장	심의관	국 장		차 관	장 관	
						전결				

외신과통제

0070

원 본

외 무 부

종 별 : 긴 급

번 호 : JOW-0092

일 시 : 91 0121 1310

수 신 : 장 관(중근동,기정)

발 신 : 주 요르단 대사

제 목 : 방독면 수령및 지급현황

대:WJO-0109

1. 대호 방독면 수령및 지급현황을 아래와 같이 보고함

품명 수령 지급 잔고

K1 방독면 101 38 63

정화통 86 20 66

보호의세트 15 0 15

KM 피부제독키트 101 20 81

해독제 K-I 315 20 295

(대사:박태진-국장)

예:91반6.30일반

걸프사태 : 재외동포 철수 및 보호, 1990-91. 전14권 (V.6 걸프지역 체류 동포에 대한 방독면 지원, 1990.9-91.2월) 133

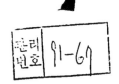

발 신 전 보

분류번호	보존기간

번 호 : WSB-0170   910121 1408 AO   종별 : 긴급

수 신 : 주 수신처 참조   /대쌰!//총영사/

WJD -0036	WQT -0040
WAE -0062	WBH -0051

발 신 : 장 관 (아프일)

제 목 : 방독면

대 : SBW-0163

연 : WSB-83, WJD-0014, 0013

1. 대호 귀지에서 수령한 방독면 1914 SET중 귀관 관할 거주지역 교민용 1,478 SET(리야드 1,367, 젯다 111)의 배포 현황 긴급 보고 바람.

2. 상기관련, 카타르, UAE, 바레인지역 거주 교민용 방독면도 최선의 수송편 이용, 해당 공관에 긴급 발송토록 조치하고 결과 지급 회보 바람.

3. 동건은 최고위층의 각별한 관심사항인바, 지연 또는 차질이 없도록 만전 기하기 바람. 끝.

(중동아국장   이 해 순)

수신처 : 주 사우디 대사, 젯다 총영사

사 본 : 주 카타르, UAE, 바레인 대사

예 고 : 1991. 6. 30. 일반

보 안 통 제	

0072

원 본

관리
번호 91-62

외 무 부

종 별 : 긴 급

번 호 : SBW-0215

일 시 : 91 0121 1820

수 신 : 장관(아프일)

발 신 : 주 사우디 대사

제 목 : 방독면

연:SBW-163

대:WSB-83,170

대호, 당관에서 수령한 방독면의 배포 및 발송현황

1. 리야드지역:(1406) 세트 배포완료

2. 주카타르(50 세트):1.20 송부, 금일 무위수령확인

3. 주제다(80) 세트): 금일오후 기송부, 익일도착예정

4. 주바레인(57) 세트), 주 UAE(321) 세트): 동치역으로 통하는 국경이 폐쇄되어 현재까지 미발송 상태인바, 국경개시 즉시 송부예정임

5. 당관에는 수령분량 이상의 수요가 있었던반면, 인근지역에는 일부교민이기철수하여, 공관간의 협의하여 분량을 상기와같이 조정하였음을 첨언함

(대사 주병국-국장)

예고:91.6.30 일반 애고문에 의거 일반문서로 재 분류됨.

공란. 가족用
90.11
115착 임박

중아국   차관   1차보   2차보

걸프사태 : 재외동포 철수 및 보호, 1990-91. 전14권 (V.6 걸프지역 체류 동포에 대한 방독면 지원, 1990.9-91.2월) 135

관리
번호 91-64

원 본

외 무 부

종 별 : 긴 급

번 호 : QTW-0028   일 시 : 91 0121 1720

수 신 : 장관(아프일)

발 신 : 주 카타르 대사

제 목 : 방독면 인수

대:WQT-0040

1. 당지체류 교민용 방독면 50 개 1.21 12:00 육로수송을 통하여 무위 인수하여
체류교민 세대주를 당관에 소집 전달하고 사용법에 대한 교육을 필하였음.

2. 금번 체류교민에 대한 방독면배부는 아국 최고층 특별 관심사임을 주지시킨바,
선진국 수준(당지체류 민간인에게 방독면 배부한 나라는 영국및 독일뿐임)의
정부조치에 대하여 매우 감사하는 반응임.

3. 운송비 미화 420 불은 당관에서 입체 지불하였으므로 당관으로 직송하여주시기
바람.

끝

(대사 유내형-국장)

예고:91.6.30.일반예고문에
의거 일반문서로 제 분류함.

중아국   차관   1차보   2차보

題 目:

사본: 1.21. 17:~
1991. 아주1 강애기보냄
(현재 이사부 접촉)

박서기관

현대본사 방독면 4000개 → 특별기편
사우디에 송부희망 ── 문제없은 거라고 받으면
── 실행 접촉하도록 하겠ፎ. ── 살어
주는 방향으로 검토하고 경비부당 문제
실용적으로 처리할 것.

0075

外務部 걸프事態 非常對策 本部

題 目: 방독면 지급 상황 (추가)

1991. 1. 21.

(1.21 21:30 주사우디 대사관 전화보고)

1. 사우디 체류 교민용 방독면

   ○ 리야드등 중부지역 및 다란, 쥬베일등 동북부지역 체류 교민 전원에게
      방독면 1,367 Set 지급 완료

   ○ 젯다 북부 지역 교민용 방독면(70 Set)은 걸프전쟁 발발에 따른 민간
      항공기 운항 정지 및 육로 수송편 확보 곤란으로 1.21현재 미발송 상태
      - 수송편(육로수송포함) 확보즉시 송부 조치 예정

2. 카타르, UAE, 바레인 체류 교민용 방독면(436 Set)

   ○ 사우디 도착 직후 전쟁 발발에 따른 민간 항공기 운항 정지 및 사우디
      국경 통제로 1.21현재 미발송 상태
      - 수송편(육로수송포함) 확보즉시 송부 조치 예정

※ 요르단 체류 교민용 방독면 : 지급 완료 (1. 21. 21시 주요르단 대사관 보고)

1. 21. 21:09
청와대 외교안
김재섭 비서관
에게 FAX 발송필

0076

政府綜合廳舍 810號   電話 : 730-8283/5, 730-2941. 6. 7. 9. (구내)2331/4. 2337/8   Fax : 730-8286

外務部 걸프事態 非常對策 本部

題 目 : 방독면 지급 상황 (추가)
　　　　　　　　　　　　　　　　　　　　　1991. 1 . 21

(1.21 21:30 주사우디 대사관 전화보고)

1. 사우디 체류 교민용 방독면

   o 리야드등 중부지역 및 다란, 쥬베일등 동북부지역 체류 교민 전원에게
     방독면 1,367 Set 지급 완료

   o 젯다 북부 지역 교민용 방독면(70 Set)은 걸프전쟁 발발에 따른 민간
     항공기 운항 정지 및 육로 수송편 확보 곤란으로 1.21현재 미발송 상태
     - 수송편(육로수송포함) 확보즉시 송부 조치 예정

2. 카타르, UAE, 바레인 체류 교민용 방독면(436 Set)

   o 사우디 도착 직후 전쟁 발발에 따른 민간 항공기 운항 정지 및 사우디
     국경 통제로 1.21현재 미발송 상태
     - 수송편(육로수송포함) 확보즉시 송부 조치 예정

1. 21. 21:09
청와대 외교안보
김재섭 비서관이
FAX 발송됨

0077

政府綜合廳舍 810號　　電話 : 730-8283/5, 730-2941. 6. 7. 9, (구내)2331/4, 2337/8　Fax : 730-8286

外務部 걸프事態 非常對策 本部

題目: 　　　　　　　　　　　　　　　　1991.

방 독 면 지 급

1. 업체별 송부, 지급

   o 업체에서 개별 구입, 외교 행랑편 이용 1,800 여개 이미 송부
     (90.8-91.1.14), 지급 완료

   o 추가분 900여개, 1.24. KAL 특별기편 이용 송부 예정 (준비 완료)

2. 순수교민용 방독면

   가. 송부 내역

      o 정부 예산으로 구입, KAL 특별기편으로 2,000개 주사우디 대사관
        및 주요르단 대사관에 이미 송부 (91.1.14-1.15)

      o 특별기 운항 일정상 카타르, UAE, 바레인등 인근국 거주 교민용
        (계 436개) 리야드에 송부

        - 최선 수송편 이용, 긴급 송부토록 주사우디 대사관에 지시(1.14)

   나. 인근지역 거주 교민에 대한 방독면 송부

      o 주사우디 대사관에서 카타르, UAE, 바레인 지역 교민용 방독면
        송부 위해 항공편 예약후 공항에서 발송 대기중 전쟁 발발로 인한
        민간 항공 운항 정지로 1.19.까지 미 발송 (주사우디 대사 보고)

        - 육로 수송편도 사우디 정부의 국경 통제로 어려우나 수송편
          확보 즉시 송부 조치 예정

   다. 조치사항

      o 상기 미수령지역 거주 교민 위한 방독면 긴급 발송토록 주사우디
        대사관에 재차 지시 (1.21)

政府綜合廳舍 810號　　電話 : 730-8283/5, 730-2941. 6. 7. 9, (구내)2331/4, 2337/8　Fax : 730-8286

ㅇ 방독면 SAUDI CIVIL DEFENSE AUTHORITY
약속안지키고 있음.

예비군 상응부대 ── 56사단 ~~제2하사~~
                      현리전선예비군중대

── 2,000개 ──
  24일 특별기편

청와대 이민재 대령 ── 국방부 경우 ──

· 現代件 i) 현리에서 국방부로 한문 발송
           ii) 외무부에 순동, 특사 경유

0079

外務部 걸프事態 非常對策 本部

題 目 :　걸프지역 체류 교민용 방독면 지급 현황 (종합)　　　1991. 1 . 22 .

07:30
- 청와대 외교안보(김비서관)
- 장관日공관에 FAX
*　송부*

1.　사우디 체류 교민용 방독면 (1,486 Set)

　　ㅇ 리야드 지역(중부, 동북부 지역 포함) : 교민 전원에게 지급 완료

　　ㅇ 젯다 북부지역 : 1.21. 기송부, 1.22. 수령·지급 예정

2.　인근국 체류 교민용 (428 Set)

　　ㅇ 카타르(50 Set) : 1.20. 기송부, 1.22.중 지급 완료 예정

　　ㅇ UAE(321 Set), 바레인(57 Set) : 국경 폐쇄로 송부 불가능 (국경 개시

　　　　　　　　　　　　　　　　　　　　　즉시 송부 예정)

3.　요르단 체류 교민용 (86 Set) : 교민 전원에게 지급 완료 (지급후 잔여분은

　　　　　　　　　　　　　　　　　　비축용으로 확보)

1,200 Set

0080

政府綜合廳舍 810號　電話 : 730-8283/5, 730-2941.6.7.9, (구내)2331/4, 2337/8　Fax : 730-8286

外務部 걸프事態 非常對策 本部

題 目 :   1991.   .   .

별첨 : 순수 교민용 방독면 송부(1.14-15) 내역

대상 국가	지 역	대상 교민수	비 고
사 우 디 (1,478 SET)	리 야 드	1,367 SET	주사우디 대사관에 송부
	젯 다	111 SET	
카 타 르		58 SET	
U. A. E.		321 SET	
바 레 인		57 SET	
요 르 단		77 SET	주요르단 대사관에 송부
쿠 웨 이 트		9 SET	
계		2,000 SET	

政府綜合廳舍 810號   電話 : 730-8283/5, 730-2941. 6. 7. 9, (구내) 2331/4, 2337/8   Fax : 730-8286

FACSIMILE MESSAGE

HYUNDAI ENGINEERING & CONSTRUCTION CO.,LTD
140-2 KYE-DONG,CHONGRO-KU,SEOUL,KOREA

TEL NO. : (02) 746-2523
TLX NO. : K 23111-5 HYUNDAI
FAX NO. : (02) 743-6963

REF.NO. : HDEC/FAX - **11355**

날짜 : 1991.1.22

수신 : 외무부 비상대책본부장
(FAX 730-8286)

참조 : 장 석철 서기관

TOTAL PAGE : 1 표지포함

발신 : 현대건설(주)
정 몬묵 사장

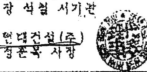

제목 : 사우디형 방독면 수송협조 의뢰

1. 폐사 공문 HDEC/FAX-11256 (1/21자) 상기건에 대한 추가사항입니다.

2. 폐사 사우디사업본부 보고에 의하면, 현지에서 사우디 정부당국으로 부터
   방독면 조달이 그 시기나 숫자에 있어 당사 기대와는 차질이 있다하며

3. 따라서 폐사는 기 보고드린 395개에 1,620개의 방독면 및 보조정화통
   500개를 추가해서 도합 2,015개의 방독면 및 정화통 500개를 KAL 전세
   운항사 사우디 리야드로 송부코자 합니다. 참고로 전량에
   대한 부피는 약 35 CBM으로 추정됩니다.

4. 이점 참작하시어 전세기 운항경우 상기 면적을 확보해 주시도록 요청드리오니
   별도협조 해 주실길 바랍니다.

방독면 25kg×

0082

株 式 會 社 新 星
(562-0131, 0141)

해　사 : 1 ~ 13 ~ 호　　　　　　　　　　　　　　1991.　1.　22.

수　신 : 외무부 장관

참　조 : 비상대책반

제　목 : 방독면 송부 협조 요청

　　1. 귀 부의 일익번창하심을 기원합니다.

　　2. "걸프만 사태"와 관련하여 폐사의 사우디국 (리아드) 지점으로부터 직원
및 근로자의 인진보호 측면에서 방독면의 추가송부 요청이 있는바, 외무부 외교행랑
을 이용 송부코자 하오니 협조하여 주시기 바랍니다.

　　3. 아울러 이에 따르는 운송료 및 제반경비는 폐사가 부담토록 한 것이며
송부물품 내역은 아래와 같습니다.

　　　　　　** 아　　　래 **

　1. 품　　　명 : K-1방독면 (삼공물산제조)

　2. 수　　　량 : (200) EA.　　　20개 BOX × 24 Kg
　　　　　　　　　　　　　　　　　= 480 Kg

　3. 중　　　량 : 400 KG. 끝.

서울 강남구 역삼동 820 호

주 식 회 사 신 성

대 표 신 영 련

東 部 建 設 株 式 會 社
(279-1671 /9)

東建(海事)　第91-012號　　　　　　　　　　　　1991. 01. 22.

受　信　外務部　페灣事態　非常對策　本部長

參　照

題　目　防毒面　送付의　件

　　1. 貴 비상대책본부의 노고에 감사드립니다.

　　2. 걸프만 전쟁과 관련, 중동으로 운행예정인 대한항공 특별기
편으로 유첨과 같이 방독면 48개를 사우디로 송부하고자 하오니,　선처하여
주시기 바랍니다.

　有 添: 관련사항 1부.　끝

BOX 5개 X 31Kg
= 150Kg

東 部 建 設 株 式 會 社

0084

〈 關連事項 〉

1. 송부내역 (방독면)

성 인 용 (대)	어린이용 (소)	계
40	8	48

2. 발송주소

   DONGBU ENGINEERING & CONSTRUCTION CO., LTD.
   P.O. BOX 10708
   (RIYADH), SAUDI ARABIA

   담당자 : 차장 장병찬
   전화번호 : 482-4019, 481-1157

3. 상기 방독면 접수 및 구체적인 발송절차 (구비서류, PACKING 등) 를 통보
   하여 주시기 바랍니다.
   연락처 : 전화번호 = 273-8014, 275-8028
   　　　　 담당자 = (차정명), 김경철

4. 송부에 대한 운송료는 전액 당사가 부담하겠읍니다.

5. 운송 및 전달과정에서 발생하는 훼손 및 사고에 대한 모든 책임을 당사가
   지도록 하겠읍니다.

   　　　　비상대책본부의 협조에 거듭 감사드립니다.

0085

한일합성섬유공업주식회사
(732.7711 교 266)

발신자 /00-029   1991. 1. 23

수　신 외무부 재외대책 본부장

참　조 방 석현 과장

제　목 영국민 쿠웨이트 대상 방북편 발송의 건

　　　　　　영국민 ○○○○가 下記와 같이 사우디아라비아에 체류중인 긴급구호를
본사 주재원에게 ○○○○○ 외교행낭을 통하여 방북편을 발송하고자 하오니
협조하여 주시기 바랍니다.

　　　　　1.받을 주소 : 사우디아라비아 재다
　　　　　2.내용 : 우편 편지 편수 : 총 2通

　　　　　※ 운송비 및 기타경비 일체는 본 한일합성섬유공업주식회사에서 부담

한일한성섬유공업주식회사
대표이사 사장

556 P01   HANIL SYNTHETIC 02 738 5505   91 01 22 13:16
0086

중동지역 방독면 지급 현황

91.1.22. 현재
외　무　부
걸프사태 비상대책반

1. 지급 현황

구　분	수　량	송부일시	비　　　　고
진출업체	2,320개	90.8-91.1간	- 23개 업체 - 외무부 외교행낭 이용 : 　1,688개
공관원 및 가족	200개	90.11.중	- 6개국 공관
순수 교민	2,000개	90.1.14.	- 제1차 특별기편 송부 - 정부 예산으로 구입
계	4,520개		

2. 추가 송부 계획

○ 현대건설을 포함한 총10개업체를 위한 방독면 총2,674개 제2차 특별기편으로
　송부 준비중

○ 업체별 현황

업　체　명	수　량	대 상 지 역
현대건설	2,015	사우디
한일개발	310	사우디
(주) 대우	44	U.A.E.
KOTRA	23	사우디, U.A.E.
럭키금성	22	사우디, U.A.E.
효성물산	21	사우디, U.A.E.
삼성물산	18	사우디, U.A.E.
현대종합조경	15	사우디
현대종합상사	6	사우디
신　　성	200	사우디
계	2,674	

※ 현대건설은 당초 Saudi Civil Defense Authority 에서 2,000개
　구입키로 약속하였으나 사우디측 약속 불이행으로 국내 국방부로
　부터 입수

0087

3. 기 송부한 업체 목록

업 체 명	수 량	대상지역	비 고
극 동 건 설	150	사 우 디	90. 8.
공 영 토 건	9	"	"
국 제 종 합	20	"	"
남 광 토 건	15	"	"
동 아 건 설	20	"	"
풍 림 건 설	28	"	"
한 양	20	"	"
대 진 산 업	520	"	"
대 우 상 사	20	"	"
삼 환 건 설	200	"	"
럭 키 개 발	50	"	"
쌍 용	7	"	90. 9.
금 호 타 이 어	3	"	"
풍 림 산 업	26	"	"
신 성 (주)	100	"	91. 1.
삼 성 종 합 건 설	155	"	"
영 진 공 사	450	바 레 인	"
대 림 산 업	100	사 우 디	"
현 대 산 업 개 발	150	"	"
한 국 강 관	4	"	"
한 양	7	이 라 크	"
경 남 기 업	200	사 우 디	"
유 원 건 설	66	"	"
계	2,320		

0088

HYOSUNG CORPORATION   FACSIMILE

C P O. BOX 1652 SEOUL, KOREA   OUR FAX NO.(02) 754-9983, 753-6987, 754-9824

TO	외무부 비상대책본부	DATE : 1991. 1. 23	PAGES :	OF
ATTN	비상대책본부장 (참조 장석철 서기관)	REF NO :		
FROM	효성물산(주) 해외관리부			
SUBJECT	중동지역 직원용 방독면 수송 협조 요청			

귀부의 노고에 시원에 깊이 감사드립니다.

중동지역 폐사 직원에게 아래와 같이 방독면을 지급코자 하오니 귀부
외교 파우치편으로 수송 할수 있도록 선처하여 주시기 바랍니다.

- 아   래 -

1. 운송 내용물 : 방독면

2. 송부 수량

국 가	폐사지점	수 량	송부지역
사우디 아라비아	JEDDAH 지점	⑩개	JEDDAH
	RIYADH 지점	③개	(RIYADH지점분도
	합 계	⑬개	JEDDAH로 송부)

효성

3. 송료 : 폐사 부담

4. 방독면 운송시 사고로 인한 분실 및 훼손 등으로 손해가 발생된
   경우는 폐사에서 자체적으로 감수토록 하겠습니다.

서울특별시 중구 남대문로 4가 17-7

효 성 물 산 주 식 회 사

대표이사 사장   허   정   우

0089

現代綜合商事株式會社

현상기획 : 제 91-01-097호   1991. 1. 23

수   신 : 외무부 비상대책본부장
참   조 : 장 서기관
제   목 : 사우디 지사원용 방독면 및 정화통 송부 요청

　　　　　　폐사는 걸프전쟁사태와 관련하여 폐사 사우디 지사원의 신변보호를 위해
방독면 6개 및 정화통 12개를 '91.1.24일, 외교행랑편에 송부함에 있어 다음 사항을
서약합니다.

- 다   음 -

1. 폐사는 방독면 6개 및 정화통 12개를 외교행랑편에 송부함에 있어 간과중 분실
   도난, 심증등 예기치 않은 위험사태가 발생할 경우 외무부에 여하한의 책임전가도
   하지 않겠읍니다.

2. 탁송료는 전액 폐사가 부담하겠읍니다.

3. 탁송품의 내용물은 방독면 6개및 정화통 12개이며 탁송품이외의 물품이 포함되
   어 있을 경우 이에 따른 책임은 폐사가 전적으로 부담하겠읍니다.

                                              현대종합상사주식회사
                                              대표이사 홍

FACSIMILE MESSAGE

HYUNDAI ENGINEERING & CONSTRUCTION CO.LTD
140-2 KYE-DONG,CHONGRO-KU,SEOUL,KOREA

TLX NO. : (02) 746-2523
TLX NO. : K 23111-5 HYUNDAI
FAX NO. : (02) 743-8963

REF.NO. : HDEC/FAX-   날짜 : 1991. 1. 23.

수신   : 외무부 비상대책본부장
         (FAX 730-8286)   TOTAL PAGE : 1 표지포함
참조   : 장 석철 서기관

발신   : 현대건설 (주)
         정훈목 사장

제목   : 사우디 방독면 수송의뢰 건

　　　　폐사 공문 HDEC/FAX-11355(91.1.22일자)와 관련, 다음 사항을 확인하오니
발송업무에 참조 하시기 바랍니다.

　　　　1. 폐사 발송 물량에 대한 운송비는 발송완료후 귀 본부의 공식 청구에
따라 정히 지불토록 하겠음.

　　　　2. 당사 발송 물품은 방독면및 보조 정화통으로 국한하며 다른 품목은 일체
포함되지 않았음.

　　　　3. 발송될 수량은 당초 2,015개에서 100개를 추가하였으며 보조정화통도
50개를 추가, 방독면은 총 2,115개 그리고 보조정화통은 총 550개로 조정 되었음을
참조바랍니다.

　　　　4. 금번 수송건과 관련하여 예기치 않은 상황으로 인해 현지 도착이 되지
않거나 폐사 물품으로 인해 발생되는 제반 사고에 대해서는 전적으로 폐사가 책임을
지겠음.

　　　　상기 수송건과 관련한 귀 본부의 협조에 감사드립니다.

0091

한일합성섬유공업주식회사
(732-7711 교 268)

한기획 /00-030   1991. 1. 23

수 신   외무부 비상대책 본부장

참 조   장 석철 서기관

제 목   걸프만 사태에 따른 방독면 발송의 건

　　　　걸프만 사태에 따른 방독면 발송의건에 관련된 사항입니다.

　　　　1. 방독면의 분실 및 기타 위험부담에 대한 책임을

　　　　　 한일합성섬유공업주식회사에서 가진다.

　　　　2. 방독면 발송시 기타 이물질을 첨부하지 않았음을 내용 증명 합니다.

　　　　　　　　　　한일합성섬유공업주식회사

　　　　　　　　　　　대표이사 사장 문 진

서울시 종로구 서린동 ㅁ 136번지
0092 한일그룹 빌딩

🔳 주 식 회 사 신 성

(562-0131, 0141)

해 사 : 1 - 13 - 5   1991.   1.   23.

수 신 : 외무부 장관

참 조 : 비상대책본부장

제 목 : 방독면 내용 증명

　　　 1. 귀 부의 일익 번창하심을 기원합니다.

　　　 2. '91. 1. 24일자 특별기로 수송되는 폐사의 물품중 방독면 200EA 이외의 물품은 포함되지 않았으며, 기타의 물품이 있을시 전적으로 폐사가 책임을 감수 할 것을 서약합니다. 끝.

서울특별시 강남구 역삼동 820-8

주 식 회 사 　 신 　 성

대 표 이 사 　 신 영 환

0093

관리 번호	91-23

	분류번호	보존기간

발 신 전 보

WJD-0045   910123 1946 DP

번   호 :   종별 : 긴   급

수   신 : 주 젯 다 /대사/ 총영사

발   신 : 장 관 (아프일)

제   목 : 특별기편 방독면 송부

WSB-211
WAE-73) 추가
WBH-59

연 : WJD-0035, 0039

1. 연호 특별기편에 아국 진출업체 직원 및 근로자를 위한 방독면
   (Gas Mask)과 예비정화통 (Canister) 을 외교화물로 아래와 같이
   귀지에 송부 예정인 바, 동 물품을 특별기 도착 즉시 인출하여 업체별
   귀지 또는 리야드 지사측에 인계할수 있도록 주재지 관계 당국과
   사전 교섭등 관련 준비 바람

   가 . 현대건설

      - 방독면 2,115 Set, 정화통 550개

        (포장 수량은 208 Box)

      - 리야드, 바레인 지역 근로자용

   나 . 한일개발

      - 방독면 310 (31 Box)

      - 리야드, 젯다 지역 근로자용

   다 . (주) 신성

      - 방독면 200 (20 Box)

      - 리야드 지역 근로자용

                                        /.....

	보 안 통 제	74

앙 고 재	91년 1월 23일	아프 1 과	기안자 성명	26		과 장	74	심의관	국 장 전결		차 관		장 관		외신과통제	

0094

라. 동부건설, ~~코트라~~, 효성, 한일합성, 현대종합상사 *(주)대우,*

- 방독면 144, 정화통 12

WJD-0045   910123 1946   DP

- 젯다, UAE (두바이) 지역 근로자용

- 18 Box

2. 상기 물품의 총 중량은 약 7.2톤 상당 (277 Box) 이며, Airway Bill No (1개로 계획중)는 특별기 이륙후 통보 예정임.

3. 상기 1항과 관련, 관련업체는 귀지 지사에 동 물품 수량 및 인수~~에 차질~~ *들 위하여* ~~없도록~~ 귀공관과 ~~적극 협조토록~~ *점촉토록* 이미 지시하였다 하니 참고 바라며, UAE, 바레인 거주 근로자용 방독면 및 정화통의 육로편 수송을 위해 해당업체 (현대 건설, ~~현대종합~~ *대우*)가 주재국 국경지역을 통과하는데 문서상으로 귀관의 협조가 필요할시에는 관련 조치 바람.   끝.

사본: 주사우디, UAE, 바레인 대사 (WBH-0050)
      (WSB-0167)

(중동아국장 이 해 순)

예 고 : 91.3.30.까지
~~(19 . . .에 예고판예
에서 일반문서로 재 분류됨.)~~

관리 번호	91-68

원 본

외 무 부

종 별 :

번 호 : JDW-0025

일 시 : 91 0123 1610

수 신 : 장관(아프일)

발 신 : 주 젯 다총영사

제 목 : 방독면

대:WJD-0036

연:JDW-0005

1.22 당관은 리야드대사관으로부터 방독면 80SET 를 수령하였는 바, 연호 직원및 가족소요분을 제외한 전량을 최선 운송편을 이용"타북"지역 교민에게 배포예정임.

(주 젯다총영사-국장)

예고:91.6.30 일밤 예고문에 의거 일반문서로 재 분류됨.

중아국   중아국

91.01.24   01:13
외신 2과 통제관 CH
0096

外務部 걸프事態 非常對策 本部

題 目 : 防毒面 支給

1. 24.

（年頭報告 參考資料）

1. 걸프地域 化學戰에 對備, 政府와 業體는 모두 4,552着의 防毒面과 其他
   化學裝備를 支援하였음.

2. 이중 7個 公館員과 家族 232名 및 所屬業體가 없는 個人 就業者나 個人
   事業者 2,000名에 대해서는 政府 豫算으로 支給하였으며 2,320着은 購入은
   業體別로 하였으나 現地에서의 通關上 便宜를 위해서 外交행랑便 送付토록
   政府가 協助를 提供하였음. 今 1.24. 僑民 撤收를 위한 大韓航空 2次
   特別機便에 2,771着의 防毒面을 9個 業體의 委囑을 받아 追加 送付할 豫定
   인바, 이것이 到着되면 戰爭 危險地域에 모두 7,323着의 化學裝備가 支給되는
   것임.

3. 政府가 보낸 裝備中 바레인과 UAE에 있는 個人 就業者用 裝備 378着은
   駐사우디 大使館으로 送付 하였으나, 이地域 空港이 모두 閉鎖되어 現在
   陸路 輸送 方法을 講究하고 있음. （現在는 國境도 統制）

0097

政府綜合廳舍 810號　　電話 : 730-8283/5, 730-2941. 6. 7. 9, (구내)2331/4, 2337/8　Fax : 730-8286

중동지역 방독면 지급 현황

91.1.24. 현재
외　무　부
걸프사태 비상대책반

1. 지급 현황

구　분	수　량	송부일시	비　고
진출업체	2,320착	90.8-91.1간	- 23개 업체 - 외무부 외교행낭 이용 : 　1,688개
공관원 및 가족	232착	90.11.중	- 7개국 공관
순수 교민	2,000착	91.1.14.	- 제1차 특별기편 송부 - 정부 예산으로 구입
계	4,552착		

2. 추가 송부 계획

ㅇ 현대건설을 포함한 총8개업체를 위한 방독면 총2,717착과 예비 정화통 562개를
　91.1.24. 제2차 KAL 특별기편으로 사우디(젯다)에 송부

ㅇ 업체별 현황

업 체 명	수　량	대 상 지 역	고
현 대 건 설	방독면2,115+정화통550	사우디(리야드), 바레인	
한 일 개 발	방독면 310	사우디(리야드,젯다)	
신　　성	방독면 200	사우디(리야드)	
동 부 건 설	방독면 48	사우디(리야드)	
KOTRA	방독면 23	사우디(젯다), U.A.E.(두바이)	
효 성 물 산	방독면 13	사우디(젯다,리야드)	
현대종합상사	방독면 6 + 정화통 12	사우디(젯다)	
한 일 합 성	방독면 2	사우디(젯다)	
계 (8)	방독면2,717+정화통562		

※ 현대건설은 당초 Saudi Civil Defense Authority 에서 2,000개
　구입키로 약속하였으나 사우디측 약속 불이행으로 국내 국방부로
　부터 입수

0098

3. 기 송부한 업체 목록

번호	업 체 명	수 량	대상지역	비 고
1	극 동 건 설	150	사 우 디	90. 8.
2	공 영 토 건	9	"	"
3	국 제 종 합	20	"	"
4	남 광 토 건	15	"	"
5	동 아 건 설	20	"	"
6	풍 림 건 설	28	"	"
7	한 양	20	"	"
8	대 진 산 업	520	"	"
9	대 우 상 사	20	"	"
10	삼 환 건 설	200	"	"
11	럭 키 개 발	50	"	"
12	쌍 용	7	"	90. 9.
13	금 호 타 이 어	3	"	"
14	풍 림 산 업	26	"	"
15	신 성 (주)	100	"	91. 1.
16	삼 성 종 합 건 설	155	"	"
17	영 진 공 사	450	바 레 인	"
18	대 림 산 업	100	사 우 디	"
19	현 대 산 업 개 발	150	"	"
20	한 국 강 관	4	"	"
21	한 양	7	이 라 크	"
22	경 남 기 업	200	사 우 디	"
23	유 원 건 설	66	"	"
	계	2,320		

0099

업체의 지역별 방독면 송부 요청 현황

(91.1.24. 11시 현재)

대상국가	대상지역	방독면 수량 (포장Box수)	정화통 수량 (포장Box수)	업 체 명 (수량)
사 우 디	젯 다	128 (14)	12 (1)	한일개발(100), KOTRA(10), 효성물산(10), 한일합성(2), 현대종합상사(6+정12)
	리 야 드	2,476 (244)	550 (3)	현대건설(2,015+정550), 한일개발(210), 신성(200), 동부건설(48), 효성물산(3)
	계	2,604 (258)	562 (4)	
U A E	두 바 이	13 (1)	0	KOTRA(13)
바 레 인	바 레 인	100 (8)	0	현대건설(100)
계		2,717 (267)	562 (4)	

0100

걸프전쟁지역 긴급구제품 발송 상황

(91.1.24. 10시 현재)

업체명	대상국가	대상지역	방독면 수량	정화통 수량	포장 수량(Box)	무게(kg)	책임자 및 연락처
현대건설	사우디,바레인	리야드,인	2,015 / 100	550	200 B / 8 B	3,289 kg / 150 kg	김장근 과장 ℡ 746-2601
한일개발	사우디"	리야드,젯	210 / 100	0 / 0	21 B / 10 B	567 kg / 270 kg	심준섭 부장 ℡ 454-2233
(주)신성	"	리야드	200	0	20 B	480 kg	전영석 과장 ℡ 557-6445
동부건설	사우디	리야드,인	48	0	5 B	150 kg	과정명 ℡ 273-8014
KOTRA	사우디 UAE	젯두바	10 / 13	0 / 0	1 B / 1 B	17 kg / 22 kg	송병옥 ℡ 551-4136
효성물산	사우디	젯,리야드	10 / 3	0 / 0	1 B / 1 B	32 kg / 8 kg	천인경 과장 ℡ 777-9026 / 이평권 대리
한일합성	사우디	젯	2	0	1 B	4.5kg	김태천 대리 ℡ 732-7711.
현대종합상사	"	젯	6	12	2 B	22 kg	한장우 과장 ℡ 746-1887
계(8)			2,717	562	271 Box	**5,**011.5kg	

[참고] ① 대한항공 화물운송부 김한규 차장 (℡ 660-7137, FAX 665-6455)
② 한국공항공단화물(KAS) 정영수 차장, 박상호 (℡ 679-0088, 665-2072. FAX 676-7426)
③ 외무부 본부 문서사과 최종용 심의관 (℡ 720-3637, FAX 720-2686)

91.1.24. KAL 특별기편 방독면 송부 내역

번호	업 체 명	포장 Box 수	무게 (kg)	Air Bill No.
1	현대건설	208	3,303 kg	180-2315-5646
2	한일개발	31	921 kg	180-2315-5624
3	신성주식	20	472 kg	180-2315-5635
4	동부건설	5	114 kg	
5	코 트 라	2	39 kg	
6	효성물산	2	31 kg	180-2315-5650 (312kg)
7	한일합성	1	5 kg	
8	현대종합	2	23 kg	
	계	271 Box	4,908 kg	4개

0102

방독편 내용물 확인 각서

	번호	업 체	취 급 자	Box 수량	중량(kg)	비 고
✓	1	현대건설	김명세 대리	208		1.24. 14:00 시
✓	2	한일개발	전용수 계장	31		
✓	3	(주)신성	구자중 대리	20		13:00 시
✓	4	동부건설	차정명	5		1.23 KAL에 기송부
	5	KOTRA	송병옥	2		13:00 시
✓	6	효성물산	이명권 대리	2		13:00 시
✓	7	한일합성	김태현 대리	1		13:00 시
	8	현대종합	권병문 대리	2		13:00 시
	계			271 Box		

0103

동 부 건 설 주 식 회 사
(279-1671 /9)

동건(해사)   제 91-26 호   1991. 1. 24.

수   신   외 무 부

참   조   페만사태 비상대책 본부장

제   목   내용증명 확인서

1. 귀비상대책본부의 노고에 감사드립니다.

2. 귀대책본부의 배려로 '91년 1월 24 일 대한한공 제 2회 특별기편으로
    송부한 방독면 PACKAGE의 내용확인건입니다.

3. 성인용 방독면 40개, 어린이용 방독면 8개이외에는 어떠한 내용물도
    들어있지않음을 다시한번 확인하는 바입니다.

4. 차후 당사가 송부한 PACKAGE에 대하여 발생한 문제는 모두 당사에서
    책임을 지도록 하겠습니다.

5. 협조하여 주서서 대단히 감사합니다.
                                          끝.

동 부 건 설 주 식 회 사
대 표 이 사   홍 관 의

0104

각   서

　　　폐사는 91.1.24. 출발하는 교민철수용 특별전세기편에 폐사 사우디 및

바레인 현장용 방독면 2,115개 및 보조정화통 550개(총 208 CARTON BOXES)를

발송함에 있어 동 물품이외의 여타 물품이 포함되지 않았음을 확인하오며 폐사

물품으로 인해 야기되는 제반 사고에 대해서는 폐사가 전적으로 책임지겠음을

각서하나이다.

　　　　　　　　　　　　　　　　　　　　1991. 1. 24.

외 무 부 비상대책본부장 귀 중　　　　현대건설(주) 사 장 정 훈

0105

방독면 및 정화통 포장현황

品　名	数　量	BOX SIZE	BOX 数	重　量	備　考
K - 1 (한국형)	415 EA	88x53x31	42 BOX	1,286KG	31 kg /10EA
KM 9A1 (특수)	500 EA	60x44x34	50 BOX	1,100KG	22 kg /10EA
KS M6685 (일반)	1,200 EA	58x50x33	113 BOX	960KG	8 kg /10EA
小　計	2,115 EA		205 BOX	3,346KG	

品　名	数　量	個當 W/T	重　量	備　考
정화롱일반(KS M6685)	500 EA	0.01 KG	50 KG	
정화통한국형(K-1)	50 EA	0.87 KG	43 KG	
小　計	550 EA	3 BOX	93 KG	

合　計　　　　208 BOX　　3,439 KG

0106

韓逸開發株式會社
HANIL DEVELOPMENT CO., LTD.

C. P. O. BOX 2034, SEOUL 133-200, KOREA

TELEX : HANDECO K28573
CABLE : HANDECO
FAX : (02) 454-1154

PHONES : 454-2233
454-2255

한개(해사) 제 91 - 140 호   1991. 1 . 24.

수　신 : 외무부장관

참　조 : 중근동과(아프리카1과)

제　목 : 방독면

　　1. 귀부의 일익번창함을 기원합니다.

　　2. 중동사태 관련 사우디에 방독면 310개를 외교행낭(1월 24일
Flight)을 통하여 전달의뢰한바 있는 폐사에서는 금번 방독면 송부와 관련, 방독면
이외의 다른 내용물이 없음을 서약하오며, 만약 이로 인하여 문제가 생길경우 전적
으로 책임질것을 약속합니다.

31 BOX

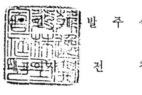 발 주 식 회 사

　　　　　　　　　　　　　　　　전　창

0107

曉星物産株式会社

효성해외 : 제 91-052 호   1991. 1. 24.
수　　신 : 외무부장관
참　　조 : 비상대책본부장
제　　목 : 물품확인서

　　　귀부의 외고 파우치편으로 폐사 JEDDAH 지점에 송부하는 화물
내용을 아래와 같이 확인 합니다.

- 아　　　래 -

1. 물품명 : 방독면 (MODEL 명 : K-1)
2. 수　량 : 13 개 (2 CARTON BOX)
3. 상기 화물에는 방독면 이외에는 어떤 이물질도 들어있지
　　않음을 확인하며, 만일 이물질이 있음으로서 발생하는
　　모든 문제는 폐사에서 책임지도록 하겠습니다.

                          서울 특별시 중구 남대문로 4가 17-7
                          효 성 물 산 주 식 회 사
                          대표이사 사장 허　　정　　욱

                                                    0108

１００ 서울特別市 中区 南大門路 4街 17-7 電 話 : 大代表 771-11 中央私書函 1852 号 TELEX : HYOSTAR K23121 / 5, K22555 FAX : 754-9983

外務部 걸프事態 非常對策 本部

題 目 : 걸프地域 滯留僑民 撤收 現況   1991. 1 . 24 .

(91.1.24. 29 時 現在)

國 別	總 員 (91.1.5)	旣撤收者 (括弧는 KAL 特別機)	殘 留 者	備 考
사 우 디	4,980	290 (200)	4,690	
이 라 크	96	73 (37)	23 (現代所屬 22 公館雇用員 1)	
쿠 웨 이 트	9	0	9 (個人事業上 殘留希望)	
요 르 단	66	46 (16)	20	※ 特派員 9名 取材 活動中
카 타 르	82	17	65	
바 레 인	335	76 (48)	259	
U. A. E.	650	215	435	
이 스 라 엘	113	52	~~64~~ 65	※ 特派員 11名 取材 活動中
總 8個國	6,331	769 (301)	5,562	

0109

政府綜合廳舍 810號   電話 : 730-8283/5, 730-2941. 6. 7. 9, (구내)2331/4, 2337/8   Fax : 730-8286

관리 번호 91-25

분류번호	보존기간

발 신 전 보

번 호 : WJD-0049   910124 1619 DA   종별 : 긴급

WSB -0214   WAE -0074

수 신 : 주 젯 다 /태사/ 총영사 (사본 : 주사 WBH -0068, 바레인 대사)

발 신 : 장 관 (아프일)

제 목 : 특별기편 방독면 송부

연 : WJD-0045 (WSB-211, WAE-73, WBH-59)

연호 수량이 아래와 같이 변경되었으니 착오 없기 바람.

1. 방독면 및 정화통 수량 : 271 Box (8,011.5kg) 4,908 Kg

2. 발송 업체수 : 8개 (대우측 취소)
   가. 현대건설   271 Box (5,430kg)   208 / 3,303
   나. 한일개발   31 Box (837kg)   921
   다. 신성주식회사   20 Box (480kg)   472

   라. 동부건설, 코트라, 효성, 한일합성, 현대종합 : 도합
       12 Box (255.5kg) 312 Kg

3. Airway Bill 수 : 4개 (Bill No 는 추보 예정). 아래 참조   끝.
   - 180 2315 5646
   - 180 2315 5624
   - 180 2315 5635
   - 180 2315 5650

(중동아국장 이 해 순)

19 .   .에 예고문에
예고구거 : 일반문서 3서 3호 . 재까분류됨.

보안통제	7L

앙고재	91년 1월 24일 앞 과	기안자성명 2.B	과장 7L	십의관 예	국장 전결	차관	장관	외신과통제

관리 번호 91 - 71

외 무 부

종 별 :

번 호 : BHW-0070

일 시 : 91 0124 1735

수 신 : 장관(아프일,중근동)

발 신 : 주 바레인 대사

제 목 : 방독면

대:WBH-0021,0051

연:BHW-0047

1. 대호 방독면은 주재국 및 사우디간의 연육교 전면 개통(1.23 부터)에 따라 당지 체류 아국민이 동 방독면 수령을 위한 리야드 방문을 자원, 금 1.24 오후 육로편 무위 인수함.

2. 동 방독면은 금일 중 해당 교민에 배포하겠음.

3. 상기 관련 그간 해당 교민의 자진 철수에 따른 여유분은 당지 진출 아국업체에 잔류 인원 비율에 따라 배포 위계인바, 동 업체의 본사로 부터 방독면이 지원될 경우에는 동 배포 방독면을 반납받아 미지원 업체에 추가 재 배포 예정임.끝.

(대사. 우문기 - 국장) 고문에 의거 일반문서로 재 분류함.
예고:01.5.30 일반

중아국   중아국

PAGE 1

91.01.25   00:24
외신 2과 통제관 CW

0111

外務部 걸프事態 非常對策 本部

題 目 : 걸프地域 滯留僑民 撤收 現況　　　　　　1991. 1 . 25 .

(91.1.25. 08 時 現在)

國　　　別	總　員 (91.1.5)	旣撤收者 (括弧는 KAL 特別機)	殘　留　者	備　　考
사 우 디	4,980	290 (200)	4,690	
이 라 크	96	73 (37)	23 (現代所屬 22 公館雇用員 1)	
쿠 웨 이 트	9	0	9 (個人事業上 殘留希望)	
요 르 단	66	46 (16)	20	※ 特派員 9名 　取材 活動中
카 타 르	82	17	65	
바 레 인	335	76 (48)	259	
U. A. E.	650	215	435	
이 스 라 엘	113	58	55	※ 特派員 12名 取材 活動中
總 8個國	6,331	775 (301)	5,556	

0112

政府綜合廳舍 810號　電話 : 730-8283/5, 730-2941. 6. 7. 9, (구내)2331/4, 2337/8　Fax : 730-8286

원 본

관리 번호	91/

외 무 부

종   별 :

번   호 : SBW-0287   일   시 : 91 0126 1200

수   신 : 장관(아프일)

발   신 : 주 사우디 대사

제   목 : 방독면

대:WSB-170

1. 당관에서 수령, 보관중이던 방독면을 1.24 주바레인(57)및 UAE (200)대사관에 육로로 송부 1.25 당해공관 도착을 확인하였음

2. UAE 체류교민의 일부철수로 공관간 협의하에 상기물량만 송부, 난머지 121 세트는 당지교민에 기배포하였음

(대사 주병국-국장)

예고:91. 6.30. 에 예고문에 의거 일반문서로 분류함.

중아국   1차보

PAGE 1   91.01.26   18:24
                                                외신 2과 통제관 DG
                                                0113

| 판리
번호 | 91/30 |

원 본

외 무 부

종 별 :

번 호 : JDW-0035   일 시 : 91 0128 1030

수 신 : 장관(아프일,사본:주 사우디대사-본부중계필)

발 신 : 주 젯 다총영사

제 목 : 방독면 배포결과 보고

대:WJD-0045,0049

대호, 방독면 2,761 개 및 정화봉 562 개를 봉관하여 1.27 해당업체에 각각배포하였음. 2,717

(총영사 김문경-국장)

예고:91.3.31 일반

중아국

외 무 부

원 본

종 별 :

번 호 : AEW-0075

일 시 : 91 0129 1200

수 신 : 장관(아프일,중근동),사본:주사우디대사(중계필)

발 신 : 주 UAE 대사

제 목 : 방독면 지급

대:WAE-0062,25

당관 관할지역내 교민 자진철수에 따라 실소요량인 방독면 200SET(각 SET 당 방독면 1, 정화통 2, 해독제킷 3 개)를 주사우디대사관으로부터 1.25. 육로수령하였는바, 1.28. 각지역 교민대표를 당관으로 소집, 사용실기 교육후 무연고 교민에게 전량 지급하였음을 보고함. 끝.

(대사 박종기-국장)

중아국   중아국

PAGE 1

91.01.30   05:50

외신 2과 통제관 CW

0115

원 본

관리번호	91/34

외 무 부

종 별 :

번 호 : SBW-0341

일 시 : 91 0130 2110

수 신 : 장관(중근동,노동부,건설부,기정)

발 신 : 주 사우디 대사

제 목 : 방독면 배부

대:WSB-214

대호 방독면중 리야드지사가 있는 현대(2,115)신성(200)동부(44)에 1.29 배부완료했음

(대사 주병국-국장)

예고:91.3.30.까지 대고군에 의저 일반문서로 재 분류됨.

중아국   2차보   안기부   건설부   노동부

91.01.31   05:56
외신 2과 통제관 CA
0116

(주) 한 국 항 공 화 물

KAS에 착아가
KAS→꼬각 발송위체

91. 2. 21
KAS 하종규 인

한   항 제 91-02-06 호

1991. 2. 01.

화종규

수 신 : 중근동과 (한양)

528
91 ○ ○

경 유 : 외무부 장관

한양   아

참 조 : 문서담당관

성명   인

제 목 : 외교행낭 항공운임 지불 의뢰

대   중근동 720-8

재외 공관   에 송부한   물 품   에 대한

송료를 아래와 같이 청구하오니 지불하여 주시기 바랍니다.

91. 1. 14 딥우시판 호르만 송부   22 kg (₩ 254.98 = ₩ 183,460

- 아   래 -

1. 송   료 : ₩183,460

2. 지 불 처 : (주) 한국 항공 화물

재일 은행 합정동지점 보통예금

구좌번호 : 302 - 10 - 051868

첨 부 : 항공 운송장 (180-2217 7761   )   01 부   끝.

1991. 2. 4
결조   3267

서울特別市 永登浦區 楊平洞 6街
株式
會社 韓 國 航 空 貨
代表理事 韓   在

0117

(주) 한 국 항 공 화 물

- KAS에서 잿아녹
(∵KAS가직접 영리에
공으납송위계)
91. 2. 21
KAS 하국규

한 항 제 91-02-08 호   1991. 2. 06.

수 신 : 현대건설

제 목 : 외교행낭 항공운임 지불 의뢰

수령
91. . .

현대건설   와

성명 :   인

  1991. 1.14 KAL 편 외교화물로 요르단(AMMAN)에 송부한 귀사 직원및 근로자용
(55건)
물품(방독면)에 대한 송료를 아래와 같이 청구하오니 지불하여 주시기 바랍니다.

- 아   래 -

      1. 송   료 : ₩1,000,390
      2. 지 불 처 : (주) 한국 항공 화물
                    제일 은행 합정동지점 보통예금
                    구좌번호 : 302 - 10 - 051868

첨 부 : 항공 운송장 (180-2217 7750   )   01 부   끝.

서울特別市 永登浦區 楊坪洞 6街 3
株式會社 韓國航空貨物
代表理事 韓   在

0118

外務部 걸프事態 非常對策 本部

題 目: **KAL 특별기편 방독면 및 식품 운송**   1991. 2. 15.

1. 제 1차 특별기(1.14. 무연고 교민용 방독면)

   o 방독면 2,000착 (사우디, UAE, 요르단, 바레인, 카타르, 이라크 등)

   o 운송경비 : $ 83,245.75 (경비 부담 불요)

   o 정산관계 : 대행업체 한국 항공화물 (KAS)에 수수료 5% 지불요

2. 제 2차, 4차 특별기 (1.24, 2.5. 업체용 방독면)

   o 8개 업체 (현대건설, 한일개발, 신성, 동부건설, KOTRA, 효성물산,
     현대상사, 한일합섬)

   o 운송경비 : $ 48,438

   o 정산관계 : - 상기 업체가 KAS 구좌에 입금토록 조치(KAS는 KAL에 납부)

     - KAL전세금 지불시 공제요

3. 제 3차 특별기 (1.24. 국방부 송부 식품)

   o 식품 3,657 kg

   o 운송경비 : $ 32,913

   o 정산관계 : - 국방부측의 동경비 부담 여부 결정요

     - KAS에 수수료 5%지불요

   ※ 총 운송경비 : $ 164,596.75

0119

政府綜合廳舍 810號   電話 : 730-8283/5, 730-2941. 6. 7. 9, (구내)2331/4, 2337/8   Fax : 730-8286

정 리 보 존 문 서 목 록					
기록물종류	일반공문서철	등록번호	2020120198	등록일자	2020-12-28
분류번호	721.1	국가코드	XF	보존기간	영구
명 칭	걸프사태 : 재외동포 철수 및 보호, 1990-91. 전14권				
생 산 과	북미1과/중동1과	생산년도	1990~1991	담당그룹	
권 차 명	V.7 쿠웨이트 및 이라크, 1990.9-11월				
내용목차	1. 대책 및 철수현황 2. 이라크 3. 요르단 * 재외동포 철수 및 비상철수계획 수립 등				

0001

1. 대책 및 철수현황

0002

교 민 철 수 현 황

(90.9.1. 08:00 현재)

〈이 라 크〉

o 철수인원 총 354 명

　(귀국〈인접국대피포함〉 226, 요르단 체류 128)

o 잔류인원 368 명

o 소속별 잔류 인원 내역

- 공관원 (고용원 및 가족 포함) 11 명
- 현대건설 295
- 남광토건 2
- 삼성건설 39
- 정 우 3
- 한 양 15
- 삼성물산 1
- 기 타 2

※ 향후 철수 일정 (일부)

　9.1 - 10까지 . 현대건설 120 명
　　　　　　　. 남 광 2
　　　　　　　. 정 우 3
　　　　　　　. 한 양 9
　　　　　　　. 소 계 134 명

0003

MORE OF ACB

NNNN
!
ZS YK0458

201229 :BC-GULF-FOREIGNERS-LIST
 HUNDREDS OF WESTERN WOMEN AND CHILDREN LEAVE IRAQ AT LAST:
   NICOSIA, SEPT 2, REUTER - ABOUT 700 WESTERN AND JAPANESE
WOMEN AND CHILDREN AND SEVERAL ELDERLY OR FRAIL MEN HAVE FLOWN
TO FREEDOM FROM BAGHDAD A MONTH AFTER IRAQ INVADED KUWAIT.
   THERE ARE STILL AROUND TWO MILLION FOREIGNERS IN IRAQ AND
KUWAIT INCLUDING SOME 10,000 WESTERNERS AND JAPANESE, MANY OF
THEM BEING USED AS HUMAN SHIELDS AT KEY INSTALLATIONS TO DETER
ANY ATTACK BY U.S. AND OTHER FOREIGN FORCES IN THE GULF
FOLLOWING THE AUGUST 2 INVASION.
   IT'S UNKNOWN HOW MANY OF THE FOREIGNERS STILL HELD IN IRAQ
AND KUWAIT ARE WOMEN AND CHILDREN.
   FOLLOWING ARE LATEST ESTIMATES OF FOREIGNERS IN THE TWO
COUNTRIES:

	KUWAIT	IRAQ
EGYPT	110,000	1.2 MILLION
IRAN	40,000	UNKNOWN
PALESTINIANS	300,000	170,000
MOROCCO	6,000	30,000
TUNISIA	1,550	2,000
TURKEY	2,480	UP TO 4,000
BANGLADESH	59,800	15,000
INDIA	167,000	10,000
PAKISTAN	87,700	UP TO 10,000
SRI LANKA	90,900	UNKNOWN
CHINA	0	5,000
HONG KONG	19 IN KUWAIT AND IRAQ	
INDONESIA	688	UNKNOWN
JAPAN	19	344
MALAYSIA	0	UNKNOWN
PHILIPPINES	43,000	5,000

MORE

NNNN
!
ZS YK0459

201232 :BC-GULF-FOREIGNERS-LIST=1.1 NICOSIA:

SOUTH KOREA	13	436
TAIWAN	0	PERHAPS 1
THAILAND	30	3,000
BULGARIA	UNKNOWN	900
CZECHOSLOVAKIA	9	257
EAST GERMANY	29 IN KUWAIT AND IRAQ	
HUNGARY	0	182
POLAND	33	2,120
SOVIET UNION	0	9,000
YUGOSLAVIA	92	7,000
ARGENTINA	51 IN KUWAIT AND IRAQ	
BRAZIL	330 IN KUWAIT AND IRAQ	
CHILE	7 IN KUWAIT AND IRAQ	
MEXICO	17 IN KUWAIT AND IRAQ	
WESTERN NATIONALS -		
BRITAIN	2,500	00

0004

```
        UNITED STATES  \  ABOUT 2,900 IN IRAQ AND KUWAIT
        AUSTRALIA          70                       70
        AUSTRIA            UNKNOWN                   UNKNOWN
        BELGIUM            51 IN KUWAIT AND IRAQ
        CANADA            500                      200
        CYPRUS             29                       16
        DENMARK            86 IN KUWAIT AND IRAQ
        FINLAND            33 IN KUWAIT AND IRAQ
        FRANCE            497 IN KUWAIT AND IRAQ
        GREECE            180                       30
        IRELAND            50                      290
        ITALY             100                      325
        LUXEMBOURG          2                        4
        NETHERLANDS       195 IN KUWAIT AND IRAQ
        NEW ZEALAND        37 IN KUWAIT AND IRAQ
        NORWAY             12                       32
MORE




NNNN
!
ZS YK0460

201235 :BC-GULF-FOREIGNERS-LIST=1.2 NICOSIA:
        PORTUGAL           20                       30
        SPAIN              ABOUT 50 IN KUWAIT AND IRAQ
        SWEDEN              2                       70
        SWITZERLAND        42 IN KUWAIT AND IRAQ
        WEST GERMANY      662 IN KUWAIT AND IRAQ
REUTER MFF DLT




NNNN
!
ZS YK0461

201236 :BC-GULF-LEBANON (SCHEDULED)
 LEBANON'S AOUN TO BE OUSTED, OFFICIALS SAY:
```

BY MICHAEL KULI

0005

교 민 철 수 현 황

(90.9.3. 08:00 현재)

〈이 라 크〉

ㅇ 철수인원 총 380 명

ㅇ 잔류인원   342 명

ㅇ 소속별 잔류 인원 내역
   - 공관원 (고용원 및 가족 포함) 11 명
   - 현 대 건 설   269
   - 남 광 토 건   2
   - 삼 성 건 설   39
   - 정   우   3
   - 한   양   15
   - 삼 성 물 산   1
   - 기   타   2

※ 향후 철수 일정 (일부)

         9.3 - 10까지 . 현대건설 94 명
                    . 남   광   2
                    . 정   우   3
                    . 한   양   9
                    . 소   계 108 명

〈참 고〉 - 요르단 체류 철수교민 152명, KE 802 편으로 9.2. 16:05 귀국
       - 주 쿠웨이트 잔류 공관원(4명), 9.2. 바그다드 무사 도착

0006

교 민 철 수 현 황

(90.9.3. 08:00 현재)

〈이 라 크〉

o 철수인원 총 380 명　*382*

o 잔류인원　342 명　*340*

o 소속별 잔류 인원 내역

- 공관원 (고용원 및 가족 포함) 11 명
- 현대건설　269
- 남광토건　2
- 삼성건설　39
- 정　우　3 *2*
- 한　양　15
- 삼성물산　1
- 기　타　2 *1*

※ 향후 철수 일정 (일부)

9.3 - 10까지 . 현대건설 94 명
　　　　　. 남　광　2
　　　　　. 정　우　3 *2*
　　　　　. 한　양　9
　　　　　. 소　계 108 명

〈참　고〉 - 요르단 체류 철수교민 152명, KE-802 편으로 9.2. 16:05 귀국

- 주 쿠웨이트 잔류 공관원(4명), 9.2. 바크다드 무사 도착

- 현 대 건 설 소 속 근로자 62명 ,9. 5 요르단 향발 예정

교 민 철 수 현 황

(90.9.5. 08:00 현재)

〈이 라 크〉

ㅇ 철수인원 총 382 명

ㅇ 잔류인원   340 명

ㅇ 소속별 잔류 인원 내역

- 공관원 (고용원 및 가족 포함) 11 명
- 현대건설 269
- 남광토건   2
- 삼성건설   39
- 정 우   2
- 한 양   15
- 삼성물산   1
- 기 타   1

※ 향후 철수 일정 (일부)

9.5 - 10까지 . 현대건설 94 명
            . 남 광   2
            . 정 우   2
            . 한 양   9

            . 소 계 107 명

〈참 고〉- 현대건설 소속 근로자 62명 9.5. 요르단 향발 예정

0008

교 민 철 수 현 황

(90.9.6. 08:00 현재)

〈이 라 크〉

○ 철수인원 총 436 명

○ 잔류인원 286 명

○ 소속별 잔류 인원 내역

- 공관원 (고용원 및 가족 포함) 11 명
- 현대건설 215
- 남광토건 2
- 삼성건설 39
- 정 우 2
- 한 양 15
- 삼성물산 1
- 기 타 1

※ 향후 철수 일정 (일부)

9.6 - 10까지 . 현대건설 40 명
. 남 광 2
. 정 우 2
. 한 양 9
. 소 계 53 명

0009

民自黨 政策評價 諮問委員會 結果

- 페르시아灣 事態와 我國의 對應策 -

1990. 9. 5.

0010

民自黨 政策 評價 諮問委員會는 9.5. 최호중 外務部長官 參席하에 "페르시아만 事態와 我國의 對應策"에 관한 外務部의 報告를 듣고 質疑 應答을 가졌는바, 이에 대한 諮問委員會의 見解 및 評價, 向後 政策 方向에 관한 意見은 다음과 같음.

1. 槪   觀

　　o 페르시아灣 事態가 아직 극히 流動的이며 앞으로 동 事態가 여하히 展開되느냐에 따라 我國에 甚大한 影響을 미칠것이 분명 하다는 점에서, 오늘 會議에서는 페르시아만 事態의 今後 展望과 이에 따른 우리의 對應策에 관하여 重點的으로 論議함.

　　o 諮問委員들은 현재까지 外務部의 금번 事態 관련 措置에 대하여 대체로 共感을 表示하고 앞으로도 外務部가 아국 國家利益의 여러가지 複合的인 면을 綜合的으로 고려 신중히 對處해 나갈것을 촉구함.

2. 具體 論議 內容 및 政策 方向 建議

　　가. 外交面

　　　　o 우리의 國際的 位相과 韓.美 關係를 考慮 유엔 決議에 따른 國際社會의 대이라크 制裁에 同參하고 韓.美간 緊密한

0011

協調關係를 維持하는 동시, 다른 한편 中東地域에서의 우리의
經濟利益 保護 및 長期的 대 中東 外交 側面에서 可及的 이라크를
不必要하게 자극하지 않는 방향에서 愼重하게 對處한다는 外務部의
基本 方針에 의견을 같이함.

나. 安保面

ㅇ 아직 동북아 지역 美軍 兵力의 중동 移動 사례는 없는 것으로
把握되나, 韓半島에서의 突發事態 發生時 중요한 後方 支援을 담당할
항공모함, 항공기, 예비지상군의 페르시아만 지역 大擧 集中에 따라
동북아 地域에서의 美國 軍事力이 相對的으로 弱化되고 있으므로
北韓의 誤判 挑發 可能性이 常存함.   이러한 위험은 페르시아만
事態가 長期化 될수록 더욱 增大될 것으로 보임.

ㅇ 또한, 美軍이 소기의 目的을 達成 못하고 페르시아만에서 撤收하는
경우 美國의 軍事 支援 公約에 대한 國際的 信賴가 弱化되어
北韓의 武力 挑發 可能性이 增大될 수 있음.

ㅇ 最近의 美.蘇 協調 관계나 蘇聯의 立場에 비추어 蘇聯이 北韓의
挑發 可能性에 대한 牽制 役割을 할 것으로 豫想되나, 대내외적으로
극히 어려운 狀況에 처한 北韓이 무모한 挑發을 저지를 可能性이
있으므로 우리로서는 이에 대한 충분한 對備가 必要함.

0012

o 우리로서는 페르시아만 사태가 我國 安保에 미치는 影響을 감안
   동 事態 推移를 銳意 注視하면서 美國과의 긴밀한 協議下에 韓半島
   平和 維持를 위한 共同 對策을 마련해 나가야 할 것임.

다. 經濟面
   o 최근의 油價 上昇 및 페르시아만 무력충돌 可能性에 대비 아국
     으로서는 충분한 原油 物量 確保가 무엇보다도 긴요함.

   o 이라크, 쿠웨이트산 原油가 아국의 原油 導入量 전체에서 차지하는
     比重이 11-12%이며 페르시아만 사태 진전에 따라서는 중동원유
     生産量이 대폭 감소할 가능성도 있으므로 우리로서는 原油 導入線
     多邊化등을 통하여 원유 도입 결손분 보전 및 충분한 비축량 확보에
     노력해야 할 것임.

   o 油價引上은 세계 原油市場의 需給 사정에 따른 不可抗力的인 것이나,
     우리로서는 유가 動向을 예의 주시하면서 國內 原油消費 節約,
     油價와 國內 物價와의 連動性에 따른 인플레 방지, 輸出 競爭力
     維持등을 도모하는 방향에서 經濟部處가 多角的인 對策을 마련해야
     할 것임.

라. 駐 쿠웨이트 大使館 및 我國人 撤收 問題
   o 駐 쿠웨이트 大使館 職員 撤收는 斷電, 斷水, 通信 杜絶등 제반 여건을
     감안한 不可避한 決定으로 판단되며, 우리가 국제사회와 공동보조를
     취해 주 쿠웨이트 대사관을 상당기간 유지시킨 것은 妥當한 措置임.

0013

○ 이라크 殘留 我國人 撤收와 관련, 아국으로서는 殘留 勤勞者
   保護, 未收金 問題, 아국의 長期的 經濟利益 保全이라는 면에서
   이라크를 완전히 철수한다는 인상을 주어서는 곤란함. 따라서 잔류
   아국인의 안전 문제에 유의하면서 현 단계에서는 아국인의 완전철수
   시기 문제에 대해서 伸縮性있게 對處하는것이 바람직함.
   그러나, 상황에 따라 아국인의 卽刻 撤收가 가능하도록 緊急 撤收 計劃
   마련등 사전 대비에 만전을 기하여야 할 것임.

마. 美國의 支援 要請에 대한 對應

○ 미측 요청에 대한 대응 문제는 고도의 비밀사항으로 정부에서 적절히
   대처할 것으로 사료되나, 派兵등 直接的 軍事 支援은 가급적 回避
   하면서 韓.美 安保 協力關係, 我國의 負擔 能力등을 감안하고
   동시에 이라크를 불필요하게 자극하지 않는 선에서 適切한 支援
   方案을 강구하도록 함.

○ 또한, 아국의 지원 방안 검토에 있어 동 지원이 미측 요청에 따른
   不可避한 것이라는 消極的인 姿勢보다는, 남북한 대치 상황에 비추어
   금번사태 관련 지원이 우리의 安保 利益을 위해 필요하다는 能動的인
   姿勢로 대처하는 것이 바람직함.

0014

3. 結 論

o 前述한 바와 같이 페르시아만 사태가 극히 流動的임에 따라 우리로서는
武力衝突 發生 또는 平和的 解決의 두가지 시나리오를 모두 想定하여
別途의 對策을 마련해야 할 것이며, 이와관련 追後 適切한 時期에 諮問
委員會 會議를 다시 開催할 豫定임. 끝.

0015

걸프事態 展開 經過 및 我國의 措置

90. 9. 6.
中近東課

1. 걸프事態 展開 主要 經過

8.2.   이라크, 쿠웨이트 侵攻 占領

        유엔 安保理, 이라크 非難 및 즉각 撤收 決議 採擇 (660호)

8.5.   이라크, 쿠웨이트 臨時 政府 閣僚 名單 發表

8.6.   유엔 安保理, 對이라크 經濟 制裁 決議 採擇 (661호)

8.8.   부쉬 美 大統領, 사우디 派兵 特別談話 發表

        이라크, 쿠웨이트 合併 宣言

8.9.   유엔 安保理, 合併 無效 決議 採擇 (662호)

        이라크, 쿠웨이트 駐在 外國公館 8.24.까지 閉鎖 要求

8.10.   이라크, 쿠웨이트내 外國人 抑留 發表

8.11.   카이로 아랍 緊急 頂上會談, 아랍 聯合軍 派兵 決定

8.14.   美國, 對이라크 海上 封鎖 (선박 검색) 開始

0016

8.15.   이라크, 對이란 平和 提議

8.18.   유엔 安保理, 外國人 保護에 관한 決議 採擇 (664호)

8.25.   유엔 安保理, 對이라크 制限的 軍事力 使用 許容 決議 採擇 (665호)

8.27.   美國, 위싱톤 駐在 이라크 外交官 36명 追放 發表

8.28.   이라크, 쿠웨이트를 19번째 州로 宣布

8.29.   日本, 多國的軍 支援 方案 發表 (수송 수단, 재정 지원등)

8.30.   부쉬 美 大統領, 多國的軍 經費 分擔 要請 聲明 發表

8.31-9.1 케야르 유엔 事務總長, 아지즈 이라크 外相과 會談 (암만)

9.5.   베이커 美 國務長官, 걸프地域 安保 協力體制 樹立 및 美軍

         계속 駐屯 言及

9.9.   美.蘇 頂上會談 (헬싱키) (예정)

0017

2. 我國의 금번 事態 關聯 主要 措置

　o　事態의 平和的 解決 促求 外務部 代辯人 聲明 發表 (8.2.)

　o　對이라크 經濟 制裁 同參 外務部 代辯人 聲明 發表 (8.9.)

　o　美側의 要請에 따라 美國-사우디 軍事物資 輸送을 위한 大韓航空 화물기 (B-747) 1대 派遣 (8.28.)

　o　駐 쿠웨이트 大使館 殘留 職員 4명, 바그다드로 移動(9.2)

　-　撤收 完了時 駐 쿠웨이트 大使館 業務 一時 中斷 聲明 發表 豫定

　*　我國人 撤收 現況

區 分	當初 人員	撤收 人員	殘留 人員	備 考
이라크	722	436	286	建設勤勞者等
쿠웨이트	605	596	9	殘留希望僑民
計	1,327	1,032	295	

　-　駐 쿠웨이트 公館 職員 4명은 殘留 人員에 不包含

　*　브레디 美 財務長官 一行, 9.6-7간 訪韓

0018

〈보충자료〉

Q. 이라크,쿠웨이트내 우리나라 僑民 安全 및 非常 撤收 對策은 무엇이며, 撤收 僑民들에 대한 事後 對策은 무엇인가?

o 걸프事態 勃發(8.2) 당시 쿠웨이트에 605名, 이라크에 722名, 總1,327名의 僑民이 있었으나

o 現在(9.6) 쿠웨이트 9名, 이라크 286名을 除外한 僑民을 無事하게 撤收 시켰으며 殘留 僑民도 段階的으로 撤收시킬 豫定임.

〈答辯 內容〉

o 撤收 對策 關聯, 政府는 僑民의 身邊 安全에 最優先을 두고,
  - 現地 公館의 撤收 計劃에 依據,
  - 僑民을 迅速 安全하게 撤收키 위하여
  - 大韓航空 特別機를 2회 投入하였으며, 當部에서는 中東地域 勤務者中 中堅職員 2名을 요르단에 派遣 1,032명의 僑民 撤收를 支援하였음.

o 그간 駐 쿠웨이트, 이라크, 요르단 公館을 비롯
  - 關聯業體와 關係部處의 協調 및
  - 關係國 政府와의 緊密한 協調 體制로
  - 쿠웨이트 僑民 撤收는 完了 되었다고 말씀드릴수 있음

o 쿠웨이트 殘留 僑民은 公館의 撤收 권유에도 불구하고
  - 殘留를 希望하는 僑民들임을 參考로 말씀 드림

o 現在 이라크에 200여명의 僑民이 殘留하고 있는바, 政府는 同 僑民도 早速 撤收시키고자 하는 立場이나,
  - 대부분이 우리 建設業體 所屬 勤勞者로서
  - 이라크 발주처의 承認과 出國 許可를 받아야 하므로,
  - 이라크의 行政 節次가 끝나는 대로 繼續 撤收 豫定임

o 現地 進出 建設業體의 經濟的 權益도 保護해야 된다는 측면도 考慮하여
  - 公館과 業體가 緊密히 協調하여
  - 殘留 僑民 身邊 安全 및 撤收에 萬全을 기할 것임

o 무의탁 撤收 僑民 事後 對策 관련,
  - 業體 所屬이 아닌 僑民들은 모든 財産을 喪失하고 緊急 避難 撤收한만큼
  - 이들은 天災地變에 준하는 事態로 인한 이재민임을 감안, 社會福祉 次元 에서 항공료 및 撤收 經由地 체재 費用등 最小한의 政府 支援이 必要할 것으로 봄

o 따라서 여기에 해당되는 僑民 251명에 대해서는
  - 항공료 및 숙박비등을 豫備費에서 補塡해 주도록 關係部處와 協議中에 있음

o 끝으로 化學戰 可能性에 對備
  - 殘留僑民에게 방독면 緊急 供給 必要性이 切實하다고 判斷되어
  - 所要 經費를 關係部處와 協議中임

~~첨부 : 교민 철수 현황~~

0020

3. 현안사항

　　o 무의탁 철수교민(약 250명)에 대한 사후 대책 강구, 필요조치

　　　　- 철수 소요 경비(항공임 및 체류 경비등) 재원 확보

　　　　　. 소요경비 : $ 818,880

　　　　　. 현재 경기원에 동 재원 확보를 위해 예비비 신청중

　　　　- 귀국후 안정시까지의 생활 보호 대책

　　　　　. 해당 부처에서 검토중

0021

이라크 및 쿠웨이트 교민 철수 대책 문제

가. 현황 *전쟁 발발시태 발발(4.2) 당시초*

이라크 및 쿠웨이트 체류 교민은 1,327명 있으나 '9.6 현재 철수교민은 1,032명인

o 이라크 및 쿠웨이트 무의탁 교민은 철수 완료

o 쿠웨이트 체류 교민 사실상 전원 철수 (잔류 희망 교민 8명 및 공관원 4명 제외)
   따라서, 9.6현재의

o 이라크 잔류 교민(진출업체 소속 인원임)은 총 280명만 *남아있으며*
   (공관원 및 가족 11명 포함)
      이들은 진출업체 소속 근로자들임
   ※ 이라크 및 쿠웨이트 철수 교민 총 1,032명(9.6 현재)

나. 향후 철수 대책

o 현지 진출업체 소속 잔류 교민(근로자등)은 소속업체와 긴밀 협조,
  현지 공관장 지휘 아래 단계적으로 조속 철수

  - 업체별 자체 철수계획 연계 추진

o 잔류 교민의 완전 철수시까지의 신변안전에 만전

o 완전 철수 시기 문제에 대해서는 잔류교민 보호, 미수금 문제,
  아국의 장기적 경제 이익 보전등 제반사항 감안, 신축성있게 대처

  - 돌발적인 상황 악화시 대비, 즉각 철수 가능토록 긴급 철수
    계획 마련등 사전 대비

o 만일의 이라크 화학전 가능성 대비, 잔류교민에 교민 및 공관 잔류 공관원

  에게 방독면 공급 조치 예정

  - 소요경비 관계부처 협의중

0022

다. ~~현안사항~~ 무의탁 철수 교민 ~~~~ 사후 대책
~~안치/소속이 없던~~

이 무의탁 철수교민(약 250명)에 대한 사후 대책 강구, 필요조치 하며, 이들은 모든재산을 상실하고 긴급히난 선수.

o 철수 소요 경비(항공임 및 체류 경비등) ~~개인부담~~ 지원 필요

. 소요경비 ·: $ 818,880 ~~철수 경유지~~
에서 보전하기 도록 관계 부처
와 협의중

. 현재 경기원에 동 재원 확보를 위해 예비비 ~~신청중~~

o 귀국후 안정시까지의 생활 보호 대책 강구

. ~~해당~~ 부처에서 검토중
관련

0023

〈補充資料〉

o 걸프事態 勃發(8.2) 당시 쿠웨이트에 605名, 이라크에 722名, 總1,327名의
  僑民이 있었으나

o 現在(9.6) 쿠웨이트 9名, 이라크 286名을 除外한 僑民을 無事하게 撤收
  시켰으며 殘留 僑民도 段階的으로 撤收시킬 豫定임.

o 撤收 對策 關聯, 政府는 僑民의 身邊 安全에 最優先을 두고,
  - 現地 公館의 撤收 計劃에 依據,
  - 僑民을 迅速 安全하게 撤收키 위하여
  - 大韓航空 特別機를 2회 投入하였으며, 當部에서는 中東地域 勤務者中
    中堅職員 2名을 요르단에 派遣 1,032명의 僑民 撤收를 支援하였음.

o 그간 駐 쿠웨이트, 이라크, 요르단 公館을 비롯
  - 關聯業體와 關係部處의 協調 및
  - 關係國 政府와의 緊密한 協調 體制로
  - 쿠웨이트 僑民 撤收는 完了 되었다고 말씀드릴수 있음

o 쿠웨이트 殘留 僑民은 公館의 撤收 권유에도 불구하고
  - 殘留를 希望하는 僑民들임

0024

o 現在 이라크에 200여명의 僑民이 殘留하고 있는바, 政府는 同 僑民도 早速
   撤收시키고자 하는 立場이나,
   - 대부분이 우리 建設業體 所屬 勤勞者로서
   - 이라크 발주처의 承認과 出國 許可를 받아야 하므로,
   - 이라크의 行政 節次가 끝나는 대로 繼續 撤收 豫定임

o 現地 進出 建設業體의 經濟的 權益도 保護해야 된다는 측면도 考慮하여
   - 公館과 業體가 緊密히 協調하여
   - 殘留 僑民 身邊 安全 및 撤收에 萬全을 기할 것임

o 무의탁 撤收 僑民 事後 對策 관련,
   - 業體 所屬이 아닌 僑民들은 모든 財産을 喪失하고 緊急 避難 撤收한만큼
   - 이들은 天災地變에 준하는 事態로 인한 이재민임을 감안, 社會福祉 次元
     에서 항공료 및 撤收 經由地 체재 費用등 最小한의 政府 支援이 必要할
     것으로 봄

o 따라서 여기에 해당되는 僑民 251명에 대해서는
   - 항공료 및 숙박비등을 豫備費에서 補塡해 주도록 關係部處와 協議中에 있음

o 끝으로 化學戰 可能性에 對備
   - 殘留僑民에게 방독면 緊急 供給 必要性이 切實하다고 判斷되어
   - 所要 經費를 關係部處와 協議中임

0025

이라크 및 쿠웨이트 아국 교민 철수 대책 (안)

1. 상 황

- 현재 이라크 및 쿠웨이트 아국 교민은 1,314명
  (이라크 666명, 쿠웨이트 648명)

- 이라크, 쿠웨이트 무력 사태 악화로 이라크, 쿠웨이트 국경 및
  공항이 폐쇄

- 동 사태로 치안 부재 상태가 지속되는 가운데 이라크, 쿠웨이트내
  아국 교민의 식량 문제가 심각

- 이라크는 쿠웨이트 체류 인원을 인질로 삼을 가능성 있으며, 서방
  진영 400여명이 이라크로 강제 이동된 것으로 추정

- 상기와 같은 상황아래 아국 교민의 긴급 철수 필요성이 있으나,
  현재로서는 철수 방법 모색이 어려운 상태임

2. 기본 방침

- 일시, 전원 철수 추진을 원칙으로 함
- 관련 부처와 긴밀한 협조 아래 추진
- 안전 철수를 위한 이라크 정부와의 사전 긴밀 교섭
- 철수 인근국가 및 우방국가의 긴밀한 협조 유지
- 긴급상황 발생시, 현지 공관장 판단 아래 긴급 대피 철수

3. 철수 대책(안)

가. 철수 단계

1) 가능한 조속한 시기내 철수 개시

   - 인접국으로 우선 철수후 사태를 보아 국내로 철수

0026

- 인접 철수 대상국은 요르단, 터키, 바레인, UAE, 이란을 우선
  고려
- 철수 지역은 현지 상황과 수송 수단의 이용 가능성등 고려 선정
2) 물자등은 우선 순위를 정해 수송 수단 보아 단계별 철수하되,
  긴급시 인원만 우선 철수

나. 철수 방법
1) 지역별로 집결, 가능한 공로, 육로 및 해로 이용 철수
2) 직접 아국 수송편(KAL 및 아국선박) 이용, 인접국 또는 본국으로의
  철수 개시(필요시 우방국 수송 수단 이용)
3) 이라크 정부측과 사전 교섭, 긴급 철수시 교민 안전 확보
4) 인접국으로 철수 대비, 동 인접국과 사전 교섭
5) 이라크 및 쿠웨이트 지원 거부시 상황에 따라 인근국 및 우방국
  (미.일.영.불등)과 협조, 우방국 철수 교통편을 이용 철수
6) 진출 업체별 자체 철수 계획에 의거 시행시는 현지 공관과의
  긴밀 협조하 추진

다. 세부 철수 방안
1) 집 결
  ㅇ 시 기
    - 철수 가능 방법 확인시 가능한 조속 철수
  ㅇ 장 소
    - 인근 아국업체 공사장 또는 아국 공관(필요시 우방국 시설물)
    - 최종 집결지는 공항(공군기지 포함) 또는 항구이나, 공항 및
      항구 폐쇄시 현 공사현장 및 아국공관
  ㅇ 방 법
    - 산재 거주 교민의 인근 공사장등 집결
      (취약지구 공사장으로 부터 보다 안전하고 방위 용이한
      공사장등으로 이동 합류)

0027

2) 철   수

　ㅇ 수송(철수)지

　〈공로 및 해로 이용 가능시〉

　- 인접국가인 바레인 (또는 UAE)으로 임시 철수

　- 사태 진전에 따라 바레인(UAE) - 서울로 철수

　〈육로 이용 가능시〉

　- 터어키 또는 요르단으로 임시 철수(가능시될 경우 이란도 고려)

　ㅇ 수송 방법 및 수단

　가) 공   로

　- KAL 전세기를 이용 하기 공항을 통해 철수

　- 필요시 우방국 수송 수단 이용

　　(민간 국제 공항)

　　. KAL 전세기 B 747 1대 이용(360명 수송)

　　. (1차)

　　　서울 → 쿠웨이트 국제공항 → 바레인 공항 2회 운항

　　　(쿠웨이트 교민 648명 수송)

　　. (2차)

　　　바레인 → 바그다드, 사담공항 → 바레인공항 2회 운항

　　　(이라크 교민 666명 수송)

　　. 소요비용 : 총 9억 8천만원 상당(137만불)

　　　　　　　　　(순수 항공임만 계산)

　　. 수송 소요 시간 : 서울 → 쿠웨이트 → 바레인간 운항

　　　　　　　　　　　　소요시간(1회) 18시간

　　　　　　　　　　　　바레인 → 바그다드 → 바레인 운항

　　　　　　　　　　　　소요시간(1회) 6시간

　(이라크 및 쿠웨이트 공군 기지)

　　. 민간 국제공항 이용 불능시 추진

　　. KAL 전세기 B 747 1대 (동 기지 활용시 이라크 정부 지원 필요)

　　. 소요 비용은 상기와 동일

0028

문제점 : 공항 폐쇄된 현 상황아래, 공로 이용 방법은 현실적
        으로 부적절하나, 공군기지 사용 가능시 동 방법이
        가장 바람직함

나) 해   로

 . 이용 가능한 항구는 바스라항(이라크) 및 쿠웨이트항,
   슈와이크항 및 미날 압둘항(쿠웨이트)등임

 . 긴급 철수 기항지는 바레인 마나마 항구임

- 상   선

 . 이란.사우디.이라크 취항 아국 화물선 3척 동원(척당
   350명 수송 가능) 출항후 1-2일내 바레인 기항

 . 이라크 철수 :
   ‾‾‾‾‾‾‾‾‾
   집결지 →(육로) 쿠웨이트항 → 바레인 마나마항

 . 쿠웨이트 철수 :
   ‾‾‾‾‾‾‾‾‾‾
   집결지 →(육로) 쿠웨이트항 → 바레인 마나마항

※ 여건에 따라 아국 선원 탑승 외국적 선박등 이용

- 어   선

 . 홍해 근처 조업중인 구일산업 소속 트롤선 1척(125 大급,
   100명 수송) 및 사우디 국적 용선 4척(300 大급, 400명
   수송) 동원

 . 출항후 2일내 집결항 입항 가능

※ 필요시 우방국 수송 선박 이용(가능 경우)

 문제점 : 해상이 봉쇄된 현 상황 아래서는 해로 이용에 어려움
         예상

다) 육   로

 . 현재의 가능한 육로 철수 방법은 이라크에서 요르단 또는
   터어키 국경 경유 철수 (별첨 자료 참조)

 . 수송 수단은 각 현장장별 차량 활용(현지 실정 의거)

0029

· 수 송 로

이라크 철수 :
1) 지역별 집결지(각 공사현장 SITE별등) → 바그다드 →
   요르단 국경(루트바근처, 538 km, 7시간 소요)
2) 지역별 집결지 → 바그다드 → 터어키국경 (자코,
   (516 km, 7시간 소요)
단), 바그다드 북부위치 집결지는 바로 요르단 및 터어키
   국경으로 이동

쿠웨이트 철수 :
1) 쿠웨이트 시내 → 이라크(사판지역) → 요르단(루트바
   근처, 총 1146 km, 15시간 소요)
2) 쿠웨이트 시내 → 이라크(사판) → 터어키국경(자코,
   총 1124 km, 15시간 소요)
※ 육로 이용 긴급 철수가 바람직하나 치안상황 고려, 장거리
   육로 이동은 극히 위험
라) 우방국의 항공기나 선박 이용 방안 모색
 - 미·영·일·불등 우방국 교민 철수시 아국 교민도 동승 철수
   토록 교섭

4. 조 치 사 항

가. 관계부처 합동 회의 소집
 - 안기부, 노동부, 건설부, 상공부, 국방부, 수산청, 해운항만청등
   유관부처 회의 소집코 철수 시기 및 방안등 논의
나. 상기 회의 결과에 따라 구체적 철수 추진
 - 이라크, 쿠웨이트 정부를 대상으로 아국 전세기 및 선박을 통한
   철수 방안에 대한 협조 요청
   (전세기 착륙 및 선박기항 허가등 병행 교섭)

0030

다. 육로 철수 실시

 - 공,해로 철수가 불가능할 경우 육로 철수 실시

 - 가능한 모든 교민 동시에 철수 추진

라. 인접국에 대한 교섭

 - 1차 철수 대상국에 아국민 입국 편리 제공 요청 교섭 실시

마. 아국 공관원 철수

 - 상기 아국민 철수가 완료될 시점에서 공관원도 철수

5. 유의 사항

가. 상기 공로, 해로, 육로에 의한 방법을 최대한 활용하더라도 아국 교민 전원을 안전하게 철수시키는 것은 사실상 어려운 실정

나. 현 상황 아래서 교민 철수 필요성이 있으나, 구체적 철수에는 다음과 같은 문제점

 1) 철수 교섭 상대자가 아측 요청에 응하지 않을 가능성

 2) 교섭 방법과 철수 추진 방법등에서의 문제점

다. 긴급한 상황 아래 대다수 교민이 철수하지 못할 사태가 발생할 것이므로 이러한 사태 대응 아래와 같이 대처

 1) 가능한한 다수가 한장소에 집결, 자위력 강화

 2) 미국등 우방국의 이라크 제재 요청 및 유엔 결의등에 가능한 미온적으로 대응함으로서 아국민의 인질화 방지

 3) 국제 적십자사등을 통한 철수 방안 모색

6. 당면 조치 사항

 ㅇ 이라크, 쿠웨이트 사태 관련 우방국 정부의 사태 해결 전망 타진

0031

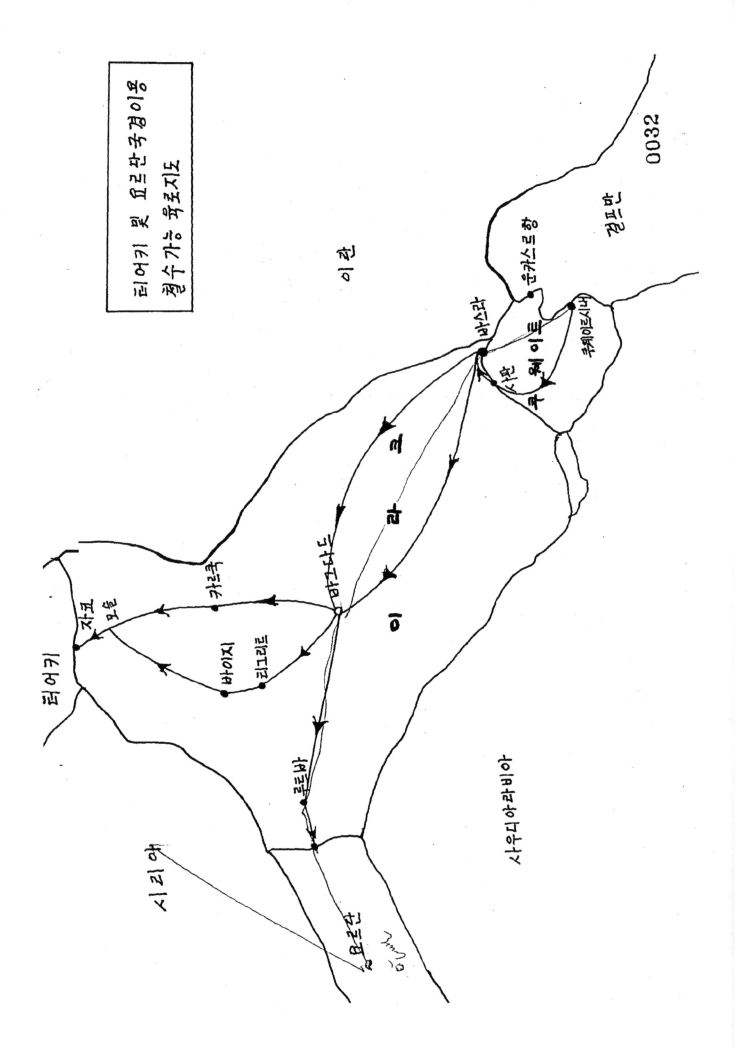

리야기 및 요르단 구경이용
철수가능 무료지도

이란

0032

걸프만

바스라

쿠웨이트

움카스르항

쿠웨이트시내

국

사마와

이

라

크

바그다드

자코
모슬

카르쿡

바이지

리그리드

리야기

라마디

사우디아라비아

시리아

요르단

첨부 1.

철수 관련 소요 경비 내역

가. 소요 경비 지원 대상 : 296명

    ○ 총 1,317명중 업체 소속 직원 및 근로자 1,021명 제외

    ※ 업체 소속 직원 및 근로자는 해당 업체에서 부담

나. 총 소요 경비 : $827,616

다. 소요 경비 내역

    ○ 항공 요금 : $996(암만 → 서울간 편도)

     - 대한항공에서 산정한 긴번 특별기 운항 요금

    ○ 숙 식 비 : $200(1인 1일)

     - 현지의 생필품 및 식량 구입난등 고려, 국외 여비 수준보다
약간 높게 책정

    ○ 차량 사용비

     - 쿠웨이트, 이라크에서 요르단까지 3일간 소요 기준

     - 정액 1인 $100 기준

    ○ 기타 부대 경비

     - 전체 소요 금액의 약 4% 규모로 책정

0033

라. 세부 내역

  ※ 철수 교민 : 296명(업체 근로자 제외)

  ○ 숙 식 비

      1일 $200×296명 × 7일 = $414,400

  ○ 항공요금(암반 → 서울 편도)

      1인 $996×296명 = $294,816

  ○ 차량 사용비(쿠웨이트 및 이라크 → 요르단)

      1인 $100×3일×296명 = $88,800

  ○ 기타 부대 경비

      1인 $100×296명 = $29,600

                        총 : $827,616

0034

이라크 및 쿠웨이트 아국 교민 철수 현황

(90.8.21. 15:00 현재)

이 라 크 : 총 144명

쿠웨이트 : 총 509명

총   계 :   653명

구분\국별	교민총수	귀국 및 인접국 대피	요르단 이동중 (이라크 체류포함)	요르단 체류	잔류자	비 고
쿠웨이트	605	35	39	474	57	잔류희망교민 : 16 궁관직원 : 5 현대건설 소속 필수요원 : 36
이 라 크	712	65	24	55	568	귀국 : 23
계	1,317	100	63	529	625	

0035

이라크 및 쿠웨이트 교민 철수 대책 문제

1. 현   황

   o 이라크 및 쿠웨이트 무의탁 교민은 철수 완료

   o 쿠웨이트 체류 교민 사실상 전원 철수

   o 이라크 잔류 교민(진출업체 소속 인원임)은 총 286명
     (공관원 및 가족 11명 포함)

   ※ 이라크 및 쿠웨이트 철수 교민 총 1,032명(9.6. 현재)

2. 향후 철수 대책

   o 현지 진출업체 소속 잔류 교민(근로자등)은 소속업체와 긴밀 협조,
     현지 공관장 지휘 아래 단계적으로 조속 철수
     - 업체별 자체 철수계획 연계 추진

   o 잔류 교민의 완전 철수시까지의 신변안전에 만전

   o 완전 철수 시기 문제에 대해서는 잔류교민 보호, 미수금 문제,
     아국의 장기적 경제 이익 보전등 제반사항 감안, 신축성있게 대처
     - 돌발적인 상황 악화시 대비, 즉각 철수 가능토록 긴급 철수
       계획 마련등 사전 대비

0036

3. 현안사항

　o 무의탁 철수교민(약 250명)에 대한 사후 대책 강구, 필요조치

　　- 철수 소요 경비(항공임 및 체류 경비등) 재원 확보

　　　. 소요경비 : $ 818,880

　　　. 현재 경기원에 동 재원 확보를 위해 예비비 신청중

　　- 귀국후 안정시까지의 생활 보호 대책

　　　. 해당 부처에서 검토중

0037

걸프지역 체류교민 철수계획 관련 CHECK LIST

1. KAL 특별기 투입 교민 긴급 철수 대책(안) 수립

2. 관련부처 실무자(과장급) 회의 소집 (중동아국장 회의 주관)
   가. 토의내용
      1) 특별기 투입 문제
      2) 근로자 철수 지도
      3) 항공임 사후 정산
      4) 철수 소요 예산 확보
      5) 기타 철수 관련 필요사항

3. 진출업체 본사 간부 소집, 소속 근로자 특별기 탑승 대상자 파악(단계별 탑승)

4. 특별기 투입 소요예산 확보, 경기원과 교섭

5. 주이락 공관에 지시
   가. 특별기 투입 계획 통보
   나. 특별기 탑승 사전 준비
   다. 특별기 투입 대비 주재국 당국과 공항 이.착륙 허가 사전 교섭
   라. 기타 철수 관련 필요 사항

6. 걸프지역 주재 공관에 지시
   가. 특별기 탑승 희망자 인원 사전 파악 (단계별 탑승)
   나. 공관원 가족 전원 철수(1.15. 이전) 훈령 시달
   다. 특별기 투입 대비, 주재국 공항 당국과 공항 이.착륙 허가 사전 교섭
   라. 특별기 탑승 사전 준비
      1) 현지 업체 수송 수단 최대 활용
      2) 철수 중계지역 선정등
   마. 특별기 투입 일정 통보 시달
   바. 이락 체류교민 긴급 철수시 입국 가능에 대한 사전 교섭 및 체류 편의
      제공 사전 준비(주 요르단)

0038

사. 잔류 필수요원의 **최후 철수시까지** 안전대책 강구

아. 타국 체류 아국인 긴급 대피시 입국 지원

자. 타국인 철수 동향 파악

차. 기타 철수관련 필요사항

7. KAL에 특별 전세기 투입 협조 요청

가. 득별기 운항 방안 강구

나. 항공임 사후 정산문제등

8. 우방국과의 사전 협조 요청

가. 긴급 상황 발생시 아국인의 우방국 수송수단 사용 및 아국인 보호 요청

1) 자국민 철수시(피난 구조 항공기 파견에 대한 협의 포함) 아국인 탑승

나. 환자 처리 지원

다. 미국등 다국적군의 대이락 군사 조치 사전 파악 노력등

9. 걸프지역 및 주변국 주재 공관에 비상 철수용 비상금 확보

가. 특히 GCC국 주재 공관 배정 91년 1/4분기 예산 긴급 영달등

10. 주요 우방국가 철수계획 파악 지시 (주미, 영, 불, 독 대사등)

11. 긴급 상황시 공관원 철수 지시

12. 합동 대책 본부 구성 운영

13. 관련부처에 협조 요청

가. 경기원 : 특별기 투입 교민 철수 소요 예산 확보
(외국업체 및 부동 인력등 포함)

나. 안기부 : 철수계획 협의

다. 교통부 : 특별기 투입 업무 지원

라. 노동부 : 진출 근로자 철수 독려 및 철수시까지 근로자 안전보호 조치 강구

마. 건설부 : 진출업체 사업장별 철수 지도

14. 걸프지역 체류 순수교민(약 2,000명)용 방독면 추가 공급 조치

15. 기타 필요사항

0039

각국의 이라크·쿠웨이트 잔류인원 현황

(90.9.14. Reuter 추계)

국별 \ 구분	쿠 웨 이 트	이 라 크
〈 서 방 〉		
영 국	1,000 명 이내	400 명 이내
미 국	1,400	200
오스트레일리아	쿠웨이트 및 이라크 160	
오스트리아	미확인	미확인
벨 지 움	7	39
카 나 다	500	200
덴 마 크	35	40
핀 란 드	4	22
프 랑 스	100	300
그 리 스	180	30
아 일 랜 드	50	270
이 태 리	40	310
룩셈부르크	2	4
네 덜 란 드	쿠웨이트 및 이라크 180	
뉴 질 랜 드	쿠웨이트 및 이라크 29	
노 르 웨 이	3	30
포 르 투 갈	4	37
스 페 인	14	19
스 웨 덴	2	70

0040

국별 구분	쿠 웨 이 트	이 라 크
〈기 타〉		
이 집 트	110,000	120,000
이 란	40,000	미확인
P L O	300,000	170,000
모 로 코	6,000	30,000
튀 니 지	1,000 이내	2,000
터 어 키	2,480	4,000
방글라데쉬	598,000	15,000
인 도	125,000	8,000 (최소한)
파 키 스 탄	40,000	10,000 이내
스 리 랑 카	85,000	미확인
중 국	0	5,000
홍 콩	쿠웨이트 및 이라크 12	
인 도 네 시 아	12 (최소한)	미확인
일 본	30	343
필 리 핀	38,000	5,000
중 화 민 국	0	0
태 국	30	3,000
불 가 리 아	미확인	900
체 코	9	257
동 독	쿠웨이트 및 이라크 29	
헝 가 리	0	182
폴 란 드	20	2,000
소 련	0	5,800
유고슬라비아	40	3,500
아 르 헨 티 나	쿠웨이트 및 이라크 51	
브 라 질	쿠웨이트 및 이라크 330	
칠 레	쿠웨이트 및 이라크 7	
멕 시 코	쿠웨이트 및 이라크 17	
* 한 국	13	436

0041

141343 :BC-GULF-FOREIGNERS-LIST
IRAQ TO FLY MORE WESTERNERS OUT OF KUWAIT:
    NICOSIA. SEPT 14. REUTER - AN IRAQI AIRWAYS JET FLEW TO
KUWAIT ON FRIDAY TO EVACUATE MORE THAN 400 WESTERN WOMEN AND
CHILDREN. MOSTLY AMERICANS AND BRITONS. A U.S. EMBASSY OFFICIAL
SAID.
    THE BOEING 747 WAS EXPECTED TO RETURN TO BAGHDAD LATER ON
FRIDAY AND THEN FLY TO LONDON. THE OFFICIAL SAID.
    <u>FOLLOWING ARE THE LATEST ESTIMATES OF FOREIGNERS STILL IN</u>
<u>THE TWO COUNTRIES:</u>

	KUWAIT	IRAQ
EGYPT	110.000	1.2 MILLION
IRAN	40.000	UNKNOWN
PALESTINIANS	300.000	170.000
MOROCCO	6.000	30.000
TUNISIA	FEWER THAN 1.000	2.000
TURKEY	2.480	UP TO 4,000
BANGLADESH	59.800	15.000
INDIA	125.000	AT LEAST 8,000
PAKISTAN	40.000	FEWER THAN 10.000
SRI LANKA	85.000	UNKNOWN
CHINA	0	5.000
HONG KONG	12 IN KUWAIT AND IRAQ	
INDONESIA	AT LEAST 12	UNKNOWN
JAPAN	30	343
PHILIPPINES	38.000	5.000
SOUTH KOREA	13	436
TAIWAN	0	0
THAILAND	30	3.000
BULGARIA	UNKNOWN	900
CZECHOSLOVAKIA	9	257
EAST GERMANY	29 IN KUWAIT AND IRAQ	
HUNGARY	0	182
POLAND	20	2.000
SOVIET UNION	0	5.800
YUGOSLAVIA	40	3.500
ARGENTINA	51 IN KUWAIT AND IRAQ	
BRAZIL	330 IN KUWAIT AND IRAQ	
CHILE	7 IN KUWAIT AND IRAQ	
MEXICO	17 IN KUWAIT AND IRAQ	
WESTERN NATIONALS -		
BRITAIN	FEWER THAN 1.000	FEWER THAN 400
UNITED STATES	1.400	200
AUSTRALIA	160 IN KUWAIT AND IRAQ	
AUSTRIA	UNKNOWN	UNKNOWN
BELGIUM	7	39
CANADA	500	200
DENMARK	35	40
FINLAND	4	22
FRANCE	100	300
GREECE	180	30
IRELAND	50	270
ITALY	40	310
LUXEMBOURG	2	4
NETHERLANDS	180 IN KUWAIT AND IRAQ	
NEW ZEALAND	29 IN KUWAIT AND IRAQ	
NORWAY	3	30
PORTUGAL	4	37
SPAIN	14	19
SWEDEN	2	70

MORE

17

0042

교 민 철 수 현 황

(90.9.7. 08:00 현재)

〈이 라 크〉

○ 철수인원 총 436 명

○ 잔류인원 286 명

○ 소속별 잔류 인원 내역

- 공관원 (고용원 및 가족 포함) 11 명
- 현대건설 215
- 남광토건 2
- 삼성건설 39
- 정 우 2
- 한 양 15
- 삼성물산 1
- 기 타 1

※ 향후 철수 일정 (일부)

9.7 - 10까지 . 현대건설 40 명
. 남 광 2
. 정 우 2
. 한 양 9

. 소 계 53 명

0043

교 민 철 수 현 황

(90.9.8. 08:00 현재)

〈이 라 크〉

o 철수인원 총 436 명

o 잔류인원   286 명

o 소속별 잔류 인원 내역

　　- 공관원 (고용원 및 가족 포함) 11 명
　　- 현대건설   215
　　- 남광토건   2
　　- 삼성건설   39
　　- 정   우   2
　　- 한   양   15
　　- 삼성물산   1
　　- 기   타   1

※ 향후 철수 일정 (일부)

　　9.8 - 10까지 . 현대건설 40 명
　　　　　　　　. 남   광   2
　　　　　　　　. 정   우   2
　　　　　　　　. 한   양   9

　　　　　　　　. 소   계   53 명

※ 철수 인원은 전일과 동일

0044

교 민 철 수 현 황

(90.9.10. 12:00 현재)

〈이 라 크〉

o 철수인원 총 436 명

o 잔류인원 286 명

o 소속별 잔류 인원 내역

- 공관원 (고용원 및 가족 포함) 11 명
- 현대건설 215
- 남광토건 2
- 삼성건설 39
- 정 우 2
- 한 양 15
- 삼성물산 1
- 기 타 1

※ 9.10 철수 일정

· 현대건설 40 명
· 남 광 2
· 정 우 2
· 한 양 9

· 소 계 53 명

※ 철수 인원은 전일과 동일

0045

교 민 철 수 현 황

(90.9.11. 08:00 현재)

〈이 라 크〉

o 철수인원 총 436 명

o 잔류인원   286 명

o 소속별 잔류 인원 내역

   - 공관원 (고용원 및 가족 포함) 11 명
   - 현대건설   215
   - 남광토건   2
   - 삼성건설   39
   - 정   우   2
   - 한   양   15
   - 삼성물산   1
   - 기   타   1

〈참 고〉

-9.10. 20:00   이라크 현대건설 근로자 20명,

 9.11.   이라크 현대건설 근로자 80명, 요르단 향발

 9.12.   남광 근로자 1명,

※ 철수 인원은 전일과 동일

0046

교 민 철 수 현 황

(90.9.12. 08:00 현재)

〈이 라 크〉

○ 철수 인원 총 456명

○ 잔류 인원 266명

○ 소속별 잔류 인원 내역

- 공관원(고용원 및 가족 포함) 11명

- 현대 건설 495

- 남광 토건

- 삼성 건설 39

- 정 우 2

- 한 양 15

- 삼성 물산 1

- 기 타 1

※ 9.11. 이라크 현대 건설 근로자 80명 및 남광 근로자 1명,
요르단 향발

0047

교 민 철 수 현 황

(90.9.14. 08:00 현재)

〈이라크〉

ㅇ 철수 인원 총 513 명

ㅇ 잔류 인원 209 명

ㅇ 소속별 잔류 인원 내역
  - 공관원(고용원 및 가족 포함) 11명
  - 현대 건설 139
  - 남광 토건 1
  - 삼성 건설 39
  - 정   우 2
  - 한   양 15
  - 삼성 물산 1
  - 기   타 1

0048

이라크 및 쿠웨이트 아국인 철수 현황

(9.13. 현재)

구분 / 국명	소속	귀국완료	제3국대피	요르단대기	미철수(전류중)	계	비고 (기철수 경비)
이라크	.현대건설등 진출건설업체	398명	0	21명	252명	671명	
	.진출상사(은행포함)	8	0	0	1	9	$ 433,000
	.공관원 및 가족(KOTRA포함)	24	0	0	11	35	
	.기타(무의탁 교민 포함)	3	3	0	1	7	
쿠웨이트	.현대건설등 진출건설업체	325	0	0	0	325	
	.진출상사(은행포함)	38	0	0	0	38	$ 592,000
	.공관원 및 가족	26	4	0	0	30	
	.기타(무의탁 교민 포함)	203	0	0	9	212	
소 계		1,025명	7명	21명	274명	1,327명	$1,025,000

0043

이라크 및 쿠웨이트 아국 업체 소속 상주인 철수 현황

구분\국명	소속	국적	철수 귀국완료	내역 요르단대기	미철수	계	조치 내용	비고 (기지출경비)
이 라 크	현대건설	방글라데시인	112명	128명	210명	450명	- 8.25-9.3, 112명 현대측 자사 부담, 귀국조치 - 128명간, 현대측 자사 부담 금명간, 귀국조치 예정	$104,000
		태 국 인	70	1	79	150	- 8.21, 6명 현대측, 주요르단 대사관 인계, 버스2대 - 9.2-9.7, 65명 현대측 귀국조치 - 1명, 현대측 금명간 예정	
	삼성종합 건설	방글라데시인	1	0		1	- 8.19 방글라데시측 1명 태국인 부담, - 29명 태국측 자사 부담, 귀국조치	$ 35,000
		태 국 인	29			29		
	정우개발	방글라데시인	21	0	1	22	- 8.24, 21명 정우측 자사 부담 귀국조치	$ 15,000
	한양	방글라데시인	9	0	12	21	- 8.25, 9명 한양측 자사 부담 귀국조치	$ 7,000
쿠 웨 이 트	현대건설	중 국 인	46			46	- 8.17 46명중 대사관 인계, 요르단 중국 귀국조치 - 8.25 14명 주이라크 인도 대사관 인계, 기히조치 - 8.21-8.25, 1,267명 태국 정부측 자사 1,267명 특별기로 귀국조치	
		인 도 인	14			14		
		태 국 인	1,267			1,267		
소 계			1,569명	129명	302명	2,000명		$161,000

0050

141343 :BC-GULF-FOREIGNERS-LIST
IRAQ TO FLY MORE WESTERNERS OUT OF KUWAIT:
  NICOSIA, SEPT 14, REUTER - AN IRAQI AIRWAYS JET FLEW TO
KUWAIT ON FRIDAY TO EVACUATE MORE THAN 400 WESTERN WOMEN AND
CHILDREN, MOSTLY AMERICANS AND BRITONS, A U.S. EMBASSY OFFICIAL
SAID.
  THE BOEING 747 WAS EXPECTED TO RETURN TO BAGHDAD LATER ON
FRIDAY AND THEN FLY TO LONDON, THE OFFICIAL SAID.
  FOLLOWING ARE THE LATEST ESTIMATES OF FOREIGNERS STILL IN
THE TWO COUNTRIES:

	KUWAIT	IRAQ
EGYPT	110,000	1.2 MILLION
IRAN	40,000	UNKNOWN
PALESTINIANS	300,000	170,000
MOROCCO	6,000	30,000
TUNISIA	FEWER THAN 1,000	2,000
TURKEY	2,480	UP TO 4,000
BANGLADESH	59,800	15,000
INDIA	125,000	AT LEAST 8,000
PAKISTAN	40,000	FEWER THAN 10,000
SRI LANKA	85,000	UNKNOWN
CHINA	0	5,000
HONG KONG	12 IN KUWAIT AND IRAQ	
INDONESIA	AT LEAST 12	UNKNOWN
JAPAN	30	343
PHILIPPINES	38,000	5,000
SOUTH KOREA	13	436
TAIWAN	0	0
THAILAND	30	3,000
BULGARIA	UNKNOWN	900
CZECHOSLOVAKIA	9	257
EAST GERMANY	29 IN KUWAIT AND IRAQ	
HUNGARY	0	182
POLAND	20	2,000
SOVIET UNION	0	5,800
YUGOSLAVIA	40	3,500
ARGENTINA	51 IN KUWAIT AND IRAQ	
BRAZIL	330 IN KUWAIT AND IRAQ	
CHILE	7 IN KUWAIT AND IRAQ	
MEXICO	17 IN KUWAIT AND IRAQ	
WESTERN NATIONALS -		
BRITAIN	FEWER THAN 1,000	FEWER THAN 400
UNITED STATES	1,400	200
AUSTRALIA	160 IN KUWAIT AND IRAQ	
AUSTRIA	UNKNOWN	UNKNOWN
BELGIUM	7	39
CANADA	500	200
DENMARK	35	40
FINLAND	4	22
FRANCE	100	300
GREECE	180	30
IRELAND	50	270
ITALY	40	310
LUXEMBOURG	2	4
NETHERLANDS	180 IN KUWAIT AND IRAQ	
NEW ZEALAND	29 IN KUWAIT AND IRAQ	
NORWAY	3	30
PORTUGAL	4	37
SPAIN	14	19
SWEDEN	2	70

MORE

17

0051

각국의 이라크·쿠웨이트 잔류인원 현황

(90.9.14. Reuter 추계)

국별 구분	쿠 웨 이 트	이 라 크
〈서 방〉		
• 영 국	1,000 명 이내	400 명 이내
• 미 국	1,400	200
오스트레일리아	쿠웨이트 및 이라크 160	
오스트리아	미확인	미확인
벨 지 움	7	39
• 카 나 다	500	200
덴 마 크	35	40
핀 란 드	4	22
• 프 랑 스	100	300
그 리 스	180	30
아 일 랜 드	50	270
• 이 태 리	40	310
룩 셈 부 르 크	2	4
네 덜 란 드	쿠웨이트 및 이라크 180	
뉴 질 랜 드	쿠웨이트 및 이라크 29	
노 르 웨 이	3	30
포 르 투 갈	4	37
스 페 인	14	19
스 웨 덴	2	70

0052

국별 구분	쿠 웨 이 트	이 라 크
〈기 타〉		
이 집 트	110,000	120,000
이 란	40,000	미확인
P L O	300,000	170,000
모 로 코	6,000	30,000
튀 니 지	1,000 이내	2,000
터 어 키	2,480	4,000
방글라데쉬	598,000	15,000
인 도	125,000	8,000 (최소한)
파 키 스 탄	40,000	10,000 이내
스 리 랑 카	85,000	미확인
중 국	0	5,000
홍 콩	쿠웨이트 및 이라크 12	
인 도 네 시 아	12 (최소한)	미확인
일 본	30	343
필 리 핀	38,000	5,000
중 화 민 국	0	0
태 국	30	3,000
불 가 리 아	미확인	900
체 코	9	257
동 독	쿠웨이트 및 이라크 29	
헝 가 리	0	182
폴 란 드	20	2,000
소 련	0	5,800
유고슬라비아	40	3,500
아 르 헨 티 나	쿠웨이트 및 이라크 51	
브 라 질	쿠웨이트 및 이라크 330	
칠 레	쿠웨이트 및 이라크 7	
멕 시 코	쿠웨이트 및 이라크 17	
* 한 국	13	436

0053

교 민 철 수 현 황

(90.9.17. 08:00 현재)

〈이 라 크〉

o 철수인원 총 513 명

o 잔류인원 209 명

o 소속별 잔류 인원 내역
  - 공관원 (고용원 및 가족 포함) 11 명
  - 현대건설 139
  - 남광토건 1
  - 삼성건설 39
  - 정 우 2
  - 한 양 15
  - 삼성물산 1
  - 기 타 1

※ - 철수인원 전일과 동일
  - 이라크 및 쿠웨이트 교민 철수 현황 (9.17)

국명 \ 구분	교민수	철수인원	잔류인원	비 고
이 라 크	722 명	513 명	209 명	잔류자는 업체소속 인원임
쿠웨이트	605	596	9	잔류자 9명은 잔류희망 교민함

0054

교 민 철 수 현 황

(90.9.17. 10:00 현재)

국명 구분	교민수	철수인원	잔류인원	비 고
이 라 크	722 명	513 명	209 명	
쿠 웨 이 트	605	596	9	9명은 잔류희망 교민
소 계	1,327	1,109	218	

※ - 이라크 잔류 소속별 인원 내역

· 공관원 (고용원 및 가족 포함) 11 명
· 현대건설　　139
· 남광토건　　　1
· 삼성건설　　 39
· 정　　우　　　2
· 한　양　　 15
· 삼성물산　　　1
· 기　　타　　　1

- 철수인원 전일과 동일

0055

교민철수현황

(90.9.17. 14:00 현재)

국명 \ 구분	교민수	철수인원	잔류인원	비 고
이라크	722 명	517 명	205 명	
쿠웨이트	605	596	9	9명은 잔류희망 교민
소 계	1,327	1,113	214	

※ - 이라크 잔류 소속별 인원 내역

- 공관원 (고용원 및 가족 포함) 11 명
- 현대건설 136
- 남광토건 1
- 삼성건설 32
- 정우양행 2
- 한 양 14
- 삼성물산 1
- 기 타 1

- 9.17 이라크 현대소속 직원, 요르단 향발 예정

0056

이라크-쿠웨이트 事態의 展望(案)

1990. 9. 17.

外　務　部

0057

I. "쾌"湾 事態의 展望

> 事態를 便宜上 短期的으로 90.11.6 美 中間 選擧以前, 中期的으로 앞으로 6個月間 및 長期的으로 91年末까지로 區分 展望해 봄.

1. 短期的 展望(11.6 美中間 選挙以前)

가. 美國은 이라크의 쿠웨이트 無條件 撤收等 目標를 可及的 中間選擧以前에 達成코저 努力中

나. 한편 이라크는 쿠 倂合을 既定事實化,

금번 事態를 "對美 聖戰"이라는 이락 對 美國 兩者間 對立 方向으로 몰고가려함.

다. 中間選擧前

ㅇ 美國은 특히 軍事的 壓力을 高度로 加速化할 것임.

ㅇ 만약 이라크側의 挑發이나 制裁에 抵抗하는 行爲가 있을시는 相應하는 軍事的 應懲도 있을 수 있음.

ㅇ 또 이라크의 軍事的 衝突 回避 戰略에 대하여는 美軍等에 의한 攻擊的 防禦를 強化하므로서 이락을 軍事的 守勢로 몰고갈 可能性 큼.

i

0058

o 時期的으로는,   美軍等 多國籍軍의 配置가 完了되고,
  美國 選擧 直前인 10月 中下旬이 軍事的 緊張이
  高潮되는 時期로 豫想됨.

라. 만약 軍事的 壓迫戰略이 所期의 實効를 거두지
    못하는 경우,

o 美國은 各國의 世界的 同參과 友邦의 支援을 最大한
  廣範圍하게 確保하므로서 이락의 "對美 聖戰" 戰略을
  분쇄하고 "對이락 汎世界的 制裁"를 美國 主導下에
  成功的으로 遂行한다는 可視的 成果를 美國 選擧民과
  世界에 誇示코자 할 것임.

2. 中期的 展望(앞으로 '6個月間)

가. 軍事 衝突 可能性

o 現 段階에서 戰爭 발발시 이라크의 窮極的인 敗北는
  確實함으로,   이라크는 쿠웨이트의 合倂 공고화等
  現狀維持에 主力하고 軍事的 挑發은 않을 것임.

o 따라서 戰爭이 있다면 美國側에서 始作한다고 보아야
  하는바,   美 中間選擧以前의 軍事的 緊張高潮를 무사히
  넘기는 境遇에는,   美側에 의한 戰爭은 美國側에
  다음과 같은 不利点이 있어 그 可能性은 적음

2

0059

- 人質의 犧牲을 包含한 막대한 人命 損失
- 油田 破壞等 世界經濟 困難
- 이라크의 이스라엘 攻擊等 擴戰 可能性
- 蘇聯, EC, 日本, 아랍圈等 世界輿論
  不利
- 短期的, 깨끗한 勝利 期待 難望
    . 美國內 輿論 不利, 美國의 威信 損傷
- 事態 解決後 大規模 軍事力의 中東駐屯
  名分 弱化

나. 平和的 解決 可能性

ㅇ 早期 解決을 위하여는 美國, 유엔等 反 이라크側이
  要求하는 이라크軍의 쿠웨이트 撤收가 必須的 要件임

ㅇ 한편 이라크側은 후세인이 執權하는한 代償이나 名分이
  없는 撤軍은 不可能視됨.

ㅇ 따라서 早期 解決을 위하여는 쿠데타等 이라크 內部의
  變動이나, 이라크 撤軍의 名分을 살리는 調整이
  있어야 하나, 두가지 可能性 모두 극히 적음

3

0060

3. 長期的 展望(1991年末까지)

가. 現狀의 長期化 可能性

o 反이라크측으로서는 軍事力 및 經濟 봉쇄에 의한 壓力을
加重하면서 다음과 같은 與件을. 利用, 長期的, 政治的
解決 努力할 것임.
- 對이락 經濟制裁 效果 最小 3-6個月後 期待
- 費用의 友邦國과의 分擔으로 財政 負擔 輕減
- 사우디를 위시한 GCC國家 및 穩健 아랍國家들
과의 關係를 深化시킴으로써 中東에서의 影響力
增大
- 高油價로 인한 經濟的 壓迫은 있지만, 美國의
世界 經濟上 相對的 影響力 强化 機會 增大
- 美國 主導로 世界 主要國家가 支持, 同參하는
새로운 世界秩序 形成, 固着化
- 窮極的으로 이라크의 讓步에 의한 政治的 解決
可能性이 상당히 많음.

나. 長期的 展望

o 결국에는 이라크의 쿠웨이트 永久合倂은 國際
輿論과 反對 勢力에 의해 實現 不能

4

0061

o   平和的   解決:
  - 經濟制裁와   軍事的   外交的   壓迫을   持續的으로
     加重시켜   이라크의   立場이   弱化된   時点에서
     事實上의   原狀回復이라는   反이라크側의   要求
     條件   受諾線에서   妥結   可能性   큼.
  - 但, 反이라크側의   團合된   勢力이   充分치   못하는
     境遇에는   이락側의   要求를   一部   受容하는
     妥協도   可能視됨.
o   軍事的   解決   可能性
  - 長期的으로는   反이락軍이   이락軍에   壓倒的
     優位에   서면서   방대한   軍費는   1991年末까지
     일단   確保되고   있으므로,   이라크側이   平和的
     解決에   不應할   境遇, 反이락측은   來年後半傾에
     軍事的   方法으로   目標達成   試圖   可能性이   있음.

II.   我国의   対応策에   関한   몇가지   意見   提示

1.   原則   固守와   올바른   大局   判斷

o   國際法, UN憲章   및   人道主義   違反에   대한   原則
   固守와, 美國   中心의   壓倒的   對이락   優位에   비추어
   이락側이   勝利하거나   現狀을   固定化   할수   없다는
   確固한   大勢觀에   基하여   我國의   立場과   政策을
   定立해   나가야   함.

o   이러한   原則과   大勢觀에   立脚,   一時的. 副次的
   犧牲에는   毅然히   對處

5

0062

2. 制裁 参与와 責任 分担 問題

가. 原　則

　ㅇ UN과의 特殊 關係 및 傳統的 韓.美 友好 關係
　　勘案, UN決議와 美側 要請을 積極 受容
　　- 우리 經濟와 安保 狀況에 비추어 能力
　　　範圍內에서 可能한 最大한 支援
　　- 이라크側이 이길수 없다는 大勢觀에 立脚,
　　　보다 確固한 姿勢로 우리의 立場을 定立
　　　表明, 施行해감.

나. 時期 및 方法의 問題

　ㅇ 美側 要請이 短期的으로는 美中間選擧와 깊은
　　關聯이 있다는 点을 認識, 配慮
　　- 選擧前 汎世界的 同參性을 誇示하는데 我國의
　　　先導的 役割 期待에 副應
　　- 迅速한 軍事 配置와 輸送等 實質的 必要性에 協調
　　- 時期的 迅速性으로 物量의 制限性을 補完토록 함.
　　　특히 失期로 인한 二重的 失望感을 주지않토록
　　　配慮
　　- 我國이 보다더 能動的.積極的 姿勢로 對處

다. 責任 分擔의 代償 積極的 追求

　ㅇ 中東 및 餘他 建設市場 我國 參與 機會 提供 促求
　　(사우디 COE 工事와.年間 5,000億弗의 日本
　　建設市場等)

6

0063

ㅇ 美國 輿論 및 議會內 親韓 무드 造成

ㅇ 韓.美 安保 體制 공고화

라. 美側 期待와 我國의 輿論間隔 縮小 努力

ㅇ 主要紙 社說의 主要論旨 考慮
  - 支援 同參 原則은 妥當
  - 美 壓力下에 過分한 分擔 不可
  - 公明正大한 分擔交涉, 뒷거래 納得 못함.

ㅇ 對美 交涉에 我國 輿論을 活用

ㅇ 對國民 輿論 對策 樹立 施行 時急

3. 이락 僑民 撤收 및 駐쿠웨이트, 이락 大使館 撤收 問題

가. 僑民 撤收

ㅇ 現況. 9.17 現在
  이라크 186, 쿠웨이트 9: 合 195名 殘留
   대부분 建設會社 所屬

ㅇ 이라크 建設工事와 유엔 制裁와의 關聯 問題
  - 美政府, 9.13字 通報로 外國 業體의
    이라크內 勞動써버스 提供이 유엔 安保理 661號
    決議 違反으로 解釋, 엄격 規制 要請
  - 이로서 이라크 쿠웨이트內 建設工事는 사실상 및
    규범상 불가능

7

0064

o 殘留僑民 撤收 積極 促進

- 我國의 制裁 同參 積極化 措置에 따라 이라크의
對我國 僑民 大使舘 態度 硬化 豫想

나. 駐이라크. 쿠웨이트 大使舘 問題

o 이라크 當局의 駐쿠웨이트 大使 및 官員 出國
不許 措置에 대해 駐韓 이락 大使舘에 抗議等

o 駐이라크 大使官員 縮小

o 殘餘 人員은 西方國 外交官과 行動을 같이한다는
原則下에 의연히 對處해 나감.

4. 我国 経済에 미치는 影響과 対応策

가. 現狀이 長期化하는 境遇, 原油價는 $25-30線이란
一般的 豫想에 따른 經濟 및 에너지 政策 樹立이
要請됨.

o 汎國民的 節約風潮 造成 機會로 活用

나. 長期的으로는 이라크보다는 그 以外의 아랍國과의
建設. 通商, 經濟協力 機會가 增大될 것이 豫想되므로,
특히 사우디. 이집트. 예멘. 터어키等과의 建設. 經濟
協力 增進해 나감.

o 約 100億弗의 經濟支援이 이집트. 터어키 및 요르단에
集中

o 사우디 軍事 關聯 建設 景氣 豫想

0065

8

5. 페灣 事態가 가져오는 새로운 国際秩序에의
    対応策

가. 美國의 役割 增大와 關係國과의 責任 分擔의 先例化
    可能性

    ○ 駐韓 美軍 駐屯問題에 影響 檢討 必要

나. 美.蘇間 協力, 補完 關係와 韓半島에의 影響

    - 韓半島에 미치는 直接的 影響 綜合 檢討 必要

다. 아랍勢力 版圖 再編과 "페"灣 石油 價格, 分配
    Mechanism의 變化 綿密檢討 對策樹立 必要

9)

0066

添 附 資 料

1. ″폐″灣 事態가 我國 經濟에 미치는 影響

2. 多國籍軍에 軍事的 參加 現況

3. 經費 分擔 現況

4. 各國 最近 動向

5. 各國의 이라크-쿠웨이트 殘留 人員 現況

6. ″폐′灣 事態에 대한 아랍圈의 反應

0067

교 민 철 수 현 황

(90.9.18. 08:00 현재)

국명 구분	교민수	철수인원	잔류인원	비 고
이 라 크	722 명	524 명	198 명	
쿠웨이트	605	596	9	9명은 잔류희망 교민
소 계	1,327	1,120	207	

※ - 이라크 잔류 소속별 인원 내역

. 공관원 (고용원 및 가족 포함) 11 명
. 현대건설   136
. 남광토건   1
. 삼성건설   32
. 정   우   2
. 한   양   14
. 삼성물산   1
. 기   타   1

- 9.17. 19:00 (현지시간) 이라크 현대소속 근로자 14명, 요르단 향발 예정

0068

교 민 철 수 현 황

(90.9.19. 08:00 현재)

국명\구분	교민수	철수인원	잔류인원	비 고
이 라 크	722 명	538 명	184 명	
쿠웨이트	605	596	9	9명은 잔류희망 교민
소 계	1,327	1,134	193	

※ - 이라크 잔류 소속별 인원 내역

. 공관원 (고용원 및 가족 포함) 11 명
. 현대건설 122
. 남광토건   1
. 삼성건설   32
. 정   우   2
. 한   양   14
. 삼성물산   1
. 기   타   1

0069

교 민 철 수 현 황

(90.9.19. 10:00 현재)

국명 구분	교민수	철수인원	잔류인원	비 고
이 라 크	722 명	539 명	183 명	
쿠웨이트	685	596	9	9명은 잔류희망 교민
소 계	1,327	1,135	192	

※ - 이라크 잔류 소속별 인원 내역

 . 공관원 (고용원 및 가족 포함) 11 명
 . 현대건설 122
 . 남광토건   1
 . 삼성건설   32
 . 정 우   2
 . 한 양   14
 . 삼성물산   1

0070

교 민 철 수 현 황

(90.9.20. 09:00 현재)

국명 구분	교민수	철수인원	잔류인원	비 고
이 라 크	722 명	539 명	183 명	
쿠웨이트	605	596	9	9명은 잔류희망 교민
소 계	1,327	1,135	192	

※ - 이라크 잔류 소속별 인원 내역

- . 공관원 (고용원 및 가족 포함) 11 명
- . 현대건설 122
- . 남광토건   1
- . 삼성건설   32
- . 정 우   2
- . 한 양   14
- . 삼성물산   1

- 철수인원, 전일과 동일

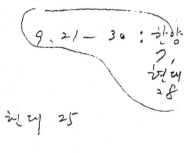

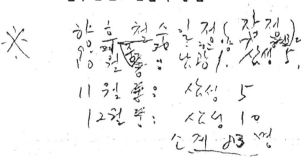

0071

철수 공관원 및 가족 명단

1. 주 쿠웨이트 대사관 (27명)

〈9.20〉

- 중근동과 -

성 명	직 위 (관 계)	동반가족	연 락 처
1. 이수련	소병용 대사 부인	-	922-6233
2. 이준화	참 사 관	처 및 자녀 4	923-2128
3. 이종애	최종석 영사 부인	자녀 3	742-8483
4. 이상희	김영기 외신관 부인	-	408-0253
5. 이정금	정운길 참사관 부인 (파견관)	자녀 2	594-5939
6. 임충수	건 설 관	처 및 자녀 2	799-8980
7. 이기권	노 무 관	처 및 자녀 2	467-3137
8. 박혁주	공관 고용원	-	전주(0652) 4-2029
9. 이혜자	〃	-	306-5052
10. 이경의	한국인 학교 교사	처	699-9154

가족에게 이라고 초초속신토니?

0072

2. 주 이라크 대사관 (24명)

성 명	직 위 (관 계)	동반가족	연 락 처
1. 최승연	권찬 공사 부인	자녀 1	272-7912 *979-4038*
2. 김봉자	김정기 서기관 부인	자녀 2	780-9354
3. 조태용	서기관 * 휴가중 사태로 일시귀국	처 및 자녀 2	794-1628
4. 정영희	임현식 외신관 부인 * 사태전 일시 귀국	자녀 2	(0351) 5-5234
5. 전대원	홍기철 참사관 부인 (파견관)	자녀 2	426-7055
6. 박행심	김도재 건설관 부인	자녀 1	939-3567
7. 박안순	이양정 노무관 부인 * 휴가중 사태로 일시귀국	자녀 1	(0346) 63-3309
8. 이강업 코트라 관장	(무역관장)	처 및 자녀 2	563-2240
9. 서현자	공관 고용원	-	-

0073

 긴 급

분류기호 문서번호	중근동 720- 46047		기 안 용 지		시 행 상 특별취급	
보존기간	영구.준영구 10. 5. 3. 1		장 관			
수 신 처 보존기간						
시행일자	1990. 9. 20.					
보조 기관	국 장	전결	협조기관		문 서 통 제 건 ○ 1990. 9. 22 통 사 간	
	심의관	06				
	과 장	가				
기안책임자	박종순				발 송 인 발송송 1990. 9. 22 외무부	
경 유 수 신 참 조	수신처 참조		발신명의			
제 목	교민 철수					

  1. 걸프사태와 관련, 동 사태가 장기화될 것으로 보이나, 미국을

위요한 서방국가들의 대 이라크 경제 제재 강화 및 군사적, 외교적

압력이 가중되는 가운데, 이라크측은 불란서, 네덜란드, 카나다, 벨기에

공관 및 관저 침입등 대 서방국가에 대한 강경   행동을 보임으로서,

돌발적인 긴급 사태 발발 가능성도 전혀 배제할수 없는 상황인바, 만일의

전쟁 발발시를 대비, 이라크 진출 아국 건설업체로 하여금 소속 근로자의

즉각적인 철수가 가능토록 긴급 철수 계획등 철수 준비에 만전을 기하도록

필요한 조치를 취하여 주시기 바랍니다.

/계속   0074

2. 또한, 동 사태가 더 악화되기전 현 싯점에서 잔류 근로자

전원의 조속한 철수가 이루어져야 될 것으로 사료되는바, 상기 진출업체

본사로 하여금 자사 현지 지점에 지시, 근로자들 전원이 조속 철수할

수 있도록 적의 조치하여 주시기 바랍니다.   끝.

수신처 : 건설부장관(해외건설국장), 노동부장관(직업안정국장)

0075

종 합 적 전 망

1. 미국 중심의 반이락 세력은 가급적 미 중간선거 이전에 쿠웨이트에서의 철군을 실현시키는데 전력을 다할것임.   그 방법으로서 미국은 미.쏘화전 협조체제를 구축하여 미국의 막강한 군사력과 쏘련의 대이락 정치적 압력을 주무기로 삼을것으로 관측됨.

2. 만약 이러한 노력이 성공치 못할경우, UN 안보리의 군사제재 조치결의를 채택, 현재의 미.영.불군에 쏘련군이 직접 가담하여 압도적 군사적 우위를 배경으로 이락의 쿠웨이트 자진 철군을 강요할것임.

3. 금년말까지 철군이 실현되지 않을 경우에는 미.쏘를 포함한 군사작전에 의한 이락군의 쿠웨이트 축출을 실현시키려 할것임.

4. 쿠에이트에서의 철군이 91년에 가서도 실현되지 않을경우, 미국중심의 반이락 세력은 와해, 분열되고 세계경제는 일대 혼란이 야기되는 사태가 예견됨.

0076

I. 단기적 전망 (11.6. 미 중간선거시 까지)

I - 1 미국은 미.영.불 중심의 다국적군의 막강한 군사력을 배경으로 군사적 압력을 가중하는 한편 소련은 막후에서 대 이라크 정치적 압력을 가중함으로써 11월 6일 중간선거 이전에 이라크로 하여금 쿠웨이트로 부터 자진 철수토록 최대의 노력을 할것임.

I - 2 이락은 명분있는 철군을 위해 각방으로 협상을 시도할것이나 미국측은 자진 철군시 미군이 제외된 아랍 연합군에 의한 쿠웨이트 진주 조건이외에는 협상에 응하지 않고 쿠웨이트의 원상회복 주장을 할것이기 때문에 11월 6일 미국의 중간 선거시까지 협상에 의한 사태해결 가능성은 적음.

I - 3 이락이 11월 6일까지 자진 철수하지 않을 경우에도 미국측은 군사적, 정치적, 외교적, 경제적 포위망과 압력을 가중시키면서 이락에 대한 범세계적 제재에 각국의 동참과 책임분담을 높여감으로써 사태 해결에 있어서 미국의 주도적 역할과 유리한 입장을 국내외에 부각 시키려 할것임.

0077

1. 미.소의 화전 양면 협력

    ㅇ 9.9 헬싱키 정상회담에서 적어도 쿠웨이트에서의 철수를 실현키 위한
    미국의 군사적 노력과 이를 뒷받침하는 소련의 정치적 압력에 관한
    협의와 소련의 협력에 대한 경제 재정적 보상등에 관한 구체적인 협의가
    이루어 졌다고 볼수있음.   이를 뒷받침하는 사실로서는 9.17 소련 -
    사우디 외교관계 재개와 소련에 의한 미국 군사장비 수송용 대형선박
    임대합의, 시리아군 수송을 위한 편의제공 합의와 사우디 외상의 쏘련군
    사우디 주둔 환영 발언등을 들수있음.

2. 미, 영, 불, 소 등의 적극 참여 배경

    ㅇ 금번 사태에 미.영.불.소가 다같이 동참하고 있는 배경은 비단 이라크의
    쿠웨이트 침략 저지라는 대의명분 외에 미국주도의 아랍판도 재편성 및
    추후 영향력 행사에 동참하기 위한것으로 보임.

3. 불란서 포함, 서구국의 적극적 군사 동참 배경

    ㅇ 영국은 물론 특히 전통적으로 앵글로 색슨이 주도하는 움직임에는 종종
    반대하는 입장을 취해온 불란서 까지도 미국 주도의 이라크군 쿠웨이트
    철수 작전에 대대적인 군사적 동참을 한 주요이유는 미국주도와 소련의
    협력으로 진행중인 금번 작전이 반드시 성공하리라는 정보와 확신에
    기인한 것으로 볼수있음.

0078.

II. 중기적 전망 (90년말 91년초까지)

1. 자진 철군이 단기간내 실현되지 않을시 미측은 UN 안보리의 대이라크 군사 제재조치 결의를 통과시켜 쏘련의 군사적 가담을 포함한 다수 회원국의 적극적 동참을 확보하여 자진 철군치 않으면 군사작전을 결행 하겠다는 확고한 의지로 군사적 압력을 가중 시킬것임.

2. 이러한 미측의 군사적 배수진에 대하여 이라크측은 철군의 명분을 찾자는 협상을 시도 할것이나 미측은 후세인의 퇴로를 열어주는 최소한의 명분을 살리는 선에서 자진 철군을 관철할 가능성이 큼.

3. 만약 이라크측이 철군치 않고 지구전으로 임할경우, 미측은 미국내 및 세계 여론의 분열, 대이라크 전열의 와해 및 세계경제의 혼란을 방지하기 위하여 군사적 행동을 하느냐는 선택을 강요받게 될것임.

0079

III. 장기적 전망

III-1 전쟁 발발시

o 이라크군의 쿠웨이트에서의 자진 철군이 이루어지지 않아 미국측이
   이라크를 공격하여 전쟁이 발발할경우,

1. 이라크는 막대한 군사적, 경제적 피해와 인명의 손실을 입고
    사담 후세인 정권은 무너지고 궁극적으로 패배하여 상당기간
    역내 약소국으로 전락 할것임.

2. 미국측은 궁극적으로 승리하여 이라크의 쿠웨이트에서의 철군등
    정책목표를 실현 시킬것이나 막대한 인명손실, 서방인질의 희생등
    피해를 입게 될것임.

3. 이라크는 전쟁발발과 동시 이스라엘, 사우디, 시리아, 이집트등
    역내 적대국가들을 공격하고 유전을 파괴하고자 할 것이며, 이라크
    지지국가들과 단체들의 반이락 세력 공격도 예상되며 원유 공급부족
    으로 인한 유가상승이 가속화 되어 세계경제는 단기적으로 혼란에
    빠질것이나 장기적으로는 점차 안정을 되찾을 것임.

0080

III-2. 미측이 군사적 선택을 단행치 못할경우,

o 반 이라크측내 의견분열과 동요로 결국은 이라크측이 쿠웨이트 병합을

   기정사실로 인정하고, 점차 강화되는 이라크의 발언권과 요구에 속수

   무책이 될것임.

o 이라크의 집요한 저항이 성공하여 아랍 온건국이 대이라크 유화와

   양보정책을 취할것임.

o 미국내 여론과 세계 여론이 미 지도력 불신, 미국의 세계 지도력

   상실로 세계 질서의 혼란시대 개막.

o 고유가 시대 지속으로 세계경제 혼란, 불황 또는 준공황 상태 도래.

III-3. 이라크의 쿠웨이트 철군시 그이후

o 인질구출과 유엔 제재 결의 해제

o 훗세인 및 그의 정부 개편
   - 내부적 요인과 외적 압력으로 큰 개편 예상

o 이라크의 군사력 삭감
   - 이이전 개시당시 20만보다는 많으나 현 100만 보다는 대폭
     삭감된 선으로 예상

o 아랍지역 안보체제 형성
   - 이라크에 대항하는 아랍 연합군과 미군등 역외군으로 편성,
     미군등의 주둔명분 부여
   - 군사적 체제에 대응하는 지역적 정치기구 형성 가능성,
     미국을 비롯 쏘·영·불등의 발언권 부여

0081

IV. 각국의 시각과 입장

1. 미 국

- 탈냉전 시대 주도적 지위 확보.
- 기존 국제질서 파괴자를 제재하고 원상회복을 시키는 주역을 담당하고 소련으로 하여금 부수적인 역할을 수행케 함으로써 신 세계질서의 주도권을 장악하는 유일한 초강국으로서의 위상 확보.
- 세계 원유공급의 심장부이며 세계전략의 요충인 중동지역에 강력한 영향력 확보.
- 일본, EC 등에 대한 상대적 경제적 입지 강화 기회로 활용.

2. 쏘 련

- 탈냉전 시대의 미.쏘 Partnership 에 의한 세계 공동 지배체제 구축. 말타에서 헬싱키 정상회담으로 주요 세계문제 해결선례 확립.
- 중동에서의 발언권과 이득 참여.
- 고르비 체제의 국내 정치안정과 경제개혁에 지원과 협력 확보.

3. EC 제국

- 미.서구 중심의 세계질서 현상유지, 현상파괴를 도모한 국제질서 위반자 응징
- 중동에서의 발언권 강화와 국제원유가 안정 도모

4. 불란서

- EC 제국과 이해 동일
- 단, 서방권 내에서 수시로 독자노선을 걸어왔지만 금번에는 미.쏘 협력에 의한 대국의 향방이 이미 결정된것으로 보고 사태후 페만 처리에 유리한 위치에 서려고 시도함.

0082

5. 아랍권

○ 사우디, 이집트 온건 아랍국은 훗세인의 압도적 군사력 위협에 직면, 전통적 범 아랍주의를 깨고 친서방 노선을 택하여 이리크에 대항, 앞으로 아랍에 새로운 균형 형성과 미국을 위시한 쏘, 붐, 영의 협조로 안정 도모.

0083

교 민 철 수 현 황

(90.9.21. 09:00 현재)

국명 구분	교민수	철수인원	잔류인원	비 고
이 라 크	722 명	539 명	183 명	
쿠웨이트	605	596	9	9명은 잔류희망 교민
소 계	1,327	1,135	192	

※ - 이라크 잔류 소속별 인원 내역

· 공관원 (고용원 및 가족 포함) 11 명
· 현대건설 122
· 남광토건 1
· 삼성건설 32
· 정 우 2
· 한 양 14
· 삼성물산 1

- 철수인원, 전일과 동일

※ 향후 철수 일정 (잠정)

- 9.21-30 : 한양 7, 현대 28
- 10월중 : 남광 1, 삼성 5, 정우 2, 현대 25
- 11월 : 삼성 5
- 12월 : 삼성 10
- 소계 : 83명   소 계 83명

0084

교 민 철 수 현 황

(90.9.22. 09:00 현재)

국명 구분	교민수	철수인원	잔류인원	비 고
이 라 크	722 명	539 명	183 명	
쿠웨이트	605	596	9	9명은 잔류희망 교민
소 계	1,327	1,135	192	

※ - 이라크 잔류 소속별 인원 내역

· 공관원 (고용원 및 가족 포함) 11 명
· 현대건설 122
· 남광토건   1
· 삼성건설 32
· 정   우   2
· 한   양 14
· 삼성물산   1

- 철수인원, 전일과 동일

※ 향후 철수 일정 (잠정)

- 9.22-30 : 한양 7, 현대 28
- 10월중   : 남광 1, 삼성 5, 정우 2, 현대 25
- 11월   : 삼성 5
- 12월   : 삼성 10
- 소 계   : 83명

0085

교 민 철 수 현 황

(90.9.25. 10:00 현재)

국명 구분	교민수	철수인원	잔류인원	비 고
이 라 크	722 명	555 명	167 명	
쿠웨이트	605	596	9	9명은 잔류희망 교민
소 계	1,327	1,151	176	

※ - 이라크 잔류 소속별 인원 내역

　　· 공관원 (고용원 및 가족 포함) 11 명
　　· 현대건설　106
　　· 남광토건　　　1
　　· 삼성건설　　32
　　· 정　　우　　　2
　　· 한　　양　　14
　　· 삼성물산　　　1

※ 향후 철수 일정 (잠정)

　　- 9.25-30　:　한양 7, 현대 12
　　- 10월중　　:　남광 1, 삼성 5, 정우 2, 현대 25
　　- 11월　　　:　삼성 5
　　- 12월　　　:　삼성 10
　　- 소 계　　:　67명

0086

이라크 및 쿠웨이트 아국 업체 소속 상주인 철수 현황

(9.25. 현재)

구분/국명	소속	국적	철수 귀국완료	철수 요르단대기	철수 미철수(차출중)	계	조치 내용	비고(기지철수경비)
이라크	현대건설	방글라데시인	240명	53명	157명	450명	- 8.25-9.3, 112명 현지채용 자사부담, 귀국조치 - 128명 현대철수 자사 부담 금명간, 현대철수 예정 - 8.21, 7명 현지채용, 현대철수 귀국요 조치 - 9.2-9.7, 65명 현지채용 자사 부담, 현대철수 귀국조치 예정 - 1명, 현지채용 금명간 자사 부담, 귀국조치 예정	$190,000
		태국인	74	36	40	150		
	삼성종합건설	필리핀인	1			1	- 8.19 필리핀인 1명 태국인, 29명 생성종합 자사부담, 귀국조치	$35,000
		태국인	29			29		
	정우개발	방글라데시인	22	0	4(0)	22	- 8.24 21명 정우측 자사 부담, 귀국조치	$16,000
	한양	방글라데시인	9	0	12	21	- 8.25 9명 한양측 자사 부담, 귀국조치	$7,000
쿠웨이트	현대건설	중국인	46			46	- 8.17 46명 중국측 부담 인계, 귀국조치 - 8.25 14명 인도측 인계, 귀국조치 - 8.21-8.25 1,267명 태국 자사측 특별기로 귀국조치	
		인도인	14			14		
		태국인	1,267			1,267		
소 계			1,701명	89명	209명	2,000명		$248,000

교 민 철 수 현 황

(90.9.26. 08:00 현재)

국명 구분	교민수	철수인원	잔류인원	비 고
이 라 크	722 명	555 명	167 명	
쿠웨이트	605	596	9	9명은 잔류희망 교민
소 계	1,327	1,151	176	

※ - 이라크 잔류 소속별 인원 내역

     · 공관원 (고용원 및 가족 포함) 11 명
     · 현대건설   106
     · 남광토건   1
     · 삼성건설   32
     · 정   우   2
     · 한   양   14
     · 삼성물산   1

   - 철수인원 전일과 동일

※ 향후 철수 일정 (잠정)

   - 9.26-30 : 한양 7, 현대 12
   - 10월중   : 남광 1, 삼성 5, 정우 2, 현대 25
   - 11월   : 삼성 5
   - 12월   : 삼성 10
   - 소 계   : 67명

0088

교 민 철 수 현 황

(90.9.27. 08:00 현재)

국명\구분	교민수	철수인원	잔류인원	비 고
이 라 크	722 명	555 명	167 명	
쿠웨이트	605	596	9	9명은 잔류희망 교민
소 계	1,327	1,151	176	

※ - 이라크 잔류 소속별 인원 내역

    · 공관원 (고용원 및 가족 포함) 11 명
    · 현대건설   106
    · 남광토건   1
    · 삼성건설   32
    · 정   우   2
    · 한   양   14
    · 삼성물산   1

  - 철수인원 전일과 동일

※ 향후 철수 일정 (잠정)

  - 9.27-30 : 한양 7, 현대 12
  - 10월중   : 남광 1, 삼성 5, 정우 2, 현대 25
  - 11월   : 삼성 5
  - 12월   : 삼성 10
  - 소 계   : 67명

0089

교 민 철 수 현 황

(90.9.28. 08:00 현재)

국명 구분	교민수	철수인원	잔류인원	비 고
이 라 크	722 명	562 명	160 명	
쿠웨이트	605	596	9	9명은 잔류희망 교민
소 계	1,327	1,158	169	

※ - 이라크 잔류 소속별 인원 내역

　　· 공관원 (고용원 및 가족 포함) 10 명
　　· 현대건설　　102
　　· 남광토건　　　1
　　· 삼성건설　　　32
　　· 정　　우　　　2
　　· 한　　양　　12
　　· 삼성물산　　　1

※ 향후 철수 일정 (잠정)

- 9.29-30 : 한양 5, 현대 8
- 10월중 : 남광 1, 삼성 5, 정우 2, 현대 25
- 11월 : 삼성 5
- 12월 : 삼성 10
- 소 계 : 61명

0090

교 민 철 수 현 황

(90.10.5. 08:00 현재)

국명 \ 구분	교민수	철수인원	잔류인원	비 고
이 라 크	722 명	570 명	152 명	
쿠웨이트	605	596	9	9명은 잔류희망 교민
소 계	1,327	1,166	161	

※ - 이라크 잔류 소속별 인원 내역

　· 공관원 (고용원 및 가족 포합) 10 명

　· 현대건설　95

　· 남광토건　　1

　· 삼성건설　32

　· 정　우　　2

　· 한　양　　11

　· 삼성물산　　1

0091

교 민 철 수 현 황

(90.10.6. 10:00 현재)

국명 구분	교민수	철수인원	잔류인원	비 고
이 라 크	722 명	570 명	152 명	
쿠웨이트	605	596	9	9명은 잔류희망 교민
소 계	1,327	1,166	161	

※ - 이라크 잔류 소속별 인원 내역

    . 공관원 (고용원 및 가족 포함) 10 명

    . 현대건설　95

    . 남광토건　1

    . 삼성건설　32

    . 정　우　2

    . 한　양　11

    . 삼성물산　1

  - 철수인원 전일과 동일

0092

교 민 철 수 현 황

(90.10.8. 08:00 현재)

국명\구분	교민수	철수인원	잔류인원	비 고
이 라 크	722 명	576 명	146 명	
쿠웨이트	605	596	9	9명은 잔류희망 교민
소 계	1,327	1,172	155	

※ - 이라크 잔류 소속별 인원 내역

. 공관원 (고용원 및 가족 포함) 8 명

. 현대건설   92

. 삼성건설   32

. 정   우   2

. 한   양   11

. 삼성물산   1

0093

쿠웨이트 잔류교민 7세대 9명

대사관 관리	조성목	건설업
	전성규	"
	유재성	"
	최길웅	(선물)
	강제억 (부인,딸)	(선물센타)
	오 호	식품업
	신자철	(선물센타)

0094

48874

분류기호 문서번호	중근동 720-	기안용지	시 행 상 특별취급	
보존기간	영구:준영구 10. 5. 3. 1		장 관	
수 신 처 보존기간				
시행일자	1990. 10. 8.			

보조기관	국 장	전 결				협조기관			문서통제 1990.10.10 통제관
	심의관								
	과 장								
기안책임자	박 종 순							발송인 1990.10.10 외무부

경 유		발신명의	
수 신	건설부장관		
참 조	주택국장		
제 목	특별분양 협조 요청		

1. 금번 이라크, 쿠웨이트 사태로 인하여 이라크 및 쿠웨이트

아국 공관원 및 그 가족들이 자산을 현지에 남겨둔채 급히 귀국하게

되어 현재 주거문제등 여러가지 어려움을 겪고있는 실정입니다.

2. 이와 관련, 이들 공관원들중 일부가 귀부의 주택공급 규칙

제15조 1항에 의거, 주택 특별 분양 신청을 할 경우 이들이 가급적 빠른

시일내 특별 분양을 받아 생활안정을 찾을 수 있도록 협조하여 주시기

바랍니다. 끝.

0095

교 민 철 수 현 황

(90.10.10. 08:00 현재)

국명\구분	교민수	철수인원	잔류인원	비 고
이 라 크	722 명	577 명	145 명	
쿠웨이트	605	596	9	9명은 잔류희망 교민
소 계	1,327	1,173	154	

※ - 이라크 잔류 소속별 인원 내역

. 공관원 (고용원 및 가족 포함) 8 명

. 현대건설   92

. 삼성건설   31

. 정   우   2

. 한   양   11

. 삼성물산   1

0096

교 민 철 수 현 황

(90.10.11. 08:00 현재)

국명 \ 구분	교민수	철수인원	잔류인원	비 고
이 라 크	722 명	577 명	145 명	
쿠웨이트	605	596	9	9명은 잔류희망 교민
소 계	1,327	1,173	154	

※ - 이라크 잔류 소속별 인원 내역

　　. 공관원 (고용원 및 가족 포함) 8 명

　　. 현대건설　92

　　. 삼성건설　31

　　. 정　우　2

　　. 한　양　11

　　. 삼성물산　1

　- 철수인원 전일과 동일

0097

분류기호 문서번호	마그20005- **50211**	기 안 용 지 (전화 :)	시 행 상 특별취급	
보존기간	영구·준영구. 10. 5. 3 : 1.	장 관		
수 신 처 보존기간				
시행일자	1990.10.11.			

<table>
<tr><td rowspan="3">보
조
기
관</td><td>국 장</td><td>전결</td><td rowspan="3">협
조
기
관</td><td></td><td>문 서 통 제</td></tr>
<tr><td>심의관</td><td>어</td><td></td><td>겸 열
1990.10.1
통 제 -</td></tr>
<tr><td>과 장</td><td>필</td><td></td><td></td></tr>
<tr><td colspan="3">기안책임자   유혜란</td><td></td><td>발 송 인</td></tr>
</table>

경 유 수 신 참 조	교통부장관	발 신 명 의	발 송 1990 10.12 외무부
제 목	중동위기관련 아국인 여행자제 필요성		

1. 현 중동사태가 장기화되고 있는 가운데, 동 사태관련

이집트의 파병결정에 대한 보복을 위해 팔레스타인 게릴라 아부니달

추종세력들이 이집트·사우디 등지에서 테러행위를 획책하고 있음이

이집트 수사당국등에 의하여 확인되었다하며, 10.8. 예루살렘에서

발생한 이스라엘 보안군과 팔레스타인 주민간의 유혈충돌사태로 인해

동 지역의 긴장이 더욱 고조되고 있습니다.   /계속.../

0098

2. 상기상황을 고려, 주 카이로 아국 총영사는 여행자의 신변

안전을 위해 현중동사태 해결시까지 잠정적으로 중동지역 특히

이스라엘을 여행하고자하는 아국인등에게 동 지역에 따르는 위험에

대하여 사전에 주의를 환기시킬 것을 건의해왔으니 귀부에서 적의

조처하여 주시기 바랍니다.

3. 아울러 미국무성도 동사태관련 이라크동조자들에 의한 반미

테러행위 가능성을 들어 미시민들의 중동 및 아프리카, 동남아지역

여행에 따른 위험성을 경고한바 있음을 참고바랍니다.   끝.

0099

1505-25(2-2) 일(1)을
85. 9. 9.승인

190mm×268mm 인쇄용지 2급 60g /㎡
가 40-41 1987. 9. 3.

교 민 철 수 현 황

(90.10.15. 14:00 현재)

국명\구분	교민수	철수인원	잔류인원	비 고
이 라 크	722 명	579 명	143 명	
쿠웨이트	605	596	9	9명은 잔류희망 교민
소 계	1,327	1,175	152	

※ - 이라크 잔류 소속별 인원 내역

　　· 공관원 (고용원 및 가족 포함) 8 명

　　· 현대건설　92

　　· 삼성건설　29

　　· 정　우　2

　　· 한　양　11

　　· 삼성물산　1

0100

관리
번호 90/1782

심의관 : 이영

분류기호	중근동720-	협조문용지		결재	담 당	과 장	국 장
문서번호	1782	(720-2327)					
시행일자	1990. 10. 18.						(서명)
수 신	기획관리실장		발 신		중동아프리카국장		
제 목	돌발사태 발생시 공관원 철수 지원						

1. 금번 걸프사태 및 라이배리아 사태와 관련 공관원 및

가족의 철수 과정에서 지원 범위에 관한 규정 및 예산이 마련되어 있지

않아 적지않은 어려움이 있었습니다.

2. 최근 이라크.쿠웨이트.라이배리아.루안다등 일련의 사태와

관련, 앞으로도 전쟁, 내란, 천재지변등 돌발사태가 항시 발생할수

있으며, 여사한 사태 발생 경우 공관원 철수 문제가 불가피하게 대두될

것임을 고려, 공관원 철수에 따르는 지원 범위 및 절차들을 규정한

제도적 장치를 사전에 마련해 놓을 필요성이 있을 것으로 사료되오니,

귀실에서 검토.조치하여 주시기 바랍니다.

3. 당국에서 금번 일련의 사태를 처리하는 과정에서 야기된

주요 문제점을 별첨과 같이 송부하오니 참고하시기 바랍니다. 끝.

0101

관리
번호 ᄿ/ノ183

분류기호	중근동720-	협조문용지	결	심의관 : 액		
문서번호	1183	(720-2327)		담 당	과 장	국 장
시행일자	1990. 10. 18.		재	조재홍		
수 신	영사교민국장	발 신		중동아프리카국장		(서명)
제 목	돌발사태 발생시 교민 철수 지원					

1. 최근 이라크.쿠웨이트.라이베리아.루안다등 일련의 사태와
관련, 앞으로도 전쟁, 내란, 천재지변등 돌발사태가 항시 발생할수
있으며, 여사한 사태 발생 경우 아국 교민 철수문제가 불가피하게
대두될 것임을 고려, 교민 철수에 따르는 상세한 지원 범위 및 절차등을
사전에 마련해 놓을 필요성이 있을 것으로 사료되오니, 귀국에서 적의
검토하여 주시기 바랍니다.

2. 상기와 관련, 당국에서 금번 일련의 사태를 처리하는
과정에서 제기된 주요 문제점을 별첨과 같이 송부하오니 참고하시기
바랍니다. 끝.

1990. 12. 31. 예 예고문에
외거 일반문서로 재 분류됨.
91. 6. 30. 중동과

0102

이라크.쿠웨이트 및 라이베리아 공관원 철수 관련

조치 현황 및 문제점

현 황 및 문 제 점	개 선 방 향	비 고
1. 철수 공관원 및 가족에 대한 국내체재비 지원 - '국외여비규정' 21조 및 '국내여비규정' 21조에 따라 주재국의 급격한 정세 변화로 인한 '일시귀국'경우 1개월이내 기간에서 체재비 지원 가능 - 현재 체재비 지원 방안 마련중이나 예산 부족으로 지급 여부 불투명 2. 철수 공관원 주거 지원 - 정착지원 목적으로 무담보 융자 세대당 최대 2,500만원 까지 알선	- 관계 규정에 따른 국내 체재비 지급이 가능토록 소요예산 확보 - 예기치않은 일시귀국으로 대부분의 공관원이 주거 마련에 큰 어려움을 겪고 있음을 감안 적극적 지원 대책 마련 필요 - 본국 체재 기간이 1개월 이내인 경우에는 상기 국내 체재비 지원으로 충당 - 사태 장기화로 본국 체재 기간이 1개월 이상이 될 경우에는 '재외공관 청사. 관저 및 직원주택 임차등에 관한 규정' 9조의 임시 임차료 조항을 원용, 지원 방안을 강구하거나, 또는 공무원 연금관리공단의 저리 융자한도(현재 500만원) 대폭 확대 방안 모색	 특별 정착지원 목적으로 원소속 외무부 직원 세대당 격려금 200 만원 지급

0103

현 황 및 문 제 점	개 선 방 향	비 고
3. 긴급 철수에 따른 개인재산 피해		
- '외무공무원법' 19조에 따라 '외무공무원이 재외근무중 천재지변, 전쟁, 사변, 내란, 폭동, 납치 기타 예기치 못한 돌발사태로 인하여... 피해를 입은경우' 재해 보상금을 지급할수 있도록 규정되어 있음	- 외무공무원법 19조에 따른 시행령 조속 제정 - 상기 시행령 제정이전이라도 금번 쿠웨이트 사태로 인한 직원의 재산피해 보전 방안 강구 시급 - 장기적으로 재산피해의 일부 라도 보전이 가능토록 적절한 보험가입 방안 검토	
- 철수 공관원의 경우 평상시 와 같은 이삿짐 수송이 불가능하여 대부분 간단한 의류등만 가지고 왔으며, 수송가능 경우에도 선편 수송 어려움으로 운송비가 비싼 항공편 운송에 의존 해야 함	- 이삿짐운송의 어려움을 감안 기존 이전비지급 한도보다 훨씬 높은 별도의 이전비 지급 기준마련 또는 특별 이전비 지원 방안 마련	
- 자동차 매각 불가능, 가구등 무거운 이삿짐의 운송 어려움으로 상당한 재산피해		
- 개인구좌 동결에 따른 예금 인출 불가능 (개인재산 동결 결과)	- 개인구좌 동결 관련 피해도 재외근무로 인하여 발생한 재산피해로 간주 일정액 우선 지원방안(은행정상화후 변제) 검토	
4. 공관구좌 동결에 따른 피해		
- 공관 구좌동결로 공관 지급 수표(보수등)를 현금화하지 못한경우 발생	- 공관지급 수표를 현금화하지 못하여 발생한 피해는 일단 국고에서 개인피해를 보전 하고 은행 정상화후 동 금액 을 찾아 국고여입하는 방식이 타당	

0104

현 황 및 문 제 점	개 선 방 향	비 고
5. 잔류 공관원에 대한 식품등 지원 　- 주 이라크 대사관에 일부 지원하고 있으나 예산조치 에 어려움	- 비상사태 발생시 현지의 식품등 생필품 품귀 현상으로 잔류 공관원에 대한 식품등 지원 필요성이 있는바, 필요한 예산 및 관계규정 마련	
6. 철수공관 국내 임시사무소 유지 (서울) 　- 주 쿠웨이트 대사관의 경우 공관장 및 공관원 전원 본국 철수했는바, 서울체류 '쿠' 교민보호등 최소한의 대사관 기능 유지를 위하여 임시사무소 유지중	- 임시사무소 유지에 필요한 최소경비(공관장 숙소,차량 등) 지원방안 마련 - 기책정된 주쿠웨이트 대사관 운영경비(재외공관 예산)중 일부 가능항목의 국내 지출 방안 검토	

0105

교 민 철 수 현 황

(90.10.19. 08:00 현재)

국명\구분	교민수	철수인원	잔류인원	비　고
이라크	722 명	582 명	140 명	
쿠웨이트	605	596	9	9명은 잔류희망 교민
소　계	1,327	1,178	149	

※ - 이라크 잔류 소속별 인원 내역

　　. 공관원 (고용원 및 가족 포함) 8 명

　　. 현대건설　89

　　. 삼성건설　29

　　. 정　우　2

　　. 한　양　11

　　. 삼성물산　1

　- 철수인원 전일과 동일

0106

교 민 철 수 현 황

(90.10.20. 08:00 현재)

국명＼구분	교민수	철수인원	잔류인원	비 고
이 라 크	722 명	582 명	140 명	
쿠웨이트	605	596	9	9명은 잔류희망 교민
소 계	1,327	1,178	149	

※ - 이라크 잔류 소속별 인원 내역

　　· 공관원 (고용원 및 가족 포함) 8 명

　　· 현대건설　89

　　· 삼성건설　29

　　· 정　우　2

　　· 한　양　11

　　· 삼성물산　1

　- 철수인원 전일과 동일

0107

교 민 철 수 현 황

(90.10.22. 08:00 현재)

국명\구분	교민수	철수인원	잔류인원	비 고
이 라 크	722 명	582 명	140 명	
쿠웨이트	605	596	9	9명은 잔류희망 교민
소 계	1,327	1,178	149	

※ - 이라크 잔류 소속별 인원 내역

　　．공관원 (고용원 및 가족 포함) 8 명

　　．현대건설　89

　　．삼성건설　29

　　．정　우　2

　　．한　양　11

　　．삼성물산　1

　- 철수인원 전일과 동일

0108

교 민 철 수 현 황

(90.10.23. 08:00 현재)

국명 \ 구분	교민수	철수인원	잔류인원	비 고
이 라 크	722 명	582 명	140 명	
쿠웨이트	605	596	9	9명은 잔류희망 교민
소 계	1,327	1,178	149	

※ - 이라크 잔류 소속별 인원 내역

    . 공관원 (고용원 및 가족 포함) 8 명

    . 현대건설 89

    . 삼성건설 29

    . 정   우 2

    . 한   양 11

    . 삼성물산 1

  - 철수인원 전일과 동일

0109

교 민 철 수 현 황

(90.11.5. 08:00 현재)

국명 구분	교민수	철수인원	잔류인원	비 고
이 라 크	722 명	591 명	131 명	
쿠웨이트	605	596	9	9명은 잔류희망 교민
소 계	1,327	1,187	140	

※ - 이라크 잔류 소속별 인원 내역

　　· 공관원 (고용원 및 가족 포함) 8 명

　　· 현대건설　86

　　· 삼성건설　25

　　· 정　우　1

　　· 한　양　11

0110

교 민 철 수 현 황

(90.11.21. 08:00 현재)

국명\구분	교민수	철수인원	잔류인원	비 고
이 라 크	723 명	593 명	130 명	
쿠웨이트	605	596	9	9명은 잔류희망 교민
소 계	1,328	1,189	139	

※ - 이라크 잔류 소속별 인원 내역

   . 공관원 (고용원 및 가족 포함) 9 명

   . 현대건설　84

   . 삼성건설　25

   . 정　우　1

   . 한　양　11

  - 철수인원 전일과 동일

0111

2. 이라크

0112

| 관리
번호 | 90/
2003 |

외 무 부

종 별 : 지 급

번 호 : BGW-0652   일 시 : 90 0901 0800

수 신 : 장관(건설,노동,기정,중근동,영재,요르단대사-중계필)

발 신 : 주 이라크대사

제 목 : 교민철수

　　　　대:WBG-278

　　　　연:BGW-633

　　　이라크 현대키르쿡상수도공사 소속근로자 아국인 26 명, 삼국인 179 명등 205 명이
8.31. 12:30 국경까지만 운행이 가능한 버스로 키르쿡공사현장(바그다드에서 3 시간
차량운행거리)에서 암만으로 출발하였으며 국경으로부터 암만까지는 암만주재
현대지사가 준비한 차량으로 수송예정임.끝

　　　(대사 최봉름-국장)

　　　예고:90.12.31

1990 12.31. 에 예고문에
의거 일반문서로 재 분류됨.

건설부 대책반	차관	1차보	2차보	중아국	영교국	청와대	안기부	노동부

관리	90
번호	1541

외 무 부

종   별 : 지급

번   호 : BGW-0656   일   시 : 90 0901 1200

수   신 : 장관(건설,노동,기정,중근동,영재,요르단대사-중계필)

발   신 : 주 이라크대사

제   목 : 철수교민 인원현황

대:WBG-0382

1. 이라크,8.12 현재 713 명의 업체별 잔류교민에 대한 구체적내역 및
작성기준등에 대하여는 BGW-489 로 기보고하였음

    가. 작성기준:이라크내 장단기 체류자로서 현재원기준

    -본국 또는 삼국으로부터의 단기체류자 포함, 휴가등 일시출국등으로 인한 사고자
제외

    -쿠웨이트 현대실종자로서 당지인수인력 3 명및 쿠웨이트교민으로서 당지경유
출국자 제외

    -일반교민의 경우 체류사실 공관신고 미필자 제외(예:8.28 출국한 일본 TOYO ENG
회사 취업교민 4 명등)

    - 8.12 정오이전 출국자 7 명제외(체류교민 713 명에 불포함)

    0 8.6 터키경유 출국:한양출장자 조풍하상무 1 명

    0 8.10 터키경유 출국:당지 담배공장취업자 민병돈 1 명

    0 8.12 오전 암만경유 출국:당지 현대근로자 5 명

    나.8.12 현재 잔류교민 713 명 내역:BGW-489 참조

2. 기간중 철수인원

가. 8.29 현재

(1)철수인원(8.13-8.29 간): 직원 및 근로자 223 명, 가족 54 명등 277 명

(2)잔류교민:직원 및 근로자 435 명, 가족 1 명등 436 명

나. 8.31,10:00 현재

(1)철수교민(8.30-8.31 간): 당지 현대근로자 94 명

(2)잔류교민(436)총 342 명

1990.12.31 에 예고문에
의거 일반문서로 재 분류됨

건설부 노동부	장관 대책반	차관	1차보	2차보	중아국	영교국	청와대	안기부

PAGE 1   90.09.01   18:55

외신 2과 통제관 EZ

0114

-공관:11 명(고용원 4, 가족 1 포함), 건설업체 328 명(남광 2, 삼성 39, 한양 15, 정우 3, 현대 269), 상사1 명(삼성물산), 일반교민 2 명(양말공장 취업자 1, 일본 도요다회사 취업교민으로서 단기출장자 1)

X 상기 일본 도요다회사 취업교민으로서 당지에 출장중인 자와의 연락이 현재까지 두절되어 체류또는 출국여부의 사실확인이 불능상태임.끝

(대사 최봉틈-국장)

예고:90.12.31

	분류번호	보존기간

발 신 전 보

번 호 : WBG-0398 900902 1144 FD 종별 긴급

WKU-0290 WJO-0290

수 신 : 주 수신처 참조 대사/총영사

발 신 : 장 관 (중근동)

제 목 : 교민 철수

1. 이라크, 쿠웨이트 교민의 안전 철수 문제는 국민적 관심의 대상이 되고 있으며 그간의 철수 성과를 긍정적으로 평가하고 있음.

2. 이와 관련, 박준규 국회의장과 김대중 평민당 총재도 사태에 관한 당부 보고에 대하여 교민 철수 성과를 높이 평가하고 귀관의 노고를 위로하는 뜻를 전달해 달라는 요청이 있었음. 끝.

(장 관 최 호 중)

수신처 : 주이라크, ~~주쿠웨이트~~ 주요르단 대사
(주이라크대사경유)

예 고 : 90.12.31. 까지

1990.12.31.에 예고문에 의거 일반문서로 재 분류됨.

의명

앙고재	80년9월2일 중근동과	기안자	과 장	국 장	차 관	장 관

보안통제	외신과통제

0116

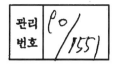

외 무 부

종 별 : 지 급

번 호 : BGW-0667   일 시 : 90 0903 0930

수 신 : 장관(건설,노동,기정,중근동,영재,요르단대사-중계필)

발 신 : 주 이라크대사

제 목 : 교민철수

대: WBG-278

연: BGW-623

1. 정우개발 아국근로자 1 명이 9.2.02:00 육로로 당지를 출발 하였으며 그간 출국 여부가 확인되지않고 있던 일본미쓰비시상사 취업교민(연호로 도요다회사 취업자로 기보고한바 있으나 착오였음)주덕균 1 명은 지난 8.11 육로로 철수하였음이 9.3 확인 되었음

2. 9.3.10:00 현재 이라크 잔류교민은 다음과같음

공관 11 명(고용원 4, 가족 1 포함), 건설업체 327 명(남광 2, 삼성 39, 정우 2, 한양 15, 현대 269), 상사(삼성물산) 1 명, 현지 양말공장취업자 1 명등 총 340 명. 끝

(대사 최봉름-국장)

예고:90.12.31

1990. 12. 31. 애 예고문제 의거 일반문서로 재 분류됨. ㉑

건설부   차관   1차보   2차보   중아국   영교국   청와대   안기부   노동부
대책반

PAGE 1   90.09.03 15:56

외신 2과 통제관 BT
0117

관리
번호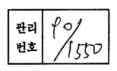

외 무 부

종 별 : 지 급

번 호 : BGW-0668

일 시 : 90 0903 0930

수 신 : 장관(건설,노동,기정,중근동,영재,요르단대사-중계필)

발 신 : 주 이라크대사

제 목 : 교민철수계획

대: WBG-278

연: BGW-633

1. 현대 아국근로자 62 명, 삼국근로자 52 명등 114 명이 9.5 오후 국경까지만 운행이 가능한 버스로 당지를 출발예정이며 국경-암만까지는 암만의 현대지사가 준비한 차량으로 수송예정임

2. 각사는 근로자의 철수를 촉진 시키기 위하여 발주처의 출국동의 및 비자획득에 총력을 기울이고 있으나 일부 발주처의 출국동의 기피로 현대의 일부근로자 철수를 제외한 기타 업체의 근로자철수에는 다소 시간이 소요될것으로 보임.끝

(대사 최봉름-국장)

예고:90.12.31

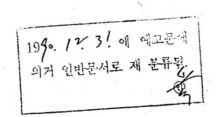

1990. 12. 31. 에 예고문에 의거 일반문서로 재 분류됨

건설부 대책반	차관	1차보	2차보	중아국	영교국	청와대	안기부	노동부

PAGE 1

90.09.03   15:58

외신 2과   통제관 BT

0118

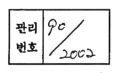

외 무 부

종 별 : 지 급

번 호 : BGW-0679

일 시 : 90 0905 0900

수 신 : 장관(건설,노동,기정,중근동,영재,요르단대사-중계필)

발 신 : 주 이라크대사

제 목 : 교민철수

대:WBG-278

연:BGW-668

. 이라크 현대 아국근로자 54 명, 삼국근로자 60 명등 114 명과 쿠웨이트공관의 삼국인 고용원 1 명등 115 명이 9.4.18:40(당초 9.5 출발 예정) 국경까지 운행이 가능한 버스로 당지를 출발 하였으며 국경-암만까지는 암만의 현대지사가준비한 차량으로 수송함. 끝

(대사 최봉름-국장)

예고:90.12.31

1990 12.31. 에 예고문에 의거 일반문서로 재 분류됨.

건설부 대책반	차관	1차보	2차보	중아국	영교국	청와대	안기부	노동부

PAGE 1

90.09.05   14:56

외신 2과 봉제관 BT

0119

외 무 부

종 별 : 지 급

번 호 : BGW-0701

일 시 : 90 0909 1300

수 신 : 장관(건설,노동,기정,중근동, 영재, 사본:요르단대사-중계필)

발 신 : 주 이라크 대사

제 목 : 교민철수 지원

1. 각진출업체에서는 소속근로자 대부분을 육로로 암만까지 철수 시킨후 항공편을
이용 철수시키고 있으며 이경우 KAL 이외의 항공편 이용하는 많은 불편이있기 때문에
대한항공편을 선호하고 있는바 잔여인력 철수지원에 필요하오니 금후의 암만기착
대한항공편 운항계획을 알려주시기바람.

2. 9.9. 10:00 현재 잔류교민은 다음과 같으며 각사의 철수인원, 시기등 계획은
출국비자 취득부진으로 아직 미정상태임. 공관 11 명, 건설업체 273 명(남광 2, 삼성
39, 정우 2, 한양 15, 현대 215), 삼성 물산 1 명, 현지양말공장 취업자 1명등 총 286
명. 끝

(대사 최봉름-국장)

예고:90.12.31까지

관리	
번호	

분류번호	보존기간

발 신 전 보

WBG-0422   900910 1845 DY   종별 : 지급

WJO-0309   WBH-0128

번   호 :

수   신 : 주 이라크   대사 //총영사 사본 : 주 요르단, 바레인 대사

발   신 : 장   관 (중근동)

제   목 : 교민 철수

대 : BGW-0710

연 : WBG-0412

1. 귀지 잔류교민은 현대건설등 업체소속 근로자(대부분 현대건설)이며, 향후 소속 업체 자체 철수 계획 의거, 종전처럼 일시에 대거 요르단 체류(100여명 이상)후 철수 귀국이 예상되지 않아 금후의 KAL기 암만 기착 계획은 현재로서는 없음. 예정이 없어

2. 이와 반면, KAL은 자체 운항 변경의 어려운 실정에 따라 귀지 철수 요르단 체류 교민 탑승 예정자가 일시에 100명 이상일 경우 서울-트리폴리간 KAL 정기 항공편 운항 일정을 임시 변경, 암만 경유 운항 검토가 가능하나, 새로운 운항 변경에 따른 안전 위험성이 매우 크다 하는바, 귀지 진출업체와 협의 철수계획 반영에 참고 바람.

3. 지금처럼 30-40명 정도 인원이 조금씩 철수함에 따라 암만-바레인 (요르단 항공, 걸프에어등)과 바레인-홍콩 또는 서울간 항공편(CX등)이 매일 있어 KAL 측면 협조아래 동 항공편 연결(소속업체 주선 예정) 철수를 진행하고 있는바, 귀지 현대건설 지점등과 수시 접촉, 추진 바람. 끝.

1990 12 31에 예고문에 의거 일반문서로 재 분류됨.

(중동아프리카국장   이 두 복)

앙고재	90년 8월 일 중근동과	기안자 이장춘	과 장	심의관	국 장 전결		차 관	장 관	보안통제	외신과통제

0121

관리
번호 P0/15P4

외 무 부

종   별 : 지급

번   호 : BGW-0704   일   시 : 90 0910 1130

수   신 : 장관(건설,노동,중근동,기정,영재,요르단대사-중계필)

발   신 : 주 이라크대사

제   목 : 교민철수계획

대:WBG-278

1. 현대 아국근로자 20 여명, 삼국근로자 5 명등 약 25 명이 9.10.20:00
경국경까지 운행이 가능한 버스로 당지를 출발예정이며 국경-암만까지는 암만의
현대지사가 준비한 차량으로 수송할것임

2. 현대 아국근로자 80 여명이 9.11(시간미정)상기와같은 방법으로 철수예정임

3. 남광근로자 1 명이 9.12.09:00 공로를 이용 암만으로 철수예정임.끝

(대사 최봉름-국장)

예고:90.12.31

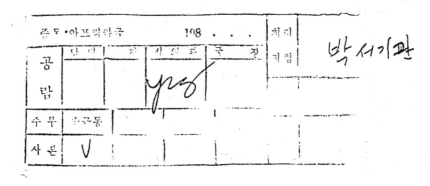

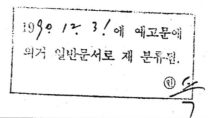

1990 12 3! 에 예고문에
의거 일반문서로 재 분류됨.

건설부	차관	1차보	2차보	중아국	영교국	청와대	안기부	노동부

PAGE 1   90.09.10   17:17

외신 2과   통제관 BT

0122

관리
번호 [손글씨] 𝟢𝟣/1604

원 본

외 무 부

종   별 : 지 급

번   호 : BGW-0710

일   시 : 90 0911 1000

수   신 : 장관(건설,노동,기정,중근동,영재,요르단대사)

[손글씨 서명]

발   신 : 주 이라크대사

제   목 : 교민철수

연:BGW-0704

1. 현대 아국근로자 17 명, 삼국근로자 5 명등 22 명이 9.10.19:00 육로를 이용 암만으로 향발하였음

2.9.11 철수예정이던 현대 아국근로자 80 여명은 비자발급지연으로 일정을 변경 9.12.20:00 경 당지를 출발예정임.끝

(대사 최봉름-국장)

예고:90.12.31

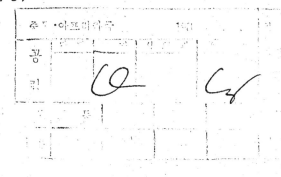

[도장: 1990 12.31. 에 예고문에 의거 일반문서로 재 분류됨. 서명]

중아국	2차보	영교국	안기부	건설부	노동부	대책반

PAGE 1

90.09.11   16:33

외신 2과 통제관 BN

0123

9

관리
번호 9.

외 무 부

종 별 :

번 호 : BGW-0716   일 시 : 90 0912 1300

수 신 : 장관(건설,노동,기정,중근동, 영재,요르단대사) (중계필)

발 신 : 주 이라크 대사

제 목 : 교민철수

대:WBG-278

1. 현대 아국근로자 3 명이 9.11.19:00 암만까지의 택시를 이용 당지를 출발하였음

2. 남광 아국근로자 1 명이 9.12.10:30 공로를 이용 암만 향발하였음

3. 9.12.11:00 현재 잔류교민은 다음과같음

공관 11 명, 건설업체 252 명(남광 1, 삼성 39, 정우 2, 한양 15, 현대 195),
삼성 물산 1 명, 양말공장 취업자 1 명등 총 265 명. 끝

(대사 최봉름-국장)

예고:90.12.31

영사교민국	년월일	담 당	계 장	과 장	관리관	국 장

건설부   차관   1차보   2차보   중아국   영교국   청와대   안기부   노동부
대책반

PAGE 1   90.09.12   19:32

외신 2과 통제관 DO

0124

306 걸프 사태 재외동포 철수 및 보호 2: 쿠웨이트 및 이라크(2)

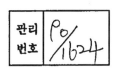

외 무 부

종 별 :

번 호 : BGW-0719 　　　　　　　　　일 시 : 90 0913 1100

수 신 : 장관(건설,노동,기정,중근동,영재,요르단대사)

발 신 : 주 이라크대사

제 목 : 교민철수

연:BGW-0710

현대 아국근로자 56 명, 삼국근로자 3 명등 59 명이 9.12. 20:00 국경까지의버스로 당지를 출발하였으며 국경-암만까지는 암만 현대의 준비차량으로 수송할것임.끝

(대사 최봉틈국장)

예고:90.12.31

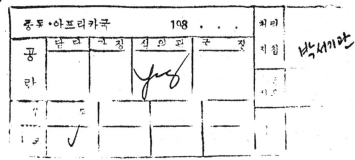

1980 12 31.에 예고문책
의거 일반문서로 재 분류됨.

건설부　　차관　　1차보　　2차보　　중아국　　영고국　　안기부　　노동부　　대책반

분류번호	보존기간

발 신 전 보

번 호 : WBG-0438   900915 1257 AO종별 : 지급

수 신 : 주 이라크   대사 / 총영사   사본 : 주 요르단 대사 WJO-0322

발 신 : 장 관 (중근동)

제 목 : 교민 철수

1. 걸프사태와 장기화 ~~조짐의~~ 될것으로 전망되나, 이라크군의 쿠웨이트 주재 불란서, 카나다, 화란, 벨기에 공관 또는 관저 침입 및 정선거부 이라크 선박에 대한 미 해군의 경고사격등 현 상황 전개 감안시, 돌발적인 긴급사태 발생 가능성도 배제할수 없는바, 만일의 전쟁 발발시를 대비 잔류 교민의 ~~주속~~ 철수가 가능토록 업체와 ~~협조~~ 긴급 철수 계획 마련등 사전 ~~만반~~의 준비를 다하기 바람.

2. 이와 관련, 업체 소속 근로자의 출국 허용 수속(발주처 동의서등)을 사전 조속 완결토록 추진하고, 가능한 잔류 인원 전원이 조속 철수토록 지도 바람.

3. 현지 실정을 감안 향후 철수 가능 일정을 잠정적이나마 수립, 보고 바람. 끝.

(중동아국장   이 두 복)

앙고재	중근동과 90년0월0일	기안자 박정길	과 장	심의관 국 장 전결		차 관	장 관	보안통제	외신과통제

0126

관리
번호 90-1309

외 무 부

종 별 : 지 급

번 호 : BGW-0726   일 시 : 90 0915 1200

수 신 : 장관(건설,노동,기정,중근동,기재,정일)~~전달~~

발 신 : 주 이라크 대사

제 목 : COE 발주공사

1990.12.31. 에 예고문에 의거
일반문서로 재분류됨

대:WBG-437

1. 일부발주처에서는 아국업체의 의사와는 관계없이 필수요원이라고 간주할경우 출국동의를 기피하거나 거부하고있으나 기타 아국인력에 대하여는 지금까지 주재국의 우호적인 협조하에 철수를 진행중에있음

2. 미국, 영국등 주요서방제국과 일본등 파병을 하거나 강력한 경제 제재조치를 취한 국가에 대하여는 적대국으로 간주, 이들 국민을 주요산업시설 또는 호텔에 분산억류중에 있으며 방글라, 파키스탄등 회교국으로서 파병을 결정한 국민에 대하여도 소매상에서조차 식품등 생필품의 판매를 거부하는등 완전히 적대시하고 있는 실정임

3. 이러한 분위기에서 아국업체가 사우디내 미군막사 건설공사에 참여할경우, 이·이전중 쌓아온 아국업체의 대주재국 신임도가 크게 손상될것임은 물론이고, 나아가 아국이 군사시설을 지원했다는 이유로 적대국으로 간주, 현재 진행중인 공사의 시공관리, 또는 사태진정후의 신규수주 활동등에 많은 지장이 초래될것이며 또 지금까지 우호적인 협조하에 진행중인 아국교민(9.15 현재 206 명 잔류)의 철수도 그안전이 더이상 보장될수 없을것이며 사태가 악화될경우 우호국의 입장에서 적대국으로 반전 아국교민에 대한 인질억류 가능성도 전혀 배제할수 없기때문에 동 공사에 대한 아국업체의 참여는 명분과 실리면에서 전혀 고려대상이 될수없으며 바람직스럽지 못한것으로 사료됨

4. 뿐만아니라 군사대치가 지속되고있는 전쟁위험지역인 사우디에서 건설공사를 시행할경우 막대한 인력손실의 위험부담을 져야하는바 이에대하여도 충분한 고려가 있어야 할것임.끝

(대사 최봉름-차관)

건설부	장관	차관	1차보	2차보	기획실	중아국	정문국	청와대
안기부	노동부	경제국	통상국					

PAGE 1   90.09.15   19:29

관리
번호 90-/233

외 무 부

종 별 : 지 급

번 호 : BGW-0727   일 시 : 90 0915 1200

수 신 : 장관(건설,노동,기정,중근동(영재,요르단대사-중계필)

발 신 : 주 이라크 대사

제 목 : 교민철수

대: WBG-0278

1. 현대 701 현장소장 김태선상무등 3명이 9.13.19:00 암만까지의 차량으로 당지를 출발하였음

2. 현대 아국근로자 10 여명, 삼국인 25 명등 약 35 명이 9.17. 저녁 당지를 출발예정임

3. 701 공사 바스라 아국인력 19 명이 8.29 이후 9.14 까지 바그다드 캠프로 임시 철수하였으며 9.15 현재 바스라현장 잔류인원은 아국인 13 명, 삼국인 19명등 32 명임(9.15 현재 잔류인원 206 명). 끝.

(대사 최봉름-국장)

예고:90.12.31

영사교민국	년원일	담 당	계 장	과 장	관리관	국 장

건설부   장관   차관   1차보   2차보   중아국   영교국   청와대   안기부
노동부   대책반

관리 번호	90/1678

외 무 부

종   별 :

번   호 : BGW-0731

일   시 : 90 0916 1200

수   신 : 장관(건설,노동,기정,중근동,영재, 사본:요르단대사-중계필)

발   신 : 주 이라크대사

제   목 : 교민철수

연:BGW-712

1. 한양의 아국근로자 1 명(교통사고 부상자 유기사건 관련자)이 9.16.10:30 공로를 이용 암만으로 철수하였음

2. 삼성의 아국근로자 7 명, 삼국근로자 1 명등 8 명이 9.16. 15:00 공로를 (이용, 암만으로 철수 예정임.끝

(대사 최봉름-국장)

예고:90.12.31

주 · 아프리카국		193 . . .		처리 지침	박서기관
관 리	교 정	심 의 관	국 장		
				자료 활용	
과 무	승근동	느 그	사프1	아프2	비고
사 본	✓				

1990 12 31 에 예고문에
의거 일반문서로 재 분류됨.

건설부
대책반   차관   1차보   2차보   중아국   영교국   청와대   안기부   노동부

관리	90/
번호	/652

외 무 부

종 별 :

번 호 : BGW-0735 　　　　　　　　일 시 : 90 0917 0900

수 신 : 장관(건설,노동,기정,중근동,영재, 요르단대사)

발 신 : 주 이라크대사

제 목 : 교민철수

　　대:WBG-438

　　연:BGW-0731

　1. 삼성 아국근로자 7 명, 삼국 1 명등 8 명이 9.16.15:00 공로이용 암만으로 철수하였음

　2. 현대 아국근로자 14 삼국 20 여명등 34 여명이 9.17.19:00 경 국경까지의버스로 당지를 출발예정이며 국경-암만까지는 암만 현대의 준비차량으로 수송함

　3. 대호의 잠정철수계획에 대하여는 현대각사에서 재조정중에있으며 확정되는대로 보고위계임.끝

　　(대사 최봉름-국장)

　　예고:90.12.31

중동·아프리카국	198...	처리지침	
공	담당 과장 심의관 국 장		

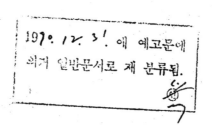

1970. 12. 31. 에 예고문에 의거 일반문서로 재 분류됨.

중아국　　차관　　영교국　　안기부　　건설부　　노동부

관리번호 90 /1658

외 무 부

종 별 :

번 호 : BGW-0738

일 시 : 90 0917 1100

수 신 : 장관(건설,노동,기정,중근동,영재,요르단대사)(중계필)

발 신 : 주 이라크 대사

제 목 : 교민철수계획

대:WBG-438

1. 종전에는 단위발주처에서 출국동의를 심해왔으나 최근 해당 장관의 승인을 얻게하는등 심사가 강화 되었을뿐만 아니라 최종 NOC 발급을 최대한 지연시키라고 전 유관부서에 지시하는등 출국동의를 기피하거나 거부하고 있기때문에 근로자의 전원 철수는 사실상 불가능하며 최소한의 필수요원 잔류는 불가피함

2. 9.17.12:00 현재 잔류교민은 공관 11 명, 건설업체 185 명(남광 1, 삼성 32, 정우 2, 한양 14, 현대 136), 삼성물산 1 명, 양말공장취업자 1 명등 198 명임

3. 금후의 각사 잠정 철수계획은 다음과같음. 다만 비자발급에따라 유동적임 (괄호내는 현재 잔류인원임)

-남광(1):10 월중 철수

-삼성(32):10 월 5 명,11 월 5 명,12 월 10 명등 20 명 철수,12 명 잔류

-정우(2):10 월중 철수

-한양(1):9.20 경 7 명철수,7 명잔류

-현대(136):9.17 14 명,9.20-25 13 명,9.30 경 15 명,10 월중 25 명등 67 명 철수

4. 상기 3 망 철수후 잔류교민은 다음과같음

공관 11 명, 건설업체 88 명(삼성 12, 한양 7, 현대 69), 삼성물산 1 명, 양말공장취업자 1 명등 101 명. 끝

(대사 최봉름-국장)

예고:90.12.31

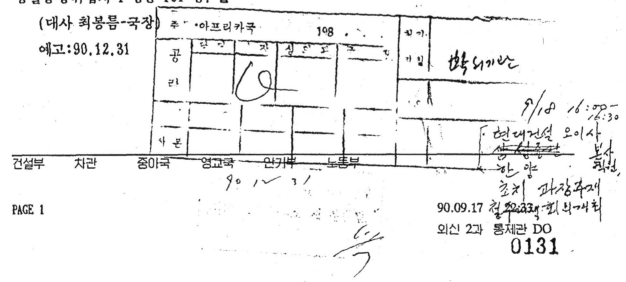

건설부	차관	중아국	영교국	안기부	노동부

PAGE 1

관리 번호	90/1661

원 본

외 무 부

종 별 :

번 호 : BGW-0742

일 시 : 90 0918 1100

수 신 : 장관(건설, 노동, 기정, 중근동, 영재, 요르단대사)

발 신 : 주 이라크대사

제 목 : 교민철수

대:WBG-0278

연:BGW-0735

현대 아국근로자 14 명, 삼국 21 명등 35 명과 양말공장취업자 1 명등 도합36 명이 9.17.19:00 당지를 출발하였으며 국경-암만은 암만 현대의 준비차량으로 수송함. 끝

(대사 최봉름-국장)

예고:90.12.31

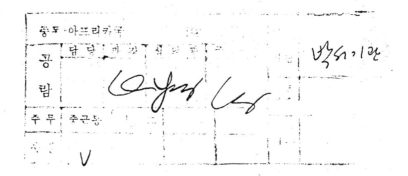

중동 아프리카국

공람 | 담당 과장 심의관

주무 | 중근동

1990 12.31. 에 예고문에 의거 일반문서로 재 분류됨.

중아국   영교국   안기부   보사부   문화부

90.09.18   16:50

외신 2과 통제관 BW

0132

	분류번호	보존기간

발 신 전 보

번   호 :   WBG-0452   900919 1836 DY 종별 : 긴급

수   신 : 주   이라크   대사. 총영사 (친전)

발   신 : ~~장 관~~   차 관

제   목 :   업 연

→ 처리비며을 최적리적원의 대히여 사의와 경려를 보냅니다

대 : BGW-0729

1. 우선 극도로 어려운 상황속에서 근생하 면서 그간 모든 업무를 완벽하게

2. 귀직과 공관원들의 어려운 사정은 ~~~~ 충분히 이해하고 있으며,
본부에서는 귀관에 대한 지원 방안과 서울 철수 가족들의 정착을 돕기위한
여러가지 방법을 마련중에 있읍니다,

3. 귀관 경비는 주 요르단 대사관에 기송금 되어 있는 2만불을 우선
지원코자 하나 송금 방법이 문제인바, 파우치편 현금 송금을 포함 송금 방법에
관한 귀견을 공전으로 보고 바람과 ~~삼림~~ 신청중인 예비비가 확정되는 대로 추가
지원 계획임. 송금방법만 마련되는경우 추가경비지원위계임 답함

4. 공관원 축소 문제는 쿠웨이트 공관원 철수 문제가 해결된 후
귀 건의를 감안 별도 조치 예정이니 참고 바람. 끝.

귀관직원의 요르단 입국후 ~~~~ 귀임은 자유로우리 귀직
회보 바람. (차 관 유 종 하)

5 으식출등는 라관으로 송부시도의제임

예 고 : 독후 파기

라련송급은 불설히없어 뿐 아니라 방사선 특시등 기쁨싱이
있어 극러하고 있음.

	보 안 통 제	

앙 고 재	`90` 년 `9`월 `18`일 과	기안자 성명	과 장	국 장	차 관	장 관
			서명	서명	서명	

외신과통제

	분류번호	보존기간

발 신 전 보

WBG-0455   900920 1929 DY

번 호 : _____   종별 : _____

수 신 : 주 이라크   대사//총영사(김정기 참사관)

발 신 : 장 관 (중근동, 김의기)

제 목 : 업연

　　　　1. 그곳의 극도로 어려운 사정은 본부에서도 모두들 충분히 인식,
지원 방법을 모색하고 있으며, 주 요르단 대사관에서 보관하고 있는 자금을
귀지로 현금 송금토록 지시 하였습니다만 암만에서도 적절한 방법이 없는것
같아 안타까운 심정입니다.

　　　　2. 자금 사정, 식생활 형편, 직원 안전문제 귀지의 제반
사정과 4/4분기 예산(주 쿠웨이트 대사관 포함)등 자금 현금 송금 방법에 대한
의견을 알려주시기 바랍니다.

　　　　3. 김 참사관님과 대사님을 비롯한 직원들의 안전을 기원합니다.

　　　예 고 : 독후 파기

	기안자성명		과 장		국 장		차 관	장 관	
앙고재		과							

보안통제

외신과통제

0134

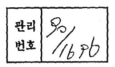

외　무　부

종　별 :

번　호 : BGW-0756　　　　　　　　　　　일　시 : 90 0922 1200

수　신 : 장관(건설,노동,기정,중근동,영재,요르단대사)

발　신 : 주 이라크대사

제　목 : 교민철수

　　대:WBG-0278

　　현대 아국 근로자 1 명이 9.23.09:00 공로로 암만 향발 예정이며 동사 아국근로자 14 명, 삼국 68 명등 82 명이 당일 19:00 경 당지를 출발 예정이며 국경-암만 현대의 준비차량으로 수송함. 끝

　　(대사 최봉름-국장)

　　예고:90.12.31

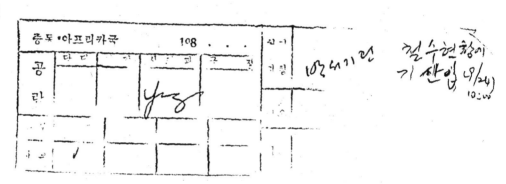

건설부　　2차보　　중아국　　영교국　　안기부　　노동부

관리
번호 80/1695

외 무 부

종 별 :

번 호 : BGW-0763 　　　　　　　일 시 : 90 0923 0900

수 신 : 장관(건설,노동,기정,중근동,영재,요르단대사)

발 신 : 주 이라크대사

제 목 : 교민철수

　　　대:WBG-278

　　　연:BGW-756

　　　현대 아국근로자 1 명이 9.23.09:00 공로이용 암만으로 향발하였음. 끝

　　(대사 최봉름-국장)

　　예고:90.12.31

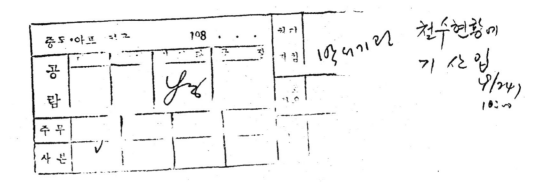

1990 12. 31 에 예고문에
의거 일반문서로 재 분류됨.

건설부　　2차보　　중아국　　영교국　　안기부　　노동부

원 본

외 무 부

종 별 :

번 호 : BGW-0771   일 시 : 90 0924 0900

수 신 : 장관(건설,노동,기정,중근동, 영재,요르단대사)

발 신 : 주 이라크대사

제 목 : 교민철수

대:WBG-278

연:BGW-756

1. 현대 아국근로자 15 명, 재삼국 68 명등 83 명과 당지에 체류중이던 쿠웨이트공관 고용원 1 명(조상만)등 84 명이 9.23.19:00 당지를 출발 하였으며 국경-암만은 암만 현대의 준비차량으로 수송함

2. 9.23.10:00 현재 잔류교민은 다음과같음

공관 11 명, 건설업체 155 명(남광 1, 삼성 32, 정우 2, 한양 14, 현대 106), 삼성물산 1 명등 총 167 명. 끝

(대사 최봉름-국장)

일반문서 예고:90.12.31

영사교민국	년월일	담 당	계 장	과 장	관리관	국 장

영교국   중아국   안기부   건설부   노동부   대책반

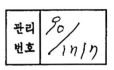

외 무 부

종 별 :

번 호 : BGW-0783   일 시 : 90 0926 1000

수 신 : 장관(건설,노동,기정,중근동,영재,요르단대사-중계필)

발 신 : 주 이라크대사

제 목 : 교민철수

대:WBG-00278

1. 현대 아국근로자 7 명, 삼국 7 명등 14 명이 9.27.19:00 경 육로로 당지를 출발예정이며 국경-암만은 암만현대 준비차량으로 수송함

2. 한양 아국근로자 3 명, 삼국 7 명등 10 명이 9.28.07:00 경 국경까지 운행이 가능한 버스편으로 당지를 출발 예정인바 국경-암만까지는 주요르단 대사관의 수송협조가 요망됨. 끝

(대사 최봉름-국장)

예고:90.12.31

1990 12. 31. 에 예고문에 의거 일반문서로 재 분류됨.

건설부 노동부	차관	1차보	2차보	중아국	중아국	영교국	영교국	안기부

PAGE 1   90.09.26   21:15
                                       외신 2과 통제관 BA
                                              0138

외 무 부　　　**원본**

관리 번호 90- 1279

종　별 :

번　호 : BGW-0794　　　　　　　　　일　시 : 90 0928 1500

수　신 : 장관(건설,노동,영재,기정,중근동,요르단대사-중계필)

발　신 : 주 이라크대사

제　목 : 교민철수

　　대:WBG-278

　　연:BGW-783

　1. 현대 아국근로자 4 명, 삼국 7 명등 11 명이 9.27.19:00 육로로 당지를 출발
하였으며 수송수단은 종전의 예와같음

　2. 한양 아국근로자 2 명, 삼국 7 명등 9 명이 9.28.07:00 육로로 당지를
출발하였으며 국경-암만까지는 주요르단대사관의 수송협조가 요망됨.

　3. 9.28 현재 잔류교민은 다음과같음

　공관 11 명(9.25 이양정노무관 귀임, 9.27 권찬공사 귀국), 건설업체 149 명(남광
1, 삼성 32, 정우 2, 한양 12, 현대 102).,삼성물산 1 명등 총 161 명. 끝

　　(대사 최봉름-국장)

원본문서 보예고:90.12.31

영사교민국	년월일	담 당	제 장	과 장	관리관	국 장

영교국　　차관　　1차보　　2차보　　중아국　　청와대　　안기부　　건설부　　노동부

관리 90/
번호 /1722

외 무 부

종 별 :

번 호 : BGW-0796　　　　　　　　　　일 시 : 90 0929 1300

수 신 : 장관(건설,노동,기정,중근동,영재,요르단대사-중계필)

발 신 : 주 이라크대사

제 목 : 교민철수

연:BGW-783

1. 9.27. 07:00 철수예정이던 한양 아국근로자 1 명(기능직 노기상)이 일정을 변경 9.29.10:30 북부도시 모슬사무소에서 택시편으로 암만으로 향발하였으며 국경-암만까지는 주요르단대사관의 수송협조가 필요함

2. 상기근로자는 9.28 철수하여 현재 암만 한보지사에 체류중인 당지 한양지사장 일행과같은 비행기편으로 귀국코자하는바 동시 귀국이 될수있도록 필요한 조치가 요망됨. 끝

(대사 최봉름-국장)

예고:90.12.31

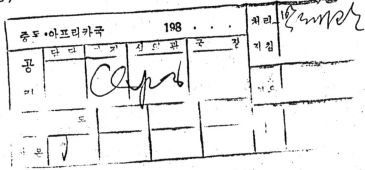

1990. 12. 31. 에 예고문에 의거 일반문서로 재 분류됨.

건설부　　차관　　2차보　　중아국　　영교국　　안기부　　노동부　　대책반

PAGE 1　　　　　　　　　　　　　　　　　　90.09.29　21:05

외신 2과 통제관 EZ

0140

√

관리 번호 : 80/1725

외 무 부

종 별 :

번 호 : BGW-0801　　　　　　　　　　　일 시 : 90 0930 1100

수 신 : 장관(건설,노동,기정,중근동,영재,요르단대사)(중계필)

발 신 : 주 이라크 대사

제 목 : 잔류교민 정정보고및 교민철수계획

　　　연:BGW-771,794

　　1. 연호로 현대 아국근로자 15 명등 84 명이 9.23 19:00 당지에서 철수한것으로 보고한바 있으나 현대 아국근로자 14 명등 83 명의 착오임으로 정정 보고함. 아울러 연호로 기보고한 9.28 현재 잔류교민을 다음과같음.

　　- 공관 11 명, 건설업체 50 명(남광 1, 삼성 32, 정우 2, 한양 12, 현대 103), 삼성물산 1 명등 총 162 명

　　2. 9.29 한양 아국근로자 1 명이 철수하였으므로 9.30.12:00 현재 잔류교민은 총 161 명임

　　3. 현대 아국근로자 3 명이 10.1.17:00 경 암만까지의 택시편으로 당지를 출발 예정임. 끝

　　(대사 최봉름-국장)

　　예고:90.12.31

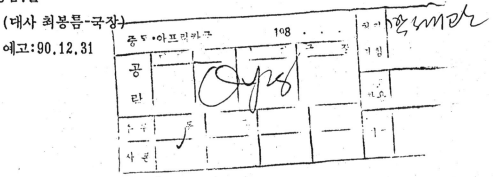

중동·아프리카국 　108

공란			장
수사			

1990.12.31. 여 대크문에 의거 일반문서로 재 분류됨

건설부	차관	1차보	2차보	중아국	영교국	청와대	안기부	노동부

PAGE 1　　　　　　　　　　　　　　　　　　　　　　90.09.30　19:07

　　　　　　　　　　　　　　　　　　　　　　　　　외신 2과 통제관 DO

　　　　　　　　　　　　　　　　　　　　　　　　　0141

외 무 부

원 본

종 별 :

번 호 : BGW-0805   일 시 : 90 0102 1200

수 신 : 장관(중근동,노동부장관)

발 신 : 주 이라크대사

제 목 : 중추절 위문품

　　　연: 해지 32483-9241 (90.7.2)

　　1. 연호관련 중추절 위문품이 이.쿠사태 이후 화물운송 지연및 외교행낭 접수불가로 송자, 원산지 증명서등이 당관에 도착치 않아 물품인수가 불가능함

　　2. 상기 물품은 8.10경 아카바항을 경유 현재 주재국 FALUJA 세관에 보관되어 있으며 문서접수 즉시인수 예정임

　　3. 주재국내 근로자는 대부분 철수, 현재 현대 99명등 총 150여명이 잔류하고 있는바 84년 이후 보관중인 위문품(타올) 잔여량 200 여매를 활용우선 전수 예정임.

　　　끝

　　(대사 최봉름-국장)

중아국　　　노동부

PAGE 1   90.10.03   08:06 DA

　　　　　　　　　　　　　　　　　　　　외신 1과 통제관

　　　　　　　　　　　　　　　　　　　　0142

관리
번호 90/1732

외 무 부

원 본

종 별 :

번 호 : BGW-0807

일 시 : 90 0102 1200

수 신 : 장관(중근동,영재,건설,노동,기정,요르단대사):즐게됨

발 신 : 주 이라크대사

제 목 : 교민철수

연:BGW-801(3)

1. 연호관련, 현대 아국근로자 4 명(IPOC 2 명, 북철 2 명)이 예정대로 10.1.17:00 현지 택시편, 암만으로 출발하였음

2. 현대 아국근로자 4 명(AL-MUSAIB 2, IS-400 2)이 10.2.18:00 현지 택시편 암만으로 출발예정이며, 현대 아국근로자 3 명(KIWAS), 방글라 9 명도 10.6(시간미정)현지 미니버스편으로 암만으로 출발 예정임.끝

(대사 최봉름-국장)

예고:90.12.31

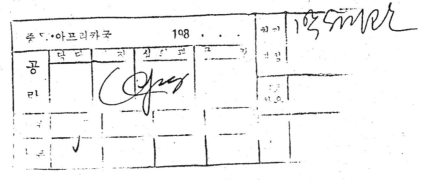

1990.12.31. 애 예고문애 의거 일반문서로 재 분류됨.

중아국 차관 1차보 2차보 영교국 영교국 안기부 건설부 노동부

PAGE 1

90.10.02   20:33

외신 2과 통제관 CH
0143

외 무 부

원 본

종 별 :

번 호 : BGW-0810   일   시 : 90 0103 1100

수 신 : 장관(중근동, 영재, 건설,노동,기정) 사본:주요르단대사(정제함)

발 신 : 주이라크대사

제 목 : 교민철수

연: BGW-0807

연호관련 현대건설 아국근로자 4명(AL-MUS2,I5400 2) 이 현지인 택시편으로
10.2.18:30 암만으로 출발하였음.끝

(대사 최봉름-국장)

중아국   1차보   정문국   영교국   안기부   건설부   노동부

PAGE 1   90.10.03   20:26 DP

외신 1과 통제관

0144

원 본

암 호 수 신

외 무 부

종 별 :

번 호 : BGW-0818   일 시 : 90 1006 1000

수 신 : 장관(중근동, 영재, 노동, 건설, 기정, 요르단대사-중계필)

발 신 : 주 이라크대사

제 목 : 교민철수

1. 당관 이양정 노무관과 이건주 남광지사장이 10.6. 10:30 IA167 편 당지 출국했으며 동일 18:30 현대 키루쿡 상수도 공사현장소속 아국인 3 명과 방글라 5명이 버스편 암만으로 출발 예정임

2. 상기인원 출국으로 주재국 잔류 아국인 인원 현황은 10.6. 현재 146 명임. 끝
(대사 최봉름-국장)

예고:90.12.31.

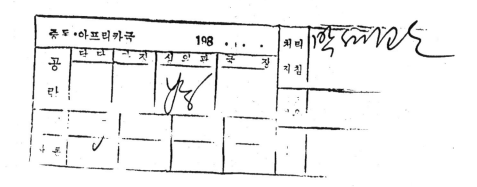

원 본

판리번호 90/744

외 무 부

종 별 :

번 호 : BGW-0827

일 시 : 90 1008 1000

수 신 : 장관(중근동,기정,영재,건설부,노동부,주요르단대사-중계필)

발 신 : 주 이라크대사

제 목 : 인원출국현황

10.7.15:30 항공편 당지 삼성건설 소속 김민호 대리가 암만으로 출국, 현재 주재국 잔류아국 인원현황은 145 명임.끝

(대사 최봉름-국장)

예고:90.12.31

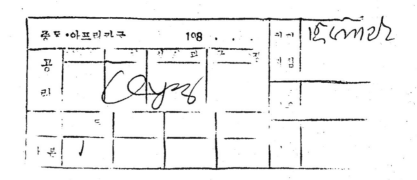

1990. 12. 31. 에 예고문에 의거 일반문서로 재 분류됨.

중아국   영교국   안기부   건설부   노동부

90.10.08   17:44
외신 2과 통제관 EZ
0146

<table>
<tr><td>관리
번호</td><td>90/
1767</td></tr>
</table>

원 본

외 무 부

종 별 :

번 호 : BGW-0852 　　　　　　　　　일 시 : 90 1014 1200

수 신 : 장관(중근동,영재,기정,노동부,건설부)

발 신 : 주 이라크 대사

제 목 : 인원출국

　　10.14.15:30 항공편 당지 삼성종건 소속 아국인 2 명과 태국인 10 명이 출국, 금일
현재 아국인 잔류인원은 143 명임.끝

　　(대사 최봉름-국장)

　　예고:90.12.31

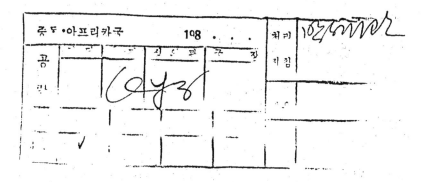

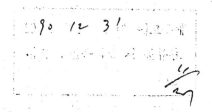

중아국　　영교국　　안기부　　건설부　　노동부

PAGE 1 　　　　　　　　　　　　　　　　　90.10.14　　18:43

　　　　　　　　　　　　　　　　　　　외신 2과　통제관 EZ

　　　　　　　　　　　　　　　　　　　　　0147

원 본

암호수신

외 무 부

종 별 :

번 호 : BGW-0857

일 시 : 90 1016 1000

수 신 : 장관(중근동,기정,영재,노동부,건설부,주요르단대사)(중계필)

발 신 : 주 이라크 대사

제 목 : 인원출국

10.15.18:00 당지 현대소속 아국인 3 명(알무사이브 발전소 1, 베이지 북철 2)과
태국인 7 명이 현지 차량편 암만으로 출발, 현재 아국인 잔류인원은 140 명임.끝

(대사 최봉름-국장)

중 •아프리카국			198	처리지침	
공람	담당	과장	심의관	국장	
					자료이용
무 본	동	느	느프 :	니따 ?	비고

중아국대책반	차관	1차보	2차보	영교국	청와대	안기부	건설부	노동부

PAGE 1

90.10.16   19:45
외신 2과 통제관 DO

0148

330 걸프 사태 재외동포 철수 및 보호 2: 쿠웨이트 및 이라크(2)

<table>
<tr><td>관리
번호</td><td>90/
1830</td></tr>
</table>

원 본

외 무 부

종 별 :

번 호 : BGW-0891   일 시 : 90 1028 1300

수 신 : 장관(중근동, 영재,기정,노동부, 건설부)

발 신 : 주 이라크 대사

제 목 : 인원출국

10.27.08:30 항공편 삼성종건 직원 1 명, 10.28.15:30 차량편 현대소속(바그다드 지역) 직원 2 명, 10.28.17:00 항공편 삼성종건 직원 3 명 태국인 1 명이 각각 출국, 주재국 잔류아국인 현황은 134 명임.끝

(대사 최봉름-국장)

예고:90.12.31

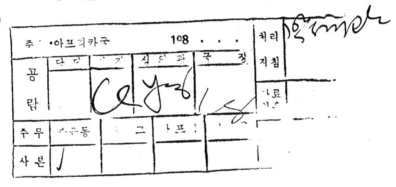

1990. 12. 31. 대 예고문에 의거 일반문서로 재 분류됨.

중아국   차관   2차보   정문국   영교국   안기부   건설부   노동부

PAGE 1   90.10.30   15:30
                                      외신 2과 통제관 BA
                                            0149

<table>
<tr><td>관리
번호</td><td>90/
1855</td></tr>
</table>

원 본

외 무 부

종 별 :

번 호 : BGW-0905   일 시 : 90 1103 1000

수 신 : 장관(중근동,기정,영재,건설,노동,사본:요르단대사-중계필)

발 신 : 주 이라크 대사

제 목 : 인원 출국현황

　　연:BGW-891

　　연호 10.28 출발한 현대직원 2 명과 10.29 출발한 현대(바그다드 지역)직원1 명및 비율빈 근로자 1 명이 요르단 입국 비자문제로 국경에서 문제가 생겨 바그다드로 일단 되돌아왔다가 비자문제 해결후 10.30.12:00 차량편 출국했으며 10.31 정우 베이지 북철 현장소속 직원 1 명이 차량편 출국, 현재 아국인 잔류현황은 132 명임.끝

　　(대사 최봉름-국장)

　　예고:90.12.31

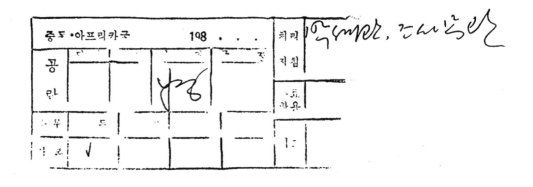

1990. 12. 31 에 예고문에 의거 일반문서로 재 분류됨.

중아국	차관 대책반	1차보	2차보	영교국	청와대	안기부	건설부	노동부

PAGE 1

90.11.03　23:42

외신 2과 룡제관 CW

0150

관리 번호 90/1854

원 본

외 무 부

종 별 :

번 호 : BGW-0912

일 시 : 90 1104 1100

수 신 : 장관(중근동, 영재, 기정, 건설부, 노동부, 주요르단대사본부중계필)

발 신 : 주 이라크대사

제 목 : 인원출국

　　11.4.17:00 항공편 당지 삼성물산 양의승 지사장이 출국, 현재 상사원및 개별취업자등은 전원 출국했고, 공관인원 8 명과(가족및 고용원포함)건설업체 직원및 근로자 123 명등 총 131 명이 잔류중임. 끝

　　(대사 최봉름-국장)

　　예고:90.12.31

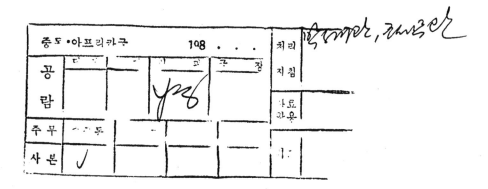

1990. 12. 31. 에 예고문에 의거 일반문서로 재 분류됨

중아국　　2차보　　영교국　　안기부　　건설부　　노동부

원 본

암호수신

외 무 부

종   별 :

번   호 : BGW-0920   일   시 : 90 1106 1100

수   신 : 장관(중근동, 영재, 기정, 건설부, 노동부, 요르단대사)

발   신 : 주 이라크대사

제   목 : 인원출국

　　11.5 현대소속 아국인 2 명(키루쿡 상수도 공사현장 1, 요시도로 공사현장 1)과 방글라 근로자 1 명이 17:00 현지 차량편 출국, 현재 주재국 잔류아국인 현황은 129 명임. 끝 (대사 최봉름-국장)

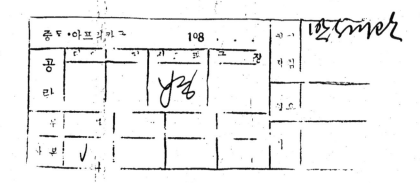

중아국　　차관　　2차보　　영교국　　안기부　　건설부　　노동부

원 본
암호수신

외 무 부

종 별 :

번 호 : BGW-0921   일   시 : 90 1107 1000

수 신 : 장관(중근동,기정,영재,건설,노동,요르단대사-중계필)

발 신 : 주 이라크대사

제 목 : 인원출국

　　11.6.15:30 항공편 삼성종건 소속 경리담당 최수철직원이 회사업무 형편상 필수요원으로 당지로 귀임하고, 11.7.12:00 삼성직원 1 명이 휴가차 출국, 현재 아국인 잔류인원은 총 129 명임. 끝

　　(대사 최봉름-국장)

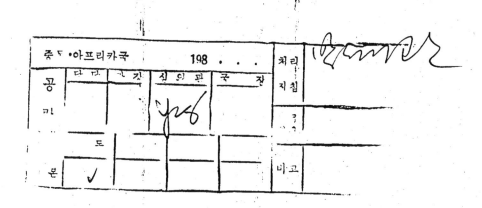

중아국　　　영교국　　　안기부　　　건설부　　　노동부　　　대책반

PAGE 1

원 본

관리 90/
번호 1912

외 무 부

종 별 :

번 호 : BGW-0945

일 시 : 90 1113 1000

수 신 : 장관(중근동,기정,영재,건설부,노동부,주요르단대사-중계필)

발 신 : 주 이라크대사

제 목 : 인원잔류현황

1. 사태 발생이후 일시 귀국중이던 삼성종건 소속 송명환 과장과 조태환대리가 업무상 필수요원으로 11.12 과 11.13 각각 항공편 당지로 귀임 현재 잔류인원은 131 명으로 늘어남

2. 현대측에서도 업무상 필요와 잔류직원 본국 휴가 업무교대등을 위해 일시귀국중인 직원중 5-6 명을 11 월중 당지로 귀임시키고 휴가자들을 출발시킬 예정이라고함. 끝

(대사 최봉름-국장)

예고:90.12.31

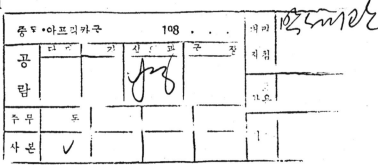

1990. 12. 31. 에 예고문에 의거 일반문서로 재 분류됨.

중아국   영교국   안기부   건설부   노동부   대책반

90.11.13   20:16
외신 2과 통제관 BW

0154

관리
번호 90/1924

원 본

외 무 부

종 별 :

번 호 : BGW-0950   일 시 : 90 1115 1000

수 신 : 장관(중근동,기정,영재,건설,노동,주요르단대사(중계필))

발 신 : 주 이라크대사

제 목 : 인원출국

11.14 당지 현대소속 직원 1 명이 12:00 항공편 출국, 현재 아국인 잔류인원은 (130)
명임.끝

(대사 최봉름-국장)

예고:91.6.30

1990 12. 31. 에 예고문에
의거 일반문서로 재 분류됨.

중아국   영교국   안기부   건설부   노동부

90.11.15   17:35
외신 2과 통제관 BW
0155

<table>
<tr><td>관리
번호</td><td>90/
1930</td></tr>
</table>

원 본

외 무 부

종   별 :

번   호 : BGW-0957   일   시 : 90 1118 1200

수   신 : 장관(중근동,기정,영재,노동,건설,사본:주요르단대사-중계필)

발   신 : 주 이라크대사

제   목 : 인원잔류현황

　　11.18 당관 조태용서기관이 15:30 항공편 당지 귀임하고, 삼성 송영한 차장이 본국 휴가차 출발함으로서 현재 주재국 잔류 아국인 현황은 130 명임.끝

　　(대사 최봉름-국장)

　　예고:90.12.31

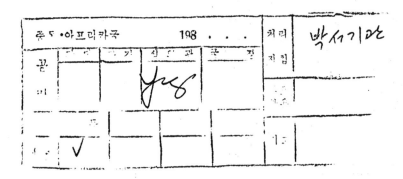

1990. 12. 31. 에 예고문에
의거 일반문서로 재 분류됨.

중아국　　차관　　2차보　　영교국　　안기부　　건설부　　노동부　　대책반

PAGE 1   90.11.19   01:15

                                            외신 2과 통제관 CW

                                                0156

외 무 부

원 본

암호수신

종 별 :

번 호 : BGW-0977   일 시 : 90 1124 1000

수 신 : 장관(중근동, 영재, 건설, 노동)

발 신 : 주 이라크 대사

제 목 : 인원현황

11.22 현대소속 출장자 1 명과 직원 3 명이 항공편 당지로 귀임, 현재 아국인

잔류현황은 134 명임. 끝

(대사 최봉름-국장)

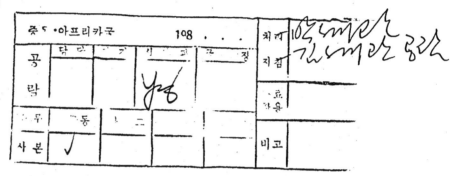

중아국   영교국   건설부   노동부

원　본

관리번호 80/1977

외　무　부

종　별 :

번　호 : BGW-0984

일　시 : 90 1127 1000

수　신 : 장관(중근동,기정,영재,건설,노동,요르단대사)

발　신 : 주 이라크대사

제　목 : 잔류인원현황

　　11.21.15:30 항공편 당지 귀임한 삼성직원(한표성대리)이 집계에 누락된 착오가 발견되어 11.27 현재 아국인 잔류현황은 135 명임.끝

　　(대사 최봉름-국장)

　예고:90.12.31

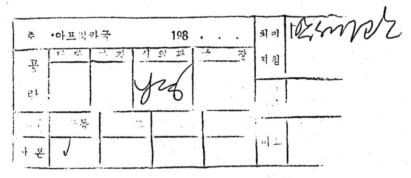

19 80 12 31. 에 예고문에 의거 일반문서로 재 분류됨.

중아국　　중아국　　영교국　　안기부　　건설부　　노동부

90.11.27　　22:17

외신 2과　통제관 CH

0158

관리 번호	90/1987

외 무 부

종 별 :

번 호 : BGW-0992   일 시 : 90 1129 1100

수 신 : 장관(중근동, 영재,기정 건설부,노동부,주요르단대사-필)

발 신 : 주 이라크대사

제 목 : 인원 잔류현황

　　11.28 현대소속 직원및 기능공 3 명이 출국하고, 요르단 출장중이던 당지 한양 지사장 대행 강침모 과장이 본사와의 업무협의차 일시 귀국한것이 확인되고 당지 삼성종건 김진환부장이 요르단 일시 출장중에 있어 실제 잔류인원은 11.29 현재 130 명임.끝

　　(대사 최봉름-국장)

　　예고:90.12.31

19 90 12 31 에 예고문에
의거 일반문서로 재 분류됨.
㊞

중아국	차관	1차보	영교국	청와대	안기부	건설부	노동부	대책반

외신 2과 통제관 CF

0159

3. 요르단

0160

원 본

암 호 수 신

외 무 부

종   별 : 긴 급

번   호 : JOW-0394   일   시 : 90 0901 1900

수   신 : 장관(중근동,영재,마그,노동,건설,기정)사본:주 이락대사-필

발   신 : 주 요르단 대사

제   목 : 교민철수

대:WJO-0286

대호 이락크 현대아국 근보자 26 명등 9.1. 13:50 암만에 무사히 도착함

(대사 박태진-국장)

중아국	장관	차관 ✓	1차보	2차보	중아국	영교국	청와대	안기부
건설부	노동부	대책반						

PAGE 1   90.09.02   02:14
                                                         외신 2과 통제관 EZ

                                                              0161

원 본

암호수신

외 무 부

종 별 : 지급

번 호 : JOW-0399

일 시 : 90 0903 1600

수 신 : 장 관(중근동, 영재, 마그, 노동, 건설, 기정, 이락대사)(중계필)

발 신 : 주 요르단 대사

제 목 : 교민철수

대:WJO-0291

1. 대호 정우개발 근로자 김교철은 9.2. 15:30 이라크로부터 암만에 도착, 당지 체류중이던 한양의 김진실과 함께 동일밤 싱가폴경유 귀국함

2. 8.25 당지에서 사우디로 철수했던 송수만 이라크 정우개발 지사장은 이라크 자사 직원철수관계로 9.2 암만에 재입국함으로써 명 9.4 귀국예정인 현대근로자 21 명을 제외한 체류철수근로자는 정우개발의 3 인뿐임

3. KAL 편 이외 당지를 출발, 귀국한 철수근로자 현황은 다음과 같음

가. 쿠웨이트 근로자: 없음

나. 이라크 근로자 및 가족(75 명)

-현대: 56 명(9.4 출발예정인 21 명포함)

-삼성: 17 명(가족 9 명포함)

-정우: 1 명

-한양: 1 명

(대사 박태진-국장)

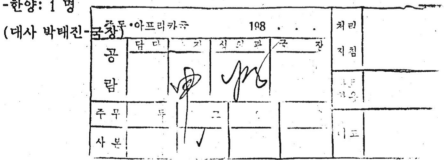

중아국   차관   1차보   2차보   중아국   통상국   영교국   안기부   건설부
노동부   대책반

PAGE 1

90.09.03   22:40

외신 2과 통제관 DO

0162

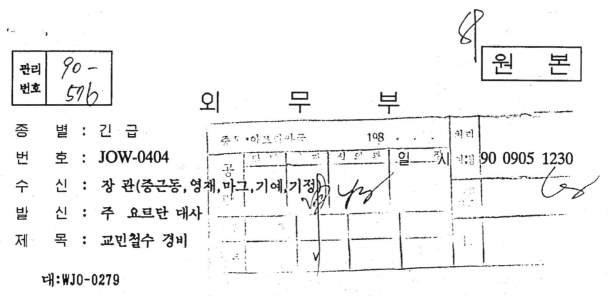

원 본

관리
번호 90-576

외 무 부

종 별 : 긴 급

번 호 : JOW-0404

수 신 : 장 관(중근동,영재,마그,기예,기정)

발 신 : 주 요르단 대사

제 목 : 교민철수 경비

일 시 90 0905 1230

대:WJO-0279

대호 무의탁 쿠웨이트 교민의 철수비용은 아래와 같음(단위:요르단 디나)

1. 무의탁 철수교민

가. 제 1 진(37 세대,57 명, 8.16 입국)

-숙식비:2,635.810

-병원비:1,560.681

-차량봉관료등:317.450

기타(호텔 제잡비):881.361

계:5,395.302

나. 제 2 진(48 세대,111 명,8.19. 입국)

-숙식비:4,214.-

병원비:860.310

-차량봉관료등:493.-

기타:1,136.075

계:6,703.385

다. 제 3 진(3 세대,4 명,8.23. 입국)

-숙식비:443.500

-기타:16.500

계:460.-

라. 제 4 진(3 세,7 명,8.26. 입국)

-숙식비:900.-

계:900.-

중아국   기획실   중아국   영교국   안기부

PAGE 1

마. 합계:13,458,684($20,453.- 상망)

2. 업체, 상사주재원

가. 제 1 진(14 세대,37 명,8.16 입국)

-숙식비:1,305,880

-차량봉관료등:147,900

-기타:875,779

-계:2,329,559

나. 제 2 진(4 세대,12 명,8.19 입국)

-숙식비:414,-

-병원비:7,-

-차량봉관료등:73,950

-기타:95,780

-계:590,730

다. 합계:2,920,289($4,439.- 상당)

3. 총액:16,378,976($24,892.- 상당)

-환율:US$1J.D. 0.658

4. 상기경비의 개인별, 세대별 상세내역및 청구서, 영수증등 관련증빙서류는
금(9.5.) 파우치편 송부예정임

(대사 박태진-국장)

예고:90.12.31 까지

1991.12.31 여 대고문에
의거 일반문서로 재 분류됨

외 무 부

원 본

암 호 수 신

종 별 : 지 급

번 호 : JOW-0407

일 시 : 90 0906 1130

수 신 : 장 관(중근동, 영재, 마그, 노동, 건설, 기정) 사본:주 이락, 쿠웨이트 대사

발 신 : 주 요르단 대사   -중계필

제 목 : 교민철수

대:WJO-0295

1. 대호 이라크 아국 근로자 54 명 및 쿠웨이트 공관 제 3 국인 고용원 1 인은 9.6 02:30 암만에 무사히 도착함

2. 현대 제 3 국 근로자(총 185 명)들은 요르단 정부의 출국일정 미확정으로 제 3 국민에 대한 입국불허 방침에 따라 이라크, 요르단 국경 완충지대내 캠프에서 체류하면서 요르단 출국 항공편이 주선된 인원수만큼 입국시켜 주재국을 떠나게 하고있음

(대사 박태진-국장)

주 · 아프리카국			198 . . .		처리	
공람	담당	과장	심의관	국장	기침	
수무	중근동	마그	노동		비고	
사본	√					

중아국   중아국   영교국   안기부   건설부   노동부   대책반

발 신 전 보

분류번호 | 보존기간

번   호 : WJO-0298   900906 1532 DP   종별 : 사본: 주이라크대사
                                                   WBG -0412

수   신 : 주 요르단   대사. 총영사///

발   신 : 장 관   (중근동)

제   목 : 교민 철수

1. 이라크 및 쿠웨이트 무의탁 잔류 교민은 사실상 전원 철수가 완료
된 상태임.(쿠웨이트 잔류 희망 교민 9명 제외)

2. 이라크 잔류 교민 (공관원 및 가족 포함 286명, 9.6 현재)은 현지
진출 현대건설등 업체소속 근로자들로서, 소속 업체가 아국 공관장 지도 아래
자체 철수 계획 의거 단계적으로 이들을 조속 철수 추진중인바, 등 철수 교민의
귀지 체류후의 귀국 항공편 주선은 소속업체에서 추진 예정이나, 현지에서의
항공편 주선 협력등 제반 측면지원하여, 이들이 안전 귀국토록 조치 바람. 끝.

(중동아프리카국장   이 두 복)

보 안
통 제

앙 고 재	90 년 9 월 6 일 중 근 동 과	기안자 성 명 朴종손	과 장 후결	심의관 앙	국 장 전결		차 관	장 관	외신과통제

0166

원 본

암호수신

외 무 부

종 별 : 지 급

번 호 : JOW-0412

일 시 : 90 0908 1400

수 신 : 장 관(중근동, 영재, 마그, 노동, 건설, 기정, 주 이락대사(중계필))

발 신 : 주 요르단 대사

제 목 : 교민철수(현대)

연:JOW-0417

1. 연호 이라크 현대 아국 근로자 54 명중 42 명은 9.7 05:00 바레인 경유 귀국함

2. 잔여인원은 금명간 항공편이 주선되는대로 귀국조치 예정임

(대사 박태진-국장)

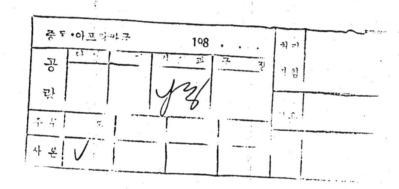

중아국   차관   1차보   2차보   중아국   영교국   안기부   건설부   노동부
대책반

PAGE 1   90.09.08   20:36

외신 2과 통제관 DO

0167

원 본

외 무 부

종 별 :

번 호 : JOW-0423

일 시 : 90 0910 1630

수 신 : 장 관 (중근동,마그,영재,기정)

발 신 : 주 요르단 대사

제 목 : 쿠웨이트 철수 차량

1. 쿠웨이트 철수차량의 당지 보관현황은 다음과 같음

가. 공관 및 KOTRA: 7대

-공용 2대(공관 1대, 한글학교 마이크로버스 1대)

-공관직원 4대

- KOTRA 1 대

나. 상사등 주재원: 8대

다. 교민명의: 35대

라. 쿠웨이트 차적: 6대

2. 상기 차량중 공용차량은 본부지시 또는 쿠웨이트대사 요청에 따라 처리하겠으며, 기타 교민및 상사차량은 소유주의 요청에 따라 처리할것임

3. 처리에 관해 명확한 의사를 표명치 않은 차량은 다음과 같은바, 소유주의 희망사항이 파악되때까지는 현지 보관 예정임

윤일만, 김양중, 최문봉, 김동준, 문성일, 박장근, 이정유, 권정일, 맹정술

4. 상세 추보하겠음

(대사 박태진-국장)

중동 ·아프리카국			108 . . .		회 기	
공 람					기 임	박서기관
사 본	✓					

중아국   중아국   영교국   안기부

PAGE 1

90.09.11   00:31 FC

외신 1과 통제관

0168

외 무 부

종 별 :

번 호 : JOW-0427

일 시 : 90 0911 1630

수 신 : 장 관(중근동,마그,영재,노동,건설,기정,주이락대사-필)

발 신 : 주 요르단 대사

제 목 : 교민철수

대:WJO-0312

대호 현대 아국 근로자 17 명은 금 9.11 10:30 암만에 무사히 도착함

(대사 박태진-국장)

중근 •아프리카국   198 . . .

	담당	심의관	과	국 장	처리 지침
공람					
					자료 활용
주무					
사본					비고

중아국   중아국   영교국   안기부   건설부   노동부

PAGE 1

90.09.11   23:52
외신 2과 통제관 EZ
0169

외 무 부

암 호 수 신

종　별 : 긴 급

번　호 : JOW-0433

일　시 : 90 0913 1300

수　신 : 장 관(중근동, 영재, 마그, 건설, 노동, 기정, 주 이락대사 중계필)

발　신 : 주 요르단 대사

제　목 : 교민철수

　　　　대:WJO-0312,315

　　　　연:JOW-0427

　　1. 연호 현대 아국 근로자 17 명 전원, 대호 현대근로자 3 명 및 남광 근로자 1 명은 9.11. 과 9.12 에 걸쳐 서울로 출발하였음

　　2. 금 9.13. 09:30 현대 아국 근로자 56 명이 암만에 도착함

　　3. 현재 당지 체류근로자는 상기 현대의 56 명뿐이며 항공편이 주선되는대로 분산귀국 예정임

　　　　(대사 박태진-국장)

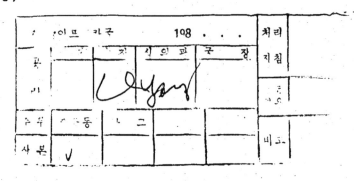

중아국　　중아국　　영교국　　정와대　　안기부　　건설부　　노동부　　대책반

외 무 부

종 별 :

번 호 : JOW-0441   일 시 : 90 0916 0950

수 신 : 장관(중근동,영재,마그,건설,노동,기정,사본:주이락대사-중계필)

발 신 : 주 요르단 대사

제 목 : 교민철수

대:WJO-0326

1. 대호 현대 701 현장 소장등 3 명 9.14 12:00 암만에 도착함

2. 현대근로자 잔류인원 59 명중 31 명은 9.16 03:00 바레인 경유 귀국함

3. 잔여 28 명은 9.17 및 18 전원귀국 예정임

(대사 박태진-국장)

중동·아프리카국			108 ...		처리지침	박서기관
공람	담당	과장	심의관	국장		
					보존	
수무	도					
사본	✓					

중아국   차관   1차보   2차보   중아국   영교국   청와대   안기부   건설부
노동부   대책반

PAGE 1   90.09.16   17:46

외신 2과   통제관 CW

0171

걸프사태 : 재외동포 철수 및 보호, 1990-91. 전14권 (V.7 쿠웨이트 및 이라크, 1990.9-11월) 353

외 무 부

원 본
암 호 수 신

종 별 :

번 호 : JOW-0446   일 시 : 90 0917 1200

수 신 : 장 관(중근동, 영재, 마그, 건설, 노동, 기정, 주 이라크 대사)

발 신 : 주 요르단 대사

제 목 : 교민철수

 대:WJO-0327

 대호 한양근로자 이규철은 9.16 10:30 당지 도착, 동일밤 22:45 발 RJ 184 편
방콕겨유(TG 678 편) 귀국함

 (대사 박태진-국장)

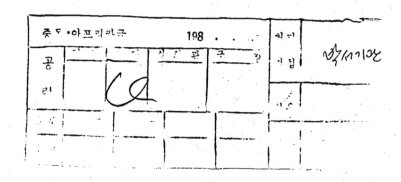

중아국	차관	중아국	영교국	영교국	안기부	보사부	문화부

PAGE 1   90.09.17   18:32
                                                  외신 2과 통제관 BW
                                                     0172

외 무 부

종 별 :

번 호 : JOW-0448   일 시 : 90 0918 1430

수 신 : 장 관(중근동, 영재, 바그, 건설, 노동, 기정, 주이라크대사-중계필)

발 신 : 주 요르단 대사

제 목 : 교민철수

　　　대:WJO-0330

　　　연:JOW-0441

　　1. 대호 삼성근로자 7 명은 9.16 암만 공항경유 동일 서울로 출발함

　　2. 당지에 체류중이던 연호 잔여 현대근로자 28 명은 금 9.18 03:00 방콕경유, 서울로 향발함

　　3. 대호 현대근로자 14 명 및 양말공장 취업자 1 명(계 15 명)은 금 9.18 09:40 암만에 도착함

　　(대사 박태진-국장)

주 ㅇ아프리카국			198 . . .		처리	
공 람	담당	과장	심의관	국 장	지침	박신기관
		104ㅠ8				
수 무	중근동					
사 본	V					

중아국 노동부	차관 대책반	1차보	2차보	중아국	영교국	정와대	안기부	건설부

PAGE 1

外 務 部

원 본
암호수신

종 별 :

번 호 : JOW-0452　　　　　　　　　일 시 : 90 0919 1230

수 신 : 장 관(중근동, 영재, 마그, 건설, 노동, 기정, 주이라크대사-중계필)

발 신 : 주 요르단 대사

제 목 : 교민철수

연:JOW-0448

대:WJO-0333

1. 대호 현대근로자 14 명 및 양말공장 취업자 1 명등 15 명은 금 9.19 03:00 바레인 경유 귀국함

2. 당지 체류교민 및 근로자 없음

(대사 박태진-국장)

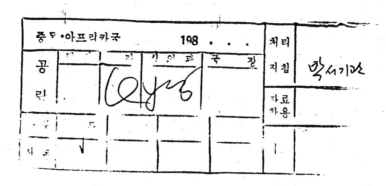

| 중아국 | 차관 | 1차보 | 2차보 | 중아국 | 영고국 | 청와대 | 안기부 | 건설부 |
| 노동부 | 대책반 | | | | | | | |

PAGE 1　　　　　　　　　　　　　　　　　90.09.19　22:05

외신 2과　통제관 CF

0174

외 무 부

종 별 :

번 호 : JOW-0466

일 시 : 90 0924 1630

수 신 : 장 관(중근동, 영재, 마그, 건설, 노동, 기정, 이라크, 쿠웨이트대사-중계필)

발 신 : 주 요르단 대사

제 목 : 교민철수

대:WJO-0341, 0342

1. 현대 아국근로자 고기영은 공로로 9.23 13:20 암만에 도착하였으며, 주 쿠웨이트대사관 고용원 조상만외 현대근로자 13명 9.24 13:30 암만에 무사히 도착함.

2. 상기 15 명은 9.25 03 00 당지발 항공편 귀국함.

(대사 박태진-국장)

중동ㆍ아프리카국			198 . . .	처 리	
공 람			신 관	국 장	지 침	박 니 끼라
주 무	중근동				
사 본	√				1.

중아국　　중아국　　영교국　　안 부　　건설부　　노동부　　대책반

PAGE 1

90.09.25   00:02

외신 2과   통제관 CF

0175

외 무 부

원 본

암호수신

종 별 :

번 호 : JOW-0485　　　　　　　　　　　일 시 : 90 0929 1230

수 신 : 장 관(중근동, 영재, 마그, 건설, 노동, 기정, 주이라크대사-중계필)

발 신 : 주 요르단 대사

제 목 : 교민철수

　　대:WJO-0355

　　　1. 대호-현대 아국근로자 4 명 및 한양 아국 근로자 2 명이 9.28 오후 당지에 도착함

　　　2. 현대근로자 4 명은 금 9.29 02:00 바레인 경유 귀국하였으며, 한양근로자는 명 9.30 22:30 방콕경유 서울출발함

　　　(대사 박태진-국장)

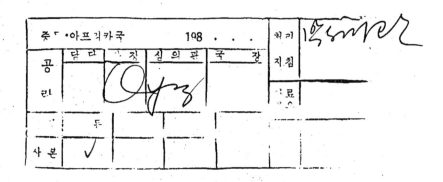

중아국　　중아국　영교국　안기부　건설부　노동부

PAGE 1　　　　　　　　　　　　　　　　90.09.29　20:33

　　　　　　　　　　　　　　　　외신 2과　통제관 EZ

　　　　　　　　　　　　　　　　　0176

외 무 부

원 본

암 호 수 신

종 별 :

번 호 : JOW-0493　　　　　　　　　　　　　　일　시 : 90 0930 1300

수 신 : 장 관(중근동, 영재, 마그, 건설, 노동, 기정, 주 이라크 대사)(중계필)

발 신 : 주 요르단 대사

제 목 : 교민철수

　　　　대:WJO-0368

　　　　연:JOW-0485

　　　　대호 한양근로자 노기상은 금 9.30 00:30 암만에 도착하였으며, 9.28 당지도착한 한양근로자 2 인과 함께 금일 22:30 방콕경유, 서울로 출발예정임

　　　　(대사 박태진-국장)

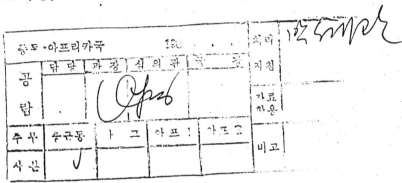

중아국　　중아국　·영교국　　안기부　　건설부　　노동부

원본

외 무 부

암 호 수 신

종 별 :

번 호 : JOW-0496

일 시 : 90 1002 1200

수 신 : 장 관(중근동, 영재, 마그, 건설, 노동, 기정, 주 이라크 대사)

발 신 : 주 요르단 대사

제 목 : 교민철수

대:WJO-0369

1. 대호 현대 아국 근로자 4 명은 금 10.2. 08:30 암만에 도착하였으며, 10.3. 02:00 바레인 경유 귀국함

(대사 박태진-국장)

중아국	차관	1차보	2차보	중아국	영교국	안기부	건설부	노동부

PAGE 1

90.10.02 20:30

외신 2과 통제관 CH

0178

외 무 부

종 별 :

번 호 : JOW-0499   일   시 : 90 1003 1230

수 신 : 장 관(중근동,영재,마고,건설,노동,기정,주이라크대사-중계필)

발 신 : 주 요르단 대사

제 목 : 교민철수

대:WJO-0372

　　대호 현대 아국근로자 4 명은 10.3. 07:00 암만에 도착하였으며, 동일행은 10.4.

02:00 바레인 경유 귀국함

　　(대사 박태진-국장)

중아국　　　중아국　　영교국　　안기부　　건설부　　노동부

PAGE 1   90.10.03   20:01

외신 2과   통제관 EZ

0179

외 무 부

원 본

암 호 수 신

종 별 :

번 호 : JOW-0510 일 시 : 90 1007 1750

수 신 : 장 관(중근동, 영재, 마그, 건설, 노동, 기정, 주 이라크 대사)

발 신 : 주 요르단 대사

제 목 : 교민철수:WJO-0374

　　1. 대호 주이라크 이양정 노무관 및 이건주 남광 지사장이 10.6 12:00 당지에 도착하였으며, 현대 아국 근로자 3 인도 10.7 17:30 암만에 도착함

　　2. 10.4. 당지에 도착한 주 이라크 김도재 건설관 및 이양정 노무관은 10.8. 03:00 리야드(2 박) 경유, 서울 향발 예정이며, 남광지사장은 10.7. 21:00, 현대 근로자 3 인은 10.9. 03:00 바레인 경유 귀국함

　　(대사 박태진-국장)

중아국　　중아국　　영교국　　안기부　　건설부　　노동부

90.10.08　　07:12

외신 2과　통제관 FE

0180

	정 리 보 존 문 서 목 록				
기록물종류	일반공문서철	등록번호	2020120199	등특일자	2020-12-28
분류번호	721.1	국가코드	XF	보존기간	영구
명 칭	걸프사태 : 재외동포 철수 및 보호, 1990-91. 전14권				
생 산 과	북미1과/중동1과	생산년도	1990~1991	담당그룹	
권 차 명	V.8 이라크 동포 긴급철수, 1990.12-91.4월				
내용목차	* 1990.12.6 Hussein 대통령, 이라크 내 억류 외국인 전원 출국 허용 방침 발표 1991.1.7 정부, 이라크 잔류동포 116명에 대한 1.15 이전 철수 지시 * 재외동포 철수 및 비상철수계획 수립 등				

0001

원 본

관리
번호 90/2080

외 무 부

종 별 :

번 호 : BGW-1002   일 시 : 90 1203 1000

수 신 : 장관(중근동,기정,영재,건설,노동,주요르단대사)

발 신 : 주 이라크대사

제 목 : 인원잔류현황

12.2 현대건설 출장자 1 명(김대운상무)이 12:30 항공편 출발 12.3 현재 주재국 잔류 아국인 현황은 129 명임.끝

(대사 최봉름-국장)

예고:90.12.31

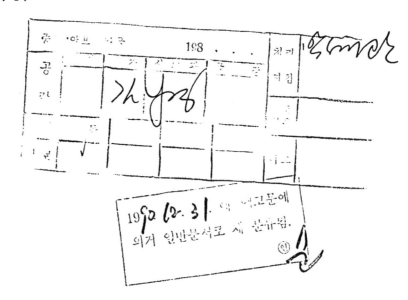

중아국   차관   2차보   영교국   안기부   건설부   노동부

PAGE 1   90.12.03   20:18
                                          외신 2과 통제관 CH
                                          0002

관리 번호	901 2099		원 본

외 무 부

종   별 :

번   호 : BGW-1011   일   시 : 90 1206 1000

수   신 : 장관(중근동,기정,영재,노동,건설,요르단대사) (중계필)

발   신 : 주 이라크대사

제   목 : 잔류인원 변동보고

    12.1 삼성종건 소속 직원 1 명이 당지로 귀임하고,12.2 삼성종건 직원 2 명이 휴가차 출발한것이 추가 확인되어 12.6 현재 아국인 잔류현황은 128 명임.끝

    (대사 최봉름-국장)

    예고:90.12.31

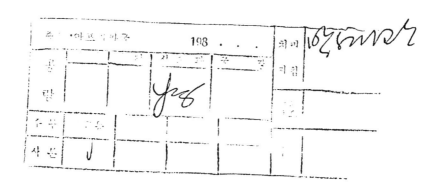

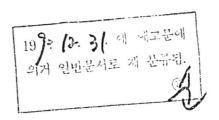

중아국   차관   1차보   2차보   영교국   안기부   건설부   노동부

PAGE 1   90.12.06   19:10

                                               외신 2과 통제관 CA

                                                      0003

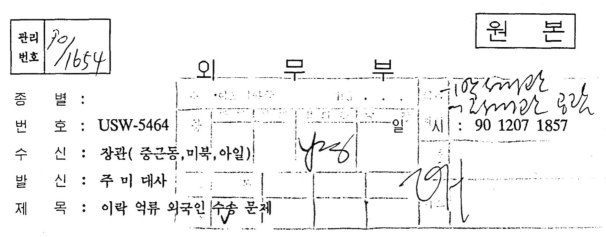

원 본

관리
번호 /1654

외 무 부

종 별 :

번 호 : USW-5464   일 시 : 90 1207 1857

수 신 : 장관(중근동,미북,아일)

발 신 : 주 미 대사

제 목 : 이락 억류 외국인 수송 문제

   1. 금 12.7. 국무부 근동국 DAVID MACK 부차관보는 훗세인 대통령의 이락내억류
외국인 전원 출국 허용 방침 발표 관련, 이락 및 쿠웨이트내에 잔류된 자국민을 공로
수송할것으로 예상되는 국가(주로 구라파 및 한국, 일본, 호주등 약 25 개국)의당지
주재 대사관 직원을 국무부로 초치, 자국민 수송을 위해 전세기등을 중동 지역에
파견하는 경우 관련국간 상호 통보등을 통해 동 수송 업무를효율적으로 추진해
나갈것을 제의한다고 하면서 하기 요지 언급함(당관 임 성남 2 등 서기관 참석)

   가. 미측으로서는 억류 미국인 수송을 위해 전세기를 파견하는 경우, 동 전세기가
수송 가능한 최대 인원을 공수함으로써 공석이 발생치 않도록 그간 노력해 왔는바,
여사한 관행을 계속 지켜 나갈것임(바그다드 주재 미국 대사관을 통해 우방국의
전세기 동승 요청이 있는 경우 최대한 협조할것임)

   나. 현재 이락측의 승인을 받은것은 아니나 이락 항공측으로 부터 전세기를임차,
12.9(일) 중으로 일단 쿠웨이트 억류 미국인 일부라도 바그다드로 수송해 올 계획임.

   다. 이와관련, 금일 참석국들이 향후 자국민 수송용 전세기등을 파견하는 경우,
운항 스케쥴, 최대 수용 가능인원등을 주이락 미국대사관이나 국무부측에 통보해
줄것을 제의함.

   라. 한국인의 경우, 언론 보도를 통해 이락에 140 명, 쿠웨이트에 9 명이 억류되어
있는것으로 파악하고 있는바, 미측의 협조가 필요한 경우 주이락 미국대사관을 접촉
바람.(미국인의 경우는 이락에 약 400 명, 쿠웨이트에 약 350 명이 억류되어
있는것으로 추산하고 있다 함)

   2. 한편, 금일 외교단 회합에 참석한 일본대사관 KAWAI 1 등 서기관이
임서기관에게 알려온바에 의하면, 일본측은 12.9. 12.12. 또는 13 및 12.22. 의
세차례에 걸쳐 전세기를 요르단에 파견할 계획이며, 한일 양국간 협의를 거쳐 동

중아국   차관   1차보   2차보   아주국   미주국

전세기에 한국인도 동승 시킬 예정인것으로 알고 있다고 함.

　이와관련, 향후 외교단 회합시등 참고코자하니 이락내 아국인 수송 계획등 관련
사항을 가능한 범위내에서 당관에 통보하여 주기 바람.

　(대사 박동진- 국장)

　예고:91.6.30 일반

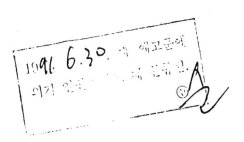

<table>
<tr><td>관리
번호</td><td>90/
1201</td></tr>
</table>

원 본

외 무 부

종 별 :

번 호 : BGW-1017 일 시 : 90 1208 1100

수 신 : 장관(중근동,기정,건설부,노동부,영재,주요르단대사:중계필)

발 신 : 주 이라크대사

제 목 : 잔류인원현황

　12.7.12:30 항공편 당지 삼성종건 소속 직원 1 명이 귀국, 현재 아국인 잔류현황은 127 명임.끝

　(대사 최봉름-국장)

예고:90.12.31

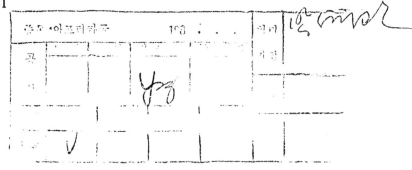

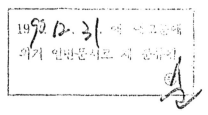

중아국　2차보　영교국　안기부　건설부　노동부

관리 번호	90/2108

원　본

외　무　부

종　별 :

번　호 : BGW-1022　　　　　　　　　　　일　시 : 90 1209 0900

수　신 : 장관(중근동,기정,영재,건설부,노동부,주요르단대사-직송필)

발　신 : 주 이라크대사

제　목 : 잔류인원현황

　　　12.9　12:30　항공편　현대　베이지북철현장소속　직원　1명이　출발,
현재아국인잔류현황은 126명임.끝.

　　　(대사최봉틈-국장)

　　예고:90.12.31일반

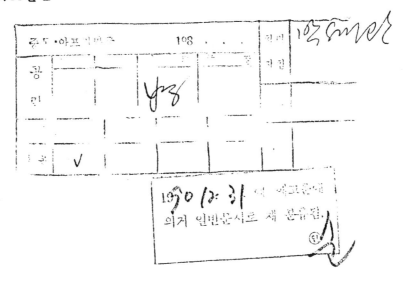

| 관리
번호 | 90/
2118 |

원 본

외 무 부

종 별 :

번 호 : BGW-1031

일 시 : 90 1212 0900

수 신 : 장관(중근동,기정,영재,건설부,노동부,주요르단대사)

발 신 : 주 이라크 대사

제 목 : 인원잔류현황

　　12.11 삼성종건 직원 1 명이 본국휴가후 당지 귀임하고, 현대소속직원및 근로자 7
명(바그다드 3, 바스라 4)이 출국, 현재아국인 잔류 인원현황은 120 명임.끝.

　(대사최봉름-국장)

　예고:90.12.31 일반

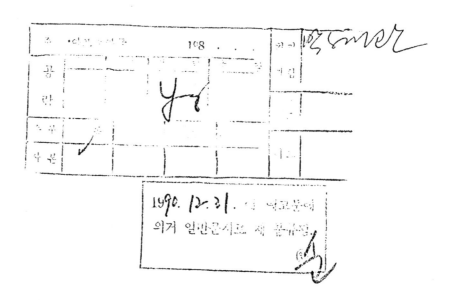

| 중아국 | 차관 | 2차보 | 영교국 | 안기부 | 건설부 | 노동부 |

PAGE 1

90.12.13　02:02

외신 2과　통제관 CH

0008

원 본

관리
번호

외 무 부

종 별 :

번 호 : BGW-1040

일 시 : 90 1215 1000

수 신 : 장관(중근동, 기정, 영재, 건설, 노동, 주요르단대사)

발 신 : 주 이라크대사

제 목 : 인원잔류현황

12.15 정우소속 1 명이 당지 귀임하여 현재 주재국 잔류 아국인 현황은121 명임. 끝

(대사 최봉름-국장)

예고 : 90. 12(285)31

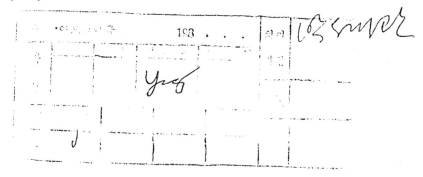

중아국 영교국 안기부 건설부 노동부

PAGE 1

원 본

관리번호	90 6134

외 무 부

종 별 :

번 호 : BGW-1047

일 시 : 90 1216 1100

수 신 : 장관(중근동,기정,영재,노동,건설,요르단대사)

발 신 : 주 이라크대사

제 목 : 인원잔류현황

12.16 현대 베이지 북철현장소속 1 명이 출발 현재 아국인 잔류인원 현황은120 명임.끝

(대사 최봉름-국장)

예고:90.12.31

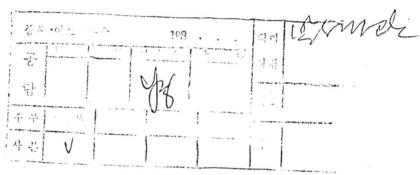

중아국	차관	2차보	영교국	안기부	건설부	노동부

PAGE 1

90.12.16   22:39
외신 2과 통제관 CH
0010

외 무 부

관리
번호 | 90-
1304

종 별 :

번 호 : BGW-1057   일 시 : 90 1219 1000

수 신 : 장관(중근동,기정,영재)

발 신 : 주 이라크 대사

제 목 : 비상대책

1. 최근 주재국,미국간 협상 일정 조정 실패로 군사위기가 다시 고조되는등쿠웨이트 철수 시한을 앞두고 화전양면의 정세 유동상이 계속되는 가운데 당지태국 대사관이 자국정부의 훈령이라고 하면 1.10 까지 당지 모든 태국근로자들을 철수시켜 줄것을 태국 인력을 고용중인 삼성(47 명)및 현대(25 명)측에 협조 요청해 옴에따라 당지 잔류 아국근로자들 사이에도 불안감이 조성되고 있음.

2. 본직은 12.18 당지 현대및 삼성지사장을 공관으로 불러 사태 악화가능성에 대비 단계별 비상시 행동및 철수계획을 재점검 보완하고, 가급적 잔류인원을 최소화 할수있도록 발주처 당국과 출국비자획득 교섭을 계속하면서 문제점을 수시 공관에 보고 협의토록 조치했음.

3. 한편 당관 자체적으로도 불요 문서분류 소각파기, 인접국 비자및 항공권확보등 비상대책준비를 계속중이며 주재국 정세추이및 당지 외교단 동태등을 예의 주시하면서 잔류 공관원들에 대한 단계별 행동계획드 재검토 강구위계임.끝

(대사 최봉름-국장)

예고:91.6.30

1991.6.30. 에 대고문 대
되지 인만문서 므 각 분류집

분류기호 문서번호	중근동 720-	기 안 용 지 (전화 :)	시 행 상 특별취급	
보존기간	영구·준영구. 10. 5. 3. 1.		장 관	
수 신 처 보존기간				
시행일자	1990. 12. 19.			

장   관

경

보 조 기 관	국 장	전결	협 조 기 관		문 서 통 제
	심의관				[도장: 1990.12.21]
	과 장				
기안책임자		박종순			발 송 인

경 유 수 신 참 조	수신처 참조	발 신 명 의		[도장: 발송 1990.12.21 외무부]

제 목	이라크 잔류 아국 근로자 철수

1. 최근 걸프 사태는 걸프역내에 51만명의 이라크군과 36만명의

다국적군이 대치하고 있고, 11.29. 유엔 안보리가 대이라크

무력사용을 승인 함으로 군사적 긴장이 고조 되고 있는 가운데,

미국과 이라크측간에 직접협상이 시도 되고 있어 사태의 평화적

해결 가능성이 보이고 있으나, 협상 일정에 대한 미·이라크간

이견 노출로 양측이 강경히 맞서고 있어 사태가 ~~매우~~

유동적인 것으로 보입니다.

/ 계속 ....

0012

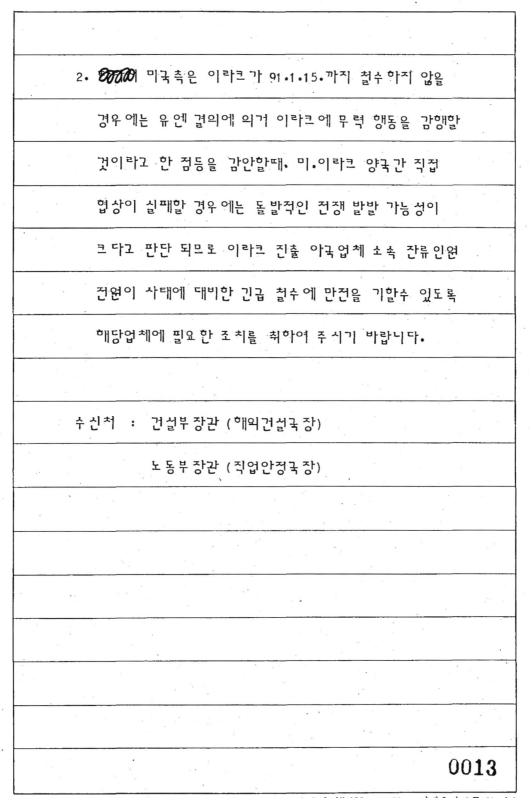

2. 또한 미국측은 이라크가 91·1·15·까지 철수하지 않을

경우에는 유엔 결의에 의거 이라크에 무력 행동을 감행할

것이라고 한 점등을 감안할때, 미·이라크 양국간 직접

협상이 실패할 경우에는 돌발적인 전쟁 발발 가능성이

크다고 판단 되므로 이라크 진출 아국업체 소속 잔류인원

전원이 사태에 대비한 긴급 철수에 만전을 기할수 있도록

해당업체에 필요한 조치를 취하여 주시기 바랍니다·

수신처 : 건설부 장관 (해외건설국장)

노동부 장관 (직업안정국장)

0013

1505-25(2-2) 일(1)을 "내가아낀 종이 한장 늘어나는 나라살림" 190mm×268mm 인쇄용지 2급 60g/㎡
85. 9. 9. 승인   가 40-41 1988. 9. 23

판리 번호	90/ 2152

원 본

외 무 부

종 별 :

번 호 : BGW-1060   일 시 : 90 1220 0900

수 신 : 장관(중근동,기정,영재,건설,노동,주요르단대사)

발 신 : 주 이라크대사

제 목 : 인원잔류현황

    12.19.12:30 항공편 당지 삼성종건 소속 직원및 근로자 2 명이 출발하고
12.20.12:30 항공편 현대소속 직원 3 명(베이지 1, 알무스 1, 바스라 1)이 출발 현재
아국인 잔류인원 현황은 115 명임.끝

    (대사 최봉름-국장)

    예고:90.12.31

중아국   2차보   영교국   안기부   건설부   노동부

長 官 報 告 事 項

1990.12.21.
中 近 東 課

題 目 : 걸프地域 各國 居留民 撤收 動向

美.이락 直接 協商이 베이커 國務長官의 이락 訪問 日字 問題로 成事되지 못함에 따라 걸프事態는 다시 昏迷狀態로 접어들고 있으며, 12.17. 英國에 이어 泰國, 아일랜드, 덴마크가 自國民 撤收를 勸告하고 있는바 現地 公館이 報告해온 內容은 다음과 같습니다.

---

1. 영국 외무성, 12.17. 바레인, 카타르, 사우디를 거주 21,475명 철수 권고

2. 주 이락 태국 대사관, 12.18. 이락내 아국업체 소속 자국 근로자(삼성 47, 현대 25) 1.10.한 출국 협조 요청

3. 아일랜드 외무부, 12.19. 사우디, 바레인, 카타르, UAE 1,500명 1.15.한 철수 권고

4. 덴마크 정부, 12.20. UAE, 시리아, 오만 거주 약 1,000명 1.15.한 철수 권고

5. 참고로 12.21 현재 아국 체류자 현황은 이락에 115명, 쿠웨이트 9명인바, 상기 각국의 철수 권유에 비추어 아국도 가급적 최대한 철수토록 현지 공관에 재지시 하였음. 끝.

0015

걸프사태 : 재외동포 철수 및 보호, 1990-91. 전14권 (V.8 이라크 동포 긴급철수, 1990.12-91.4월) 377

長官報告事項

報告畢

1990.12.21.
中近東課

題 目 : 걸프地域 各國居留民 撤收動向

> 美.이락 直接 協商이 베이커 國務長官의 이락 訪問 日字 問題로 成事되지
> 못함에 따라 걸프事態는 다시 昏迷狀態로 접어들고 있으며, 12.17. 英國에
> 이어 泰國, 아일랜드, 덴마크가 自國民 撤收를 勸告하고 있는바 現地 公館長이
> 報告해온 內容은 다음과 같습니다.

1. 英國 外務部, 12.17. 바레인, 카타르, 사우디 東部地域 居住 21,475名
   撤收 勸告

2. 駐 이락 泰國 大使館, 12.18. 이락內 我國業體 所屬 自國 勤勞者(삼성 47,
   현대 25) 1.10.한 出國 協調 要請

3. 아일랜드 外務部, 12.19. 사우디, 바레인, 카타르, UAE 居住 1,500名
   1.15. 한 撤收 勸告

4. 덴마크 政府, 12.20. UAE, 시리아, 오만 居住 약 1,000名 1.15. 한 撤收 勸告

5. 參考로 12.21 現在 我國 滯留者 現況은 이락에 115名, 쿠웨이트에 9名인바,
   上記 各國의 撤收 勸誘에 비추어 我國도 可及的 最大限 撤收토록 現地 公館에
   再指示 하였음. 끝.

0016

관리 번호	92/1688		분류번호	보존기간

발 신 전 보

WMEM-0040   901221 18:8   CG   종별 :

번 호 :

수 신 : 주 수신처 참조   /대사/·/총영사/

발 신 : 장 관   (중근동)

제 목 : 체류 교민 자진 철수 종용

1. 미.이락 직접협상 가능성이 ~~희박해짐에~~ 행동책임에 따라 영국에 이어 태국, 아일랜드, 덴마크가 걸프지역에서 자국민 철수를 권유하고 있는바, ~~귀지 체류~~ ~~교민이 조속히 자진 철수토록 종용 바라며,~~ 기란드 돌발적 사태 발생에 대비한 교민 긴급 비상 철수 계획 수립등 만반의 사전 준비를 다하기 바람. ~~(모라타니아의 경우는~~ ~~12.20. 자 WEM-0039 참조)~~

2. 본부 작성 비상대책안은 정파편(또는 특파편) 송부 위계임.

(중동아국장 이 행 준)
(차관 유 종 하)

예 고 : 91. 6. 30. 일반

수신처 : 주 바레인, 사우디, UAE, 이란, 이락 카타르, 오만, 요르단, 예멘 대사,
주 젯다 총영사)

사본 : 중동공관중 수신처 제외

1991. 6.30. 에 대고문서
의거 일반 1급 근무

앙 고 재	90 년 12 월 21 일	중 근 동 과	기안자 성명 박종순		과 장	심의관	국 장	1차보	차 관 전결	장 관		보 안 통 제	

0017

관리 번호 90/1187

분류번호	보존기간

발 신 전 보

번 호 : WBG-0614   901221 1829 CG   종별 :

수 신 : 주이라크   대사 //총영//사

발 신 : 장 관 (중근동)

제 목 : 잔류 교민 철수

대 : BGW-1057

연 : WBG
    WHEM-40

1. 연호 관련 진출업체와 긴급 협의, 잔류교민 전원이 조속 철수토록
조치 바람. 끝.

(중동아국장 이 해 순)

예 고 : 91.6.30 까지

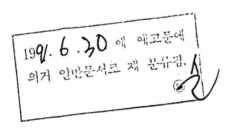

1991. 6. 30 에 예고문에
의거 일반문서로 재 분류됨.

보 안
통 제

앙고재	90년 12월 21일 중근동	기안자 성명 박창순	과장 가	심의관 양	국장 전결		차관	장관 예	외신과통제

0018

영재 유

관리
번호 | 90-
1461

외 무 부

종 별 :

번 호 : BGW-1071   일 시 : 90 1222 1200

수 신 : 장관(중근동,기정)

발 신 : 주 이라크 대사

제 목 : 정세보고

1. 주재국동향

가. 아지즈 외무장관은 지난 12.17 당지 소련대사를 접견한 자리에서 이라크는 안보리 결의 678 호를 인정하지 않으며 미국과의 회담일자등 문제에서 이라크의 입장이 1 밀리미터도 움직이지 않을것임을 강조했다고 금 12.22 자 바그다드 옵서버지가 보도함. 동 보도에 의하면, 소련대사는 아지즈장관에서 세바르드나제 외무장관의 친서를 전달했다고 하는바, 동서한에서 세바르드나제 장관은 무력충돌 발생가능성에 대한 우려를 표명하고 미.이라크 대화의 필요성을 강조했다고 함.

나. 아지즈 외무장관은 12.21 금번 유엔안보리의 팔레스타인 문제관련 결의내용이 매우 미흡하다고 지적하고, 미국이 국제적으로 최대의 범죄자라고 비난하는 성명을 발표함

다. 주재국은 지난 수일간 국토전역에서 민방위 및 주민소개훈련을 실시하고있는바, 12.21 에는 바그다드에서 1 백만명 소개훈련을 실시했다고 발표함. 이와관련, 당지에서는 동일 일부 도로봉쇄 및 차량이동이 목격되기는 했으나 1 백만명 규모의 대규모 이동은 감지되지 않았음을 첨언함

2. 아국관련 동향

아국업체들에 의하면, 주재국 당국은 얼마전부터 대이라크 경제제재 국가에대한 보복조치인 혁명지도위 결정 377 호(90.9.16)를 아국에도 적용키 시작했다고 함. 이에따라 아국업체들은 월 1만디나 한도내에서만 은행예금 인출이 허용되고 있어 운영상 다소의 어려움을 겪고있으며, 일부에서는 공사가 끝난 건설장비의 반출에도 문제점이 발생하고있음. 관련 동향 추보예정임.끝

(대사 최봉름-국장)

예고:91.6.30 일반

1991.6.30. 에 예고문 에
외거 일반문서로 재 분류됨

중아국	장관	차관	1차보	2차보	영교국	청와대	안기부

PAGE 1

	담 당	계 장	과 장	관리관	국 장

90.12.22   20:38

외신 2과   통제관 CE

0019

원 본

관리
번호 $\frac{50}{1689}$

외 무 부

종 별 :

번 호 : BGW-1070   일 시 : 90 1222 1200

수 신 : 장관(중근동,기정)

발 신 : 주 이라크 대사

제 목 : 잔류아국인 철수

대:WBG-0614

연:BGW-1057

1. 대호, 본직은 12.22 당지 현대, 삼성, 한양등 업체대표를 공관으로 불러정부의 전원철수 지침을 문서로 시달하고, 각업체가 동 정부방침에 따라 아국인원 전원을 당관과의 긴밀한 협의하에 조속 철수시킬수있도록 주재국 발주처의 출국동의요청등 필요한 절차를 취하도록 조치함

2. 상기와관련, 당지지사에서 소속 인원의 철수를 시행하기 위해서는 서울 본사의 지침 또는 승인이 필요함을 감안, 본부에서 현대, 삼성, 한양, 정우등 4 개 잔류업체 본사와 접촉, 현지실정을 자세 설명하고 원활한 철수를 위한 협조를당부해 주시기 건의함

3. 주재국으로부터의 출국허가 취득, 철수과정에서의 근로자들의 동요 가능성등을 감안, 당지에서 본건 보안에 각별 유의토록하고 있는바 신문, 방송등에 보도되지 않도록 해주시기 바람. 끝

(대사 최봉름-국장)

예고:91.6.30 일반

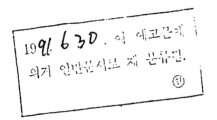

발 신 전 보

WBG-0617   901224 1103 CT   종별: **초긴급**

번 호 : _____

수 신 : 주   이라크 대사. *총영사//*

발 신 : 장 관   (중근동)

제 목 : 교민철수

연 : WBG-0614

　　1.　연호지시는 WMEM-0040 ~~한~~ 통보한 일부 국가의 자국민 철수

상황에 비추어 전쟁 발발시 걸프지역 국가 중 귀관이 가장 신속히 필요한

대책을 취해야 할 필요성이 있어 귀관의 특별한 주의를 환기 하기 위한 뜻이 *였으바*

잔류 교민 전원의 즉시 철수로 이해될 듯 함. ~~~~ 즉 철수를 ~~~~ 최대한 *현장*

~~~~ 하되 철수를 즉각 실시하라는 것은 아니었으니 *동휘지를 이해하여*, 진출

근로자들이나 업체가 지나치게 동요하지 않도록 적의 조치 바람.

　　3.　~~~~ 진출업체 본사~~와도~~ 상기에 따라 적의 설명하~~겠~~*였*음.　끝.

　　　　　　　(*이는 별부이다*)

　　　　　　　　　　　　　　　　　　　(중동아국장 이 해 순)

예 고 : 91. 6. 30. 일반

1991. 6. 30. 이 예고문에
의거 일반문서로 재 분류됨.
(신)

| 보안
통제 | 7h |

앙 고 재	90 년 12 월 24 일	중 근 동 과	기안자 성 명		과 장	심의관	국장		차 관	장관	
			백충훈		7h	애	전결			기애	

외신과통제

0021

원 본

관리 번호	90 /2167

외 무 부

종 별 :

번 호 : BGW-1074   일 시 : 90 1224 1200

수 신 : 장관(중근동,기정,영재,건설,노동,주요르단대사)(중계필)

발 신 : 주 이라크 대사

제 목 : 인원잔류현황

12.20 현대소속 직원 1 명이 당지로 귀임한것이 추가확인되어 12.24 현재 아국인력 잔류인원은 ⑯명임.끝

(대사 최봉름-국장)

예고:91.6.30

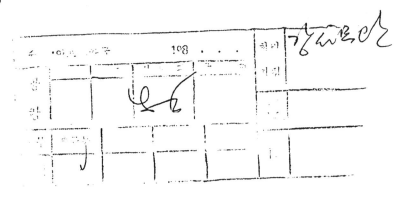

중아국	차관	1차보	2차보	영교국	안기부	건설부	노동부

PAGE 1   90.12.25   05:41

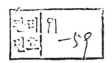

기 안 용 지

분류기호 문서번호	중근동20005- *IPU V*	(전화 :	)	시 행 상 특 별 취 급		
보존기간	영구·준영구. 10. 5. 3. 1.	장		관		
수 신 처 보존기간				7L		
시행일자	1990.12.24.					

보 조 기 관	국 장		협 조 기 관		문 서 통 제	견도 [다] 12.27 분저건
	심의관					
	과 장	전결			발 송 일 인	반신수 [다] 12.27 외무부
기안책임자		박 중 순				

경 유 수 신 참 조	수신처참조	발 신 명 의	

제 목	걸프전쟁 발발 대비 비상대책안

당부에서 작성한 표제 비상대책안을 별첨과 같이 송부하오니

귀업무에 참고하시기 바랍니다.   *1991. 630*
의거 ...

첨부 : 동 비상대책안 1부. 끝.

1/3   *2/3*

수신처 : 대통령비서실장, 국무총리실행정조정실장

예 고 : 91.6.30.일반.

0023

1505-25(2-1) 일(1)갑
85. 9. 9. 승인   "내가아낀 종이 한장 늘어나는 나라살림"
190㎜×268㎜ 인쇄용지 2급 60g/㎡
가 40-41 1990. 5. 28

목   차

1. 상   황

2. 기본적 고려사항

3. 기본 방침

4. 대   책

   가. 교민 안전 및 철수 문제
   나. 경제적 이익 보호 문제
   다. 원유 공급 문제
   라. 군비 추가 부담 문제
   마. 군 의무단등 비전투요원 파견 문제
   바. 북한의 도발 가능성 문제

5. 당면 조치사항

0024

1. 상 황

가. 걸프사태는 11.29. 유엔 안보리가 대이락 무력 사용을 승인
하였음에도 불구하고 부시 미국 대통령이 12.1. 이락에 직접
협상을 제의하고 이락이 이를 수용하는 동시에 곧이어 서방인질
전원의 석방을 결정 하므로서 평화적 해결의 전망이 밝아지는듯
하였으나 베이커 장관의 이락 방문 일자를 놓고 양측이 강경히
맞서고 있어 다시금 대단히 유동적인 국면을 마지하고 있음.

나. 미국과 이락간의 협상이 실패할 경우 미국은 어차피 무력사용이
이락의 군사력 약화라는 미국의 전략 목표를 가장 확실하게 보장
하는 방법이 되겠으므로 안보리의 무력사용 승인 결의를 배경으로
전쟁을 수행할 가능성이 있다고 봄.

다. 무력사용의 경우 이는 기습적, 전격적, 단기적인 대량 공격이
될 것으로 예상됨. 1월 초순까지는 다국적군 약 55만, 이락군
약 45만이 배치될 것으로 봄.

라. 이러한 전망 하에서 무력충돌에 대비한 비상대책을 수립해
두고자 하는것이 본 대책(안)의 배경임.

2. 기본적 고려사항

전쟁 발발시 아국의 기본적인 고려사항은 다음이 될 것임.
가. 아국인 안전 및 신속 철수
나. 이락내 아국의 경제이익 보호
다. 안정적 원유 확보
라. 국제적 평화 유지 활동 참여
마. 북한의 도발 가능성에 대비한 경계 태세의 강화

0025

3. 기본 방침

이상 고려사항을 염두에 두고 대책을 마련함에 있어 다음을 기본
방침으로 삼고자 함.

가. 관계부처간 협조체제의 확립

나. 현지 공관의 활동 지원

다. 진출업체와 협력

라. 우방과 긴밀협의 및 협조

4. 대 책

가. 교민 안전 및 철수 문제(공관원, 가족 포함)

    1) 현 황

        가) 쿠웨이트 잔류인원 9명은 개인 사업상 철수 불원

        나) 이라크 잔류인원 120명은 공관원 및 가족과 업체소속
            필수 요원임.

    2) 대 책

        가) 단계적 철수 추진

            <u>1단계 (사태악화 예상시)</u>

            ① 이라크 잔류인원 철수 (필수요원 제외)

            ② 인접국 체류교민 자진철수 권장

            <u>2단계 (개전 임박 판단시)</u>

            ① 이라크 잔류 필수요원도 철수

            ② 주이라크 대사관 인원 감축 (우방국과 공동 보조)

            ③ 인접국 체류 교민 자진 철수 계속 권장

0026

3단계 (전쟁 발발시)

① 주이라크 대사관 완전 철수

- 우방국과 공동 보조

- 잔류교민 보호, 미수금 문제, 장기적 경제
  이익등도 감안

나) 철수 대비 사전 조치

① 1.10. 전후 상황 판단 실시

② 공관수준 긴급 철수계획 수립

③ 업체별 철수 계획은 공관의 종합 계획과 연계

④ 현지공관 및 업체 비상연락망 구성

⑤ 비상 대피시설 확보

⑥ 출국 허가 획득

⑦ 비상식품, 의약품 특별지원 방안 강구

⑧ 주이라크 및 인접 공관에 비상금 확보

⑨ 관련공관에 화생방 장비 지원 (11월 기조치)

⑩ 교민용 화생방 장비는 업체별로 지원

나. 경제적 이익 보호 문제

1) 건설분야

가) 이라크 신규공사 수주 금지

나) 미수금에 따른 진출회사의 자금 압박 완화 지원

다) 공사 중단에 따른 분쟁소지 제거

라) 미수금 현황

① 이 라 크 : 7개사 972 백만불

② 쿠웨이트 : 3개사 63 백만불

0027

2) 교역분야

　　가) 교역 손실 극소화 방안 강구

　　나) 수출 보험 강화 방안 강구

　　다) 전후 역내 예상수요에 대비

　　라) 대이라크 경제 제재 조치로 예상되는 수출 차질액
　　　　(90.8-12월 기준)

　　　　① 이 라 크 : 110 백만불

　　　　② 쿠웨이트 : 80 백만불

다. 원유 공급 문제

　1) 유가 인상에 따른 추가 부담 예상

　　가) 25불 기준시 1차년도 15-30 억불

　　나) 배럴당 1불 인상시 연간 330 백만불

　2) 대 책

　　가) 단계별 원유 공급

　　　　① 1단계 : 정유사 도입 물량으로 충당

　　　　② 2단계 : 정부 비축 및 정유사 재고 활용(70:30)

　　　　③ 3단계 : 원유 확보상태를 보아 비축, 사용계획 조정

　　나) 전쟁 장기화 대비 중장기 대책 수립

라. 군비 추가 부담 문제

　1) 지원 현황

　　가) 1990년　다국적군 95 백만불
　　　　　　　　주변국 경제지원 75 백만불

　　나). 1991년　다국적군 25 백만불
　　　　　　　　주변국 경제지원 25 백만불

0028

2) 요청 있을때 고려사항 (주로 외교적 측면)

　　가) 아국의 대이락 및 대아랍권 정치, 경제적 이익

　　나) 이집트, 시리아등 미수교국과의 수교 측면지원 가능성

　　다) 타국의 추가 지원 현황

　　라) 의무단 파견등, 여타 방법 지원 가능성

마. 군 의무단등 비전투요원 파견 문제

　1) 사우디측에 일단 기 제의했으나 상금 회신 미접

　2) 고려사항 (주로 외교적 측면)

　　가) 사태 평정후 대이락 관계 불편

　　나) 의무단 파견이 연계선이 된 파병 가능성

　　다) 경제적 부담

바. 북한의 도발 가능성 문제

　1) 동서 화해로 생긴 힘의 공백을 이용한 제3세계 지도자들의
　　모험주의 대두

　2) 강력한 군사력, 내부불만등 이락과 북한의 유사성

　3) 걸프만 전쟁 발발시 한반도 및 주변 미군의 부분적 이동 가능성

5. 당면 조치 사항

가. 각급 비상대책반 운영

　1) 외무부 비상대책반(중동아국 중심 24시간 운영)

　2) 정부 합동 대책반 (1차보 주재 관계부처 국장급)

　3) 주이라크 대사관 관민 대책회의 (대사 주재 진출업체 포함)

　4) 중동 공관장 회의 (1월 초순, 리야드 개최)

나. 비상대책 관련 예산 확보

0029

長 官 報 告 事 項

報告畢

1990.12.26.
中近東課

題 目 : 이라크 滯留 外國人 撤收 動向(2)

美. 이라크間 直接 對話가 決裂됨에따라 戰爭 可能性이 높아지고 1.15.이
臨迫하면 이라크로 부터의 航空路가 閉鎖될 것을 憂慮, 各國은 이라크 滯留
自國民 撤收를 서두르고 있는바, 主要國家 撤收 動向을 아래와 같이 報告
합니다.

1. 各國의 自國民 撤收 動向

가. 美國, 英國, 佛蘭西, 西獨, 日本等 西方國家는 民間人 殘留者를 全員 撤收함.

나. 蘇聯은 殘留者 2,000여명 撤收를 위해 이락과 出國 交涉을 進行中이나
이라크가 契約上 義務 不履行 報償을 要求함에 따라 交涉이 膠着狀態에 있음.

다. 泰國은 1.10. 까지 殘留 民間人 全員 撤收 豫定임(我國業體에 就業한 泰國人
73명이 撤收할 수 있도록 協調를 要請해옴)

라. 인도, 방글라데시, 수단, 파키스탄等은 滯留 人員이 많고 極貧者들도
많아 積極的으로 撤收를 推進할 수 없는 實情임.

2. 各國 公館 人員 縮小 動向

바그다드 駐在 各國 大使館도 職員 年末 休暇等 名目으로 人員을 縮小中임.

가. 美國 大使館 人員 23名중 5명만 殘留함.

나. 일본 大使館은 職員 18名中 4名을 이미 撤收하고 7,8名 追加 撤收 예정임.

3. 建 議

가. 上記 各國의 自國人 撤收 動向에 비추어 이락 殘留 我國人(12.26 현재 112명)
의 早速 撤收 措置를 建議함.

나. 我國 公館員은 大使, 2等書記官, 外信官, 派遣官 4名인바 他國 公館 撤收
내지 縮小 動向을 보아 別途 建議하겠음. 끝.

0030

우

영재

| 관리
번호 | 90-
/3/3 |

외 무 부

종 별 :

번 호 : BGW-1080   일 시 : 90 1226 1300

수 신 : 장관(중근동,기정)

발 신 : 주 이라크 대사

제 목 : 인원철수

영 사 교 민 국	인 신 인	담 당	계 장	과 장	관리관	국 장

대:WBG-0623

연:BGW-1070,1071,1075

①. 대호, 아국근로자 출국을 위해서는 발주처의 출국동의 및 주재국 이민당국의 출국비자를 받아야하므로 상당한 시간이 필요함(현장별수속, 발주처 소속장관 허가필요등)을 감안, 당관은 당지 아국업체로 하여금 비상시 즉각 철수가 가능토록 최대가능인원에 대한 출국비자를 사전에 받아 높도록 종용하고있음. 실제철수시행 시기는 우선 해당 진출업체의 업무형편을 고려 업체별로 동업체가 결정시행하되, 사태 추이에 따라 적절한 시점에 본부의 지원을 별도 건의 예정임

2.12.26 현재 당관 아국인원은 9 명(직원 4 명, 우직의처, 사무보조, 운전기사, 요리사, 가정부등 고용원 4 명)인바, 그중 우처, 운전기사, 요리사, 가정부등 4 명은 91.1. 중 적절한 시기에 우선 일시귀국토록하고 본직, 직원 3 명 및사무보조 고용원등 5 명이 계속 근무하는 방안이 현시점에서는 무난할것으로 사료됨

3.12.26 현재 주재국외교단 72 개국중 호주, 방글라데시, 브라질, 불가리아,덴마크, 불란서, 독일, 아일랜드, 요르단, 모로코, 화란, 뉴질랜드, 놀웨이, 폴투갈, 루마니아, 사우디, 스페인, 태국, 터키, 미국, 유고 등21 개국중 공관장이 부재중인것으로 우선 확인되었으며, 금후 상당수 공관장및 공관원이 연말연시 휴가등 명목으로 추가 출국할것으로 예상됨

4. 연호 보고와같이 주재국은 이미 아국을 혁명지도위 포고령 377 호(대이라크 경제제재 국가에 대한 보복조치)적용국가로 포함시킨것으로 파악되고있는바, 앞으로 아국이 이동외과병원을 걸프지역에 파견을 명하는경우, 아국도 적성국으로 간주, 아국인에 대한 처우등에서 현재보다 더 비우호적으로 나올 가능성이 우려됨. 이와관련 당지 체류 아국인 보호 차원에서 가능한 최선의 조치를 취할수있도록 정부의 군의관

중아국   장관   차관   2차보   영교국   청와대   안기부

PAGE 1   90.12.26   21:50

파견등 시행의 경우 당관에 사전 통보해주시기를 건의함. 끝

(대사 최봉름-국장)

예고:91.6.30

1991.6.31. 에 대고군에
의거 일반문서로 지 간다다

	분류번호	보존기간

발 신 전 보

WBH-0184   901227 1813 DP

번   호 :   종별 :

수   신 : 주 수신처 참조 ///대사//총영사 (사본 : 주이라크 대사)

발   신 : 장 관 (중근동)

제   목 : 교민 자진 철수 권유

WSB -0604	WAE -0292
WHR -0488	WQT -0147
WOM -0181	WJO -0559
WYM -0285	WJD -0142
✓WBG -0628	

연 : WMEM-0040

1. 미.이라크 직접협상 결렬로 (난항으로) 걸프지역에 전쟁 위험이 높아짐에 따라 영국, 덴마크등 여러나라가 동 지역 체재 자국인에 대해 자진 철수를 권유하고 있는 상황에 비추어 아국도 전쟁 발발에 대비 교민 안전을 위한 조치를 취하여야 할것으로 판단되니 (과지 체류 교민이) 가능한한 자진 철수를 수 있도록 권유 바람. 현지 실정에 적합한 조치를 취하여 주시기 바람. (관계단에따라)

2. 상기 관련 진출 근로자나 업체의 지나친 동요가 없도록 각별히 유념 바람. 끝.

(차 관 유 종 하)

예 고 : 91.6.30.까지

수신처 : 주 바레인, 사우디, UAE, 이란, 카타르, 오만, 요르단, 예멘 대사, 주 젯다 총영사

제2차보 1년 영사교민주장

보 안	
통 제	

안고재	90년 12월 일 중근동 과	기안자성명		과 장 심미란	국 장 제1천관보	차 관	장 관 전결		외신과통제

0033

관리
번호 /2143

원 본

외 무 부

종 별 :

번 호 : BGW-1094　　　　　　　　　　　일 시 : 90 1230 1200

수 신 : 장관(중근동,기정,영재,건설,노동,사본:요르단대사-중계필)

발 신 : 주 이라크 대사

제 목 : 인원잔류 현황

　　12.29 현대직원 1 명이 당지로 귀임하고, 12.30 당지 정우지사장(동방영철)이 휴가차 출발, 현재 아국인 잔류인원 현황은 116 명임.끝

　　(대사 최봉름-국장)

　　예고:91.6.30

중아국　　장관　　　차관　　　1차보　　　2차보　　　정문국　　　영교국　　　청와대　　　안기부
건설부　　노동부

외신 2과　통제관 CW

0034

지 급

기 안 용 지

분류기호 문서번호	중근동 720- 371	(전화:)	시 행 상 특별취급	
보존기간	영구.준영구 10. 5. 3. 1.	장		관

수 신 처 보존기간		
시행일자	1990.12.31.	

보 조 기 관	국 장		협 조 기 관		문 서 통 제
	심의관				1991. 1. 03
	과 장				
기안책임자		박 규 옥			발 송 인
					반송송 1991. 1. 03 의무부

경 수 참	유 신 조	수신처 참조	발 신 명의	

제 목	이라크 잔류 아국 근로자 조기철수 독려

연 : 720-62394 (90.12.21.)

1. 최근 걸프사태는 미.이라크 직접 협상을 통한 평화적 해결

가능성이 희박해지고 있는 가운데, 부시 미 대통령은 91.1.15.

까지 이라크가 쿠웨이트로 부터 완전 철수하지 않을 경우

이라크에 대한 무력 행사를 감행할 것이라고 경고한데 대하여

이라크는 이를 거부하고 일사 불전의 강경한 자세를 고수함으로써

0035 걸프 역내는 무력충돌 가능성이 더한층 고조되고 있습니다. /...

2. 전쟁이 발발하는 경우, 이라크 잔류 근로자들의 신변안전이

크게 우려되고 있는바 현대, 삼성, 한양, 정우등 4개 진출업체

본사에 사태의 심각성을 설명하고, 이라크 근로자들이 전원

조기 철수되는 방향으로 (가급적 91.1월 상반기중) 독려하여

주시기 바랍니다.   끝.

수신처 : 건설부장관, 노동부장관

0036

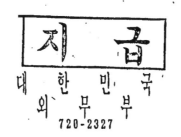

지 급

대한민국
외무부

중근동 720-
720-2327
1991. 1. 3.

수 신 : 노동부장관
참 조 : 직업안정국장
제 목 : 이라크 잔류 아국 근로자 조기철수 독려

연 : 720-62394 (90.12.21)

1. 최근 걸프사태는 미•이라크 직접 협상을 통한 평화적 해결 가능성이 희박해지고 있는 가운데, 부시 미 대통령은 91.1.15.까지 이라크가 쿠웨이트로 부터 완전 철수하지 않을 경우 이라크에 대한 무력 행사를 감행할 것이라고 경고한데 대하여 이라크는 이를 거부하고 입사 불전의 강경한 자세를 고수함으로써 걸프 역내는 무력충돌 가능성이 고조되고 있습니다.

2. 전쟁이 발발하는 경우, 이라크 잔류 근로자들의 신변안전이 우려되고 있는바 현대, 삼성, 한양, 정우 등 4개 진출업체 본사에 사태의 심각성을 설명하고, 이라크 근로자들이 전원 조기 철수되는 방향으로 (가급적 91.1월 상반기중) 독려하여 주시기 바랍니다. 끝.

외 무 부 장

중동아프리카국장 인철

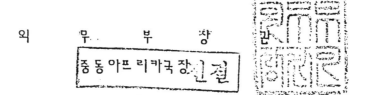

0037

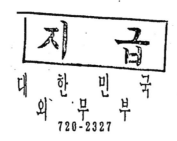

지 급

대 한 민 국
외 무 부

중근동 720-   720-2327   1991. 1 . 3 .

수 신 : 건설부장관

참 조 : 해외건설국장

제 목 : 이라크 잔류 아국 근로자 조기철수 독려

연 :   720-62394 (90.12.21)

1. 최근 걸프사태는 미·이라크 직접 협상을 통한 평화적 해결 가능성이
   희박해지고 있는 가운데, 부시 미 대통령은 91.1.15.까지 이라크가
   쿠웨이트로 부터 완전 철수하지 않을 경우 이라크에 대한 무력 행사를
   감행할 것이라고 경고한데 대하여 이라크는 이를 거부하고 입자 분전의
   강경한 자세를 고수함으로써 걸프 역내는 무력충돌 가능성이 더한층
   고조되고 있습니다.

2. 전쟁이 발발하는 경우, 이라크 잔류 근로자들의 신변안전이
   우려되고 있는 바 현대, 삼성, 한양, 정우등 4개 진출업체에
   사태의 심각성을 설명하고, 이라크 근로자들이 전원 조기 철수되는
   방향으로 (가급적 91.1월 상반기중) 독려하여 주시기 바랍니다. 끝.

외   무   부   장   관

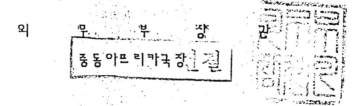

0038

영제 유

관리번호 91- /

외 무 부

종 별 : 지급

번 호 : BGW-0011

일 시 : 91 0103 1200

수 신 : 장관(중근동)

발 신 : 주 이라크 대사

제 목 : 공관인원철수

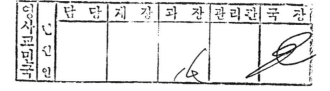

대:WBG-0635

연:BGW-1080(1),1070(2)

1. 당관 인원철수는 연호(1)와 같이 우처, 요리사, 가정부등 3 명을 우선 1.9 당지 출발, 일시귀국 시키고자함. (연호 보고중 운전기사는 본인의 잔류희망 감안 일단제외), 여타 인원(6 명)철수문제는 당지 아국업체 잔류인원들이 공관원잔류사실에 크게 의존하고 있는 실정을 감안, 아국근로자 철수상황, 현 사태진전, 타국공관동향등을 종합적으로 고려, 추후 건의 예정이며, 긴급 상황 발생시에 대비, 당지출발 항공편예약, 불필요 문서 소각등을 사전 조치중임

2. 아국 근로자 철수는 1.7-8 경까지 삼성 8 명, 한양 3 명, 현대 12 명등 약 23 명이 철수, 잔류 근로자 총수가 현재의 107 명에서 84 명선으로 줄어들것으로 예상되는바, 당관은 현사태가 매우 유동적이며 태국등 타국근로자 전원 철수방침을 고려, 가능한 최대한의 인원이 조속 철수할것과 잔류근로자 전원의 출국비자를 사전에 받아 놓도록 당지업체측에 계속 독려중임. 이와관련, 당지지사의근로자 철수시행을 위해서는 연호(2)본사의 확고한 지침시달이 긴요함을 감안, 본부에서 4 개 잔류업체 본사(특히 현대)와 긴밀히 협의해 주시기바람

3. 상기 1 항 우선 철수 3 명및 금후 공관원 비상철수 가능성에 대비, 비상철수 자금(3 만불정도 예상)을 주요르단대사관에 송금, 보관토록 조치해 주실것을 건의함

4. 연호이후 파악된 타국공관원 철수관련 동향을 참고로 다음 보고함

가. 당지 각국공관은 1.15 이 다가오는데도 주재국측이 쿠웨이트 철수움직임을 보이지않고 있는데 실망하면서도 BAKER 미국무장관의 1.9 경 주재국 방문설,EC 의 중재노력에 일루의 희망을 갖고있는 가운데, 만일의 사태에 대비 최소필수요원을 제외한 공관원을 철수시키고 있음

중아국	장관	차관	1차보	2차보	영국국	청와대	안기부

나.ASEAN 4 개국과 폴란드, 핀랜드, 스웨덴, 중남미 국가들은 현지 공관장 판단에 따라 철수토록 재량권을 위임함.

　　다. 당지 대부분 공관들은 2-3 명만을 남겨두고 있으며, 미국(4 명), 영국(5명), 일본(1,6,4 명으로 축소예정)등 규모가 큰공관은 4-5 명선을 잔류시키고 있음. 방글라데시외에는 전원철수 공관은 현재까지는 없는것으로 보임.끝

　　(대사 최봉름-차관)

　　예고:91.12.31 일반

1991.12.31. 예고문에
의거 일반문서로 재 분류함

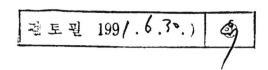

검토필 1991. 6. 30.)

이라크 주재 근로자 철수 대책 회의

1. 일   시 : 1991.1.4.   10:30-11:20

2. 장   소 : 중동아프리카국 심의관실

3. 회의참석 범위

  ○ 주   재 : 중동아프리카국 양태규 심의관

  ○ 업체 참석자

    - 현대건설 해외업무부 이종윤 차장

    - 삼성종합건설 해외공사팀 조현호 부장

    - 한양건설 조통하 상무

    - 정우개발 특수사업부 나경석 과장

4. 회의내용

  가. 업체 반응

    ○ 잔류 근로자 조속 철수는 각업체의 기본 입장

    ○ 최소 필수요원 제외한 모든 근로자에게 출국 비자 받도록 노력

    ○ 인명도 중요하나 재산상 손실 최소화도 간과할수 없음

    ○ 유사시 인접국 (터키등) 으로의 대피도 고려중

  나. 협조 요망사항

    ○ 이라크 출국비자 발급에 협조

    ○ 철수에 따른 미수금등 분쟁 발생시 동문제 해결에 정부의
      적극 지원 협조

0041

관리 번호	PI -28

	분류번호	보존기간

발 신 전 보

번   호 :   WTU-0003   910104 1601 FK   종별 :

WIR -0002   WJO -0002

수   신 : 주   수신처참조   대사. 총영사

발   신 : 장   관   (중근동)

제   목 : 교민철수

      걸프사태가 긴박해짐에 따라, 유사시 이라크 잔류 아국근로자들이 귀주재국에

대피 혹은 귀주재국을 경유하여 철수할 가능성에 대비 사전 준비바람. 끝.

협조방안 강구

(중동아국장 대리 양태규)

예고 : 91.6.30. 일반.

수신처 : 주 터키, 이란, 요르단대사.

1991. 6.30. 에 예고문에 의거 일반문서로 재 분류됨. ㉑

보 안 통 제	7h

앙고재	91 년 1 월 4 일과	기안자 성 명	과 장	국 장	차 관	장 관	
		78	7h	전결			외신과통제

0042

관리 번호	91 _2 ?			분류번호	보존기간

발 신 전 보

WBG-0004   910104 1612 FK

번   호 : _____   종별 : _____

수   신 : 주   이라크   대사. 총영사 ////

발   신 : 장 관   (중근동)

제   목 : 비상대책

대 : BGW-0011

1. 사태의 긴박성 및 귀지 주재 타국 공관의 예로 보아 귀관 직원을 아래와 같이
   축소코자하니 조치바람.

   가. 조태용 서기관도 1.9 직원 가족 및 고용원과 같이 귀국조치

   나. 파견관 철수 여부는 원소속 부처의 의견에 따름

   다. 귀직 및 외신관은 ~~반급서~~ 1.14 인근국 (희랍등)에 대피가 가능하도록

      사전 준비 ~~바람~~

2. ~~중동~~ 심의관은 급 1.4. 현대, 삼성, 한양, 정우의 본사 간부를 초치,
   잔류 근로자의 철수 시행문제를 협의하였는바 4개사 공히 최대한 잔류 인원을
   철수토록하고 필수 직원은 공관 필수요원과 같은 시기에 대피토록 지시
   하였다면서 근로자의 출국 허가 취득에 적극 협조를 요청하였으니 차태한
   ~~협조 바람.~~   끝.   근우6안 주려공관에
                        기안거 대우재출 정부
                        이대반

(장 관 이 상 옥)

예 고 19 .91.6.30.일반 애고문에
     의거 일반문서로 재 분류됨.
                ㊞
        총무과장

		기안자 성명		과 장		국 장	차 관	차 관	장 관	
앙 고 재	30 년 6 월 일	강		7h		애	홍	보2일 6/1/91	hu0	

보 안 통 제	74

외신과통제	

0043

원 본

관리번호 91 -39

외 무 부

종 별 : 지 급

번 호 : BGW-0022

수 신 : 장관(중근동)

발 신 : 주 이라크 대사

제 목 : 비상철수계획

일 시 : 91 0106 1100

대:WBG-0004

1. 본직은 대호 비상대책과관련 1.6 당지 아국업체대표를 공관으로 불러 업체별 인원철수진전상황(출국비자확보, 인원출국계획등)을 파악하고, 잔류인원전원의 출국비자 확보와최소필수요원을 제외한 인원의 조속출국을 시행토록 재차독려함. 본직은 주재국발주처의 출국동의서 확보등 업체차원의 인원철수교섭과정에서 발생한 문제점에관한 자료를 명일까지 보고하도록 요청하였으며, 동자료가 취합되는대로 주재국외무부 영사국장을면담, 업체인원 철수지원교섭을 시행할 예정임

2. 본직은 또한 업체별 방독면 확보계획, 방공대피시설 현황등 비상시 잔류인원 안전대책을 점검하고, 미비점을보완, 안전대책에 만전을 기하도록 당부하였으며, 방독면반입시 파편이용등 공관에서도 필요한협조를 제공할것이라고 말함

3. 당관인원 축소는 대호대로 시행예정이며, 서울도착일시및 항공편등은 확정되는대로 보고하겠음. 끝

(대사 최봉름-차관)

예고:91.12.31

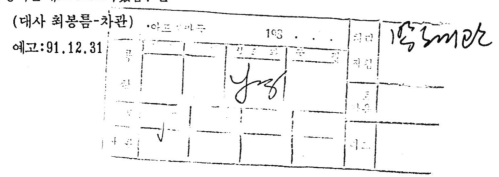

검토필(1991. 6. 30.)

중아국   장관   차관   1차보   2차보

91.01.07   06:49

외신 2과 통제관 DO

0044

관리
번호 91-34

원 본

외 무 부

종 별 :

번 호 : IRW-0006

일 시 : 91 0106 1500

수 신 : 장관(중근동)

발 신 : 주 이란 대사

제 목 : 교민철수

대:WIR-0002

대호관련 대주재국 접촉시 참고코자하니 현재 이라크잔류 아국근로자의 숫자를
알려주시기바람. 끝

(대사정경일-국장)

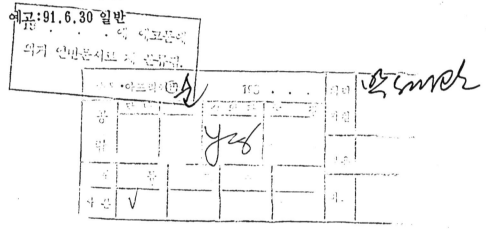

중아국

PAGE 1

폐灣 事態 展望 및 僑民 安全 對策

1991. 1. 7.

外　務　部

0046

會 議 槪 要

1. 日　時 : 1991. 1. 7. (月)　　09:00

2. 場　所 : 三淸洞 安家

3. 討議內容

　o 페르시아灣 事態 展望 (外務)

　o 僑民 安全 對策 (外務)

　o 勤勞者 對策 (建設)

　o 原油 需給 對策 (動資)

　o 油田 爆破時 環境 對策 (環境處)

4. 參席範圍 (8名)

　o 이승윤 副總理(主宰), 外務, 財務, 商工, 建設, 動資部 長官,
　　環境處 長官, 經濟首席秘書官

0047

1. 페르시아灣 事態 展望

〈 美國의 立場 〉

O 美國은 페르시아灣 地域 兵力 增强을 繼續하며 武力 使用 可能性을 强力 暗示 하는등 極限 政策 繼續 追求

  - 1.15.까지 이라크軍이 쿠웨이트로부터 撤收하지 않을 경우 對이라크 武力 使用을 許容하는 유엔 安保理 決議 678號 採擇에 成功 (11.29)
  - 이보다 앞서 11.8. 美軍 20萬 增派 發表

O 부쉬 大統領은 兩國 外務長官 相互 訪問 提議等 和戰 兩面 作戰 驅使

  - 이라크側은 팔레스타인 問題도 擧論할 것임을 示唆 하면서 1.9. 제네바 美·이라크 外務長官 會談 開催 受諾
  - 美國側은 이라크의 쿠웨이트 撤軍과 팔레스타인 問題 連繫 反對

〈 이라크의 立場 〉

O 美國의 兵力 增派, 유엔 安保理 決議 678號 通過等 國際的 壓力 加重에도 不拘, 人質 釋放외에 態度 變化 없음

  - 時間 끌기 作戰으로 美國議會 및 國民 輿論 分裂, 對이라크 封鎖 戰線 瓦解等 企圖
  - 包括的 中東 平和 國際會議 開催를 主張, 페르시아灣 事態와 팔레스타인 問題의 連繫 企圖
  - 事態를 자기에게 有利하게 展開하기 위하여 페르시아灣에서의 戰爭 勃發을 원치 않는 美國 및 國際社會의 反戰 輿論을 活用

0048

〈 展　望 〉

o 美國, 이라크 兩側이 相互 立場을 後退하지 않고 強硬 路線을 繼續
堅持하고 있는 現 狀況下에서는 일단 戰爭 勃發 可能性이 크다고
보아야 하겠으나 1.9. 開催 美·이라크 外務長官 會談의 歸趨가 注目됨

o 그러나 戰爭으로 인한 世界 經濟에 미치는 深大한 影響, 막대한 人命
被害와 이에 따르는 美國內 支持 輿論 下落으로 부쉬 大統領 再選에
미칠 影響, 短期的 勝利 可能性 不透明, 戰爭後 아랍人의 反美 感情
高潮 可能性등 要因은 美國의 開戰 決斷을 어렵게 하고 있음.

o 페르시아灣 事態가 戰爭으로 解決될 境遇 經濟的으로는 油價 上昇이
世界 經濟에 미칠 影響이 지대할 것이며, 中東地域 問題에 있어서
美國等 西方諸國, 이란, 파키스탄等 域外國家의 影響力이 強化될 것으로
展望됨.

o 事態가 美·이라크間 直接 協商, 第3者의 仲介등 外交的 努力으로 解決될
境遇는 이라크의 健在로 이란, 시리아等이 이라크와 軍備 競爭에 突入,
中東地域 情勢는 繼續 不安해질 素地가 많음.

o 유엔 安保理 決議에 의한 撤收 時限인 1.15.을 앞두고 美·이라크間 直接
協商等 外交 努力으로 이라크의 部分撤收 可能性도 있으나 戰爭勃發 與否에
대하여 正確한 判斷이 어려움.

o 따라서 現 段階에서 對策은 戰爭 勃發을 前提로 樹立함이 必要함.

0049

2. 戰爭 勃發 對備 僑民 安全 對策

〈僑民 安全 撤收〉

o 現　　況(91.1.6. 現在)

- 90.8.2. 事態 勃發 當時 이라크와 쿠웨이트 滯留者 : 1,329명

. 現在까지 安全撤收 人員 : 1,204名

- 이라크 殘留人員 116名은 公館員 및 家族 9명과 業體所屬 必須要員 107명

. 1.9. 까지 26명(公館職員 家族 및 雇傭員 3명, 業體 23명) 追加

撤收 豫定

- 쿠웨이트 殘留人員 9명은 個人事業上 撤收 不願

- 戰爭 被害 豫想 地域인 사우디(中西部 以南地域 除外), 바레인, 카타르,

UAE, 요르단 滯留者 : 4,901명(現況 別添)

o 措置事項 및 對策

- 駐이라크 大使에게 殘留人員 早速. 撤收토록 指示

. 大使 包含 必須要員 3인(大使, 派遣官, 外信官)을 除外한 公館員은

1.9.까지 撤收

. 公館 必須要員은 1.14.頃 友邦公館의 動向을 參考하여 隣近國家

(희랍)로 臨時 待避

. 公館 建物은 現地 雇傭員이 管理

. 建設業體 職員도 最小 必須要員을 除外하고 早速 撤收 指示

. 必須要員은 公館 必須要員과 同時에 撤收토록 指示

. 터키, 이란, 요르단등 3個 公館에 待避 또는 經由 撤收僑民에 대한

協調方案 講究 指示

0050

- 戰爭 被害 豫想 隣近 5個國 駐在 公館예 現地 實情을 考慮 自進 撤收 勸誘, 安全地域 待避等 滯留者의 安全對策 講究 指示
- 駐사우디 大使 主宰로 91.1.6.-7.間 걸프 地域 6個國 駐在 公館長 會議를 開催, 對策 協議 豫定

〈僑民 保護〉

o 化學戰 對備, 사우디.이라크等 걸프地域 6個國 駐在 我國 公館 및 滯留者에 대해 防毒面等 化學戰 裝備 支援
  - 公館員 및 家族 200名에 대한 裝備 旣支給
  - 建設部等 有關部處와 協調, 商社.建設業體所屬 勤勞者用 防毒面 早期 送付 指示
    . 業體의 現地 通關上 隘路 감안, 外交 파우치 利用 및 現地 通關 手續等 便宜 提供
    (實積 : 7個業體 430個 旣送付, 1.10.까지 6個業體 959個 追加 送付 豫定)
o 現地 就業者等 純粹 僑民에 대한 防毒面은 有關部處와 支援 方案 協議中

0051

(別 添)

戰爭 危險地域 滯留僑民 現況

(91.1.6. 現在)

國 家 別	總滯留者數	公館員, 商社, 建設業體 勤勞者	純 粹 僑 民 (現地就業者等)
사 우 디 (젯다 總領事館 管轄 中西部 以南地域除外)	3,750	2,383 (公館員 113, 業體 2,270)	1,367
이 라 크	125 (쿠웨이트 僑民 9명 包含)	116 (公館員 9, 業體 107)	9 (쿠웨이트 殘留 僑民 9명 包含)
요 르 단	89	12 (公館員 12, 業體 0)	77
바 레 인	335	278 (公館員 14, 業體 264)	57
카 타 르	77	19 (公館員 13, 業體 6)	58
U. A. E.	650	329 (公館員 19, 業體 310)	321
總 6個地域	5,026	3,137	1,889

0052

원 본

외 무 부

종 별 :

번 호 : BGW-0024   일 시 : 91 0107 0900

수 신 : 장관(중근동,기정,영재,건설,노동,요르단대사)

발 신 : 주 이라크대사

제 목 : 인원잔류현황

　　1.6.09:00　항공편　현대소속　직원　4　명(바그다드　지역)이　출발, 현재 아국인잔류인원현황은 112 명임.끝

　　(대사 최봉름-국장)

　　예고:91.6.30

중아국　　2차보　　영교국　　안기부　　건설부　　노동부

PAGE 1

원 본

관리
번호 91 -48

외 무 부

종 별 :

번 호 : TUW-0017

일 시 : 91 0107 2005

수 신 : 장관(중근동,구이)

발 신 : 주 터 대사

제 목 : 교민철수

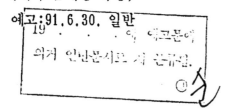

대:WTU-0003

본직은 1.7. 외무성 CELIKKOL 영사국장을 면담, 대호건 협의한바 요지 아래보고함.

1. 걸프지역에서 전쟁발발시 터키, 이라크 국경에 제 2 의 전선이 형성될 가능성도 전혀 배제할수없으며, 따라서 이경우 이라크주재 교민이 동국경선(HABUR)을 넘어 대피, 철수하는것은 불가능할것임

2. 동전쟁 발발시, 비록 터키, 이라크 국경에 제 2 전선이 형성되지 않는경우에도 터키는 동국경지역을 군사작전지역으로 지정, 사실상 국경을 봉쇄케될 것임. 따라서 이경우에도 동국경선 통과는 거의 불가능함.

3. 동국장은 자기 개인의견임을 전제로 만일 전쟁 발발시 이라크내 교민철수 암만을 경유하는것이 좋을것이라는 의견을 피력하였음.

4. 상기에도 불구하고 만일 한국교민이 어떻게 해서든 개별적으로 터키영토내에 들어올수만 있다면 터키정부로서는 이들의 대피및 철수를위해 최대편의를 제공할것을 약속하였음.

(대사 김내성-국장)

예고:91.6.30. 일반
19. . . . 에 예고문에
의거 일반문서로 재 분류됨.

중아국   장관   차관   1차보   2차보   구주국   안기부

관리 번호	91 /23			분류번호	보존기간

발 신 전 보

WIR-00○○ 910108 1758 CG

번   호 :   종별 :

수   신 : 주 이 란   대사 . ~~송영사~~

발   신 : 장 관   (중근동)

제   목 : 교민 철수

대 : IRW-0006

대호 관련, 이라크 잔류 아국 근로자수는 107명(1.6.자)임. 끝.

(중동아국장   이 해 순)

예 고 : 91.6.30.까지

보 안 통 제	7h

앙 고 재	91년 1월 8일	중근동과	기안자 성명 박종순	과 장 7h	심의관	국 장		차 관	장 관

외신과통제

0055

관리
번호 91-28

원 본

외 무 부

종 별 :

번 호 : BGW-0026   일 시 : 91 0108 1200

수 신 : 장관(중근동,기정,건설,노동,요르단대사-필)

발 신 : 주 이라크 대사

제 목 : 인원 잔류 현황

1.8. 09:00 항공편 한양소속 인원 3 명이 출국, 현재 아국인 잔류인원 현황은 109 명임.(공관원, 동가족및 고용원등 9 명 포함). 끝

(대사 최봉름-국장)

예고:91.6.30 까지

중아국   장관   차관   1차보   2차보   청와대   안기부

관리	
번호	

분류번호	보존기간

발 신 전 보

WBG-0010   910108 2053 DY   종별: 암호송신

번   호 : _____

수   신 : 주 이 라 크   대사. (정태용 서기관)

발   신 : 장 관 (중근동 김 의기 과장)

제   목 :   업 연

귀지 체류 인원중 출국허가를 받지 못하여

철수가 사실상 불가능한 인원수를 대략이라도

조속히 알려 주시기 바라며, 출국허가를 취득하고도

항공편(바그다드 → 암만간)예약등이 어려워 출국하지

못하고 있는 인원을 아울러 파악 알려 주기기 바람.

		보 안 통 제	72

암고재	기안자 성명	과 장	국 장	차 관	장 관
	강				

외신과통제

0057

원 본

외 무 부

종 별 : 지급

번 호 : BGW-0029

수 신 : 장관(중근동,기정)

발 신 : 주 이라크 대사

제 목 : 비상 철수 대책

일 시 : 91 0108 1600

대:WBG-0004

연:BGW-0022

1. 본직은 금 1.8 주재국 외무부 AJAM 영사국장을 면담, 잔류 아국인 현황 및 출국비자 발급 등 출국절차 진행상황을 설명하고, 원활한 출국을 위한 주재국측의 협조를 요청함. 동 국장은 출국 희망 외국인에 대해서는 전원 출국을 허용하도록 후세인대통령의 지시가 각부처에 이미 하달된바 있다고 말하고, 아국인의 경우에도 출국에 큰 어려움이 없을것으로 믿지만 만약 발주처의 출국동의서 발급등과 관련 애로가 있다면 동 발주처에 직접 연락하는 등 모든 협조를 제공하겠다고 약속함

2. 동 국장의 설명에 의하면, 작년 12월 서방 억류인 전원 출국허용 조치 발표후 외국인의 출국에 원칙적으로 전혀 제한이 없으며, 다만 아국업체와 같이 계약 의무가 남아있는 경우에는 동 업체가 현사태 종료후 계약의무를 이행하겠다는 약속을 주재국 발주처에 하는 조건으로 출국비자를 발급해 준다고함

3. 본직은 상기 면담후 당지 아국업체 대표를 불러, 동 주재국 입장에 따르면, 근로자 출국에 큰문제가 없음을 설명하고, 각업체가 소속 근로자 철수에 박차를 가해줄것과 문제점이있는 경우, 즉각 당관 보고, 당관이 필요한 조치를 취할수 있도록 해줄것을 당부함

4.1.8 현재 잔류 근로자 총 100명중 삼성 23명 전원(그중 8명은 출국비자도 취득), 한양 7명 전원이 금 1.8 발주처의 출국동의서를 득했으며, 정우 1명은 출국비자를 소지, 비상시 출국이 가능할것으로 보임.현대는 69명중 11명이 출국동의서 또는 비자를 득했고, 나머지 58명중 41명이 출국동의서 발급을 신청한 상황인바, 이와관련 당관은 현대측이 근로자 철수노력을 배가토록 강력 당부함. 현대의 경우 대호 2항 본사의 철수지침을 받지 못한것으로 파악 되는바, 원활한 철수

종별외국	장관	차관	1차보	2차보	청와대	안기부

PAGE 1

91.01.09   00:28

외신 2과 통제관 CF

0058

시행을 위하여는 본사의 명확한 지침시달이 긴요함에 비추어 본부에서 현대 본사에
재차 철수지침 시달을 정부차원에서 독려하여 주시기바람. 끝

(대사 최봉름-차관)

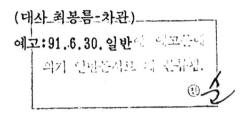

예고: 91.6.30. 일반에 대그근대
의기 인반문서로 제 관하십.
⑪

584

기 안 용 지

분류기호 문서번호	중근동 720-	(전화 :)	시 행 상 특별취급		
보존기간	영구·준영구. 10. 5. 3. 1.		장	관	
수신처 보존기간					
시행일자	1991. 1. 9.				

보조기관	국 장	(인)	협조기관		문[인] 제
	심의관				1991. 1. 09
	과 장	(인)			
기안책임자	박 종 순				발 [인] 인
					1991. 1. 09

경유 수신 참조	관세청장 서울세관장 (무환 2과장)	발신명의	
제 목	긴급 귀국 사실 확인		

주 쿠웨이트 대사관 소속 건설관 임충수는 89.5.28.부터

현지에서 근무해오던중 90.8.2. 이라크의 쿠웨이트 침공사태

발생으로 본국정부의 철수지침에 따라 동년 8.21. 쿠웨이트를

출발, 이락 경유 요르단으로 긴급 대피한후 90.8.26. 귀국하였음을

확인합니다. 끝.

0060

1505-25(2-1) 일(1)갑
85. 9. 9. 승인   "내가아낀 종이 한장 늘어나는 나라살림"

190mm×268mm 인쇄용지 2급 60g/㎡
가 40-41 1990. 5. 28

| 관리
번호 | P1
-33 |

	분류번호	보존기간

발 신 전 보

WBG-0016   910109 1529 DO   종별 : 지급

번   호 : _____

수   신 : 주 이락   대사. 총영사/   사본 : 주 바레인 사우디. UAE 카탈. 이란.

발   신 : 장 관 (중근동)

WBH -0004	WSB -0023
WAE -0009	WQT -0003
WIR -0013	WTU -0013
WOM -0002	WYM -0008
WJO -0016	

터어키. 오만 예멘

제   목 : 교민 비상 철수

    1. 외신 보도(AFP)에 의하면, 이락의 쿠웨이트 철수시한이 다가옴에
따라 에어 프랑스를 재외한 대부분의 외국항공들이 요르단으로의 운항을 취소키로
결정했다고 하며, 또한 주재국 당국도 1.12.을 기해 민간 공항 폐쇄를 검토하고
있다 하니, 귀지 채류교민 철수 업무 추진에 참고 바람. 끝.

                           (중동아프리카국장 이 해 순)

예 고 : 1991. 6. 30. 일반문서로 의거 일반문서로 재 분류됨.

		기안자 성명		과 장	심의관	국 장		차 관	장 관	
앙 고 재	91년 1월 8일 중 근 동	박종수				전결				

보 안 통 제	74

외신과통제

0061

	분류번호	보존기간

발 신 전 보

번 호 : WJO-0019   910109 1908 CG   종별 : 지급

수 신 : 주 요르단   대사. 총영사//

발 신 : 장 관   (중근동)

WBG -0018	WBH -0005
WSB -0034	WAE -0010
WQT -0004	

제 목 : 교민 철수

걸프만 사태 해결 전망이 불투명한 상황 아래, 이락의 쿠웨이트 철수
시한이 임박해옴에 따라 시간이 갈수록 귀지 출국 항공편 예약이 어려울 것에
대비, 체류교민이 하루빨리 자진 철수하도록 ~~강력 종용~~ 재권유 바라며, 자진 철수자
현황을 지급 파악 보고 바람.   끝.

(중동아국장   이 해 순)

예 고 : 1991.6.30. 일반예고문에

사 본 : 의거 이락, 바레인, 자우디, UAE, 카타르 대사

보 안 통 제	2h

앙 고 재	91년 1월 9일 중근동	기안자 성명 박종순	과 장 2h	심의관 앙	국 장 [인]	차 관	장 관 7여

외신과통제

0062

건 설 부

(500-2907)   1991. 1. 9

해 건 30600- *596*

수 신   외무부장관

제 목   해외건설 근로자 귀국

      페만지역의 긴장상태가 고조되고 있어 이라크 진출 아국 근로자의
귀국과 관련하여 기존의 귀국 경로외에 이란 국경을 통하여 귀국하는 방안을
현지에서 검토중에 있는바, 이란 주재건설관으로 하여금 동 가능성 및 지원
방안을 검토하여 조치하고 그 결과를 보고토록 이란 공관에 긴급 훈령하여
주시기 바랍니다.

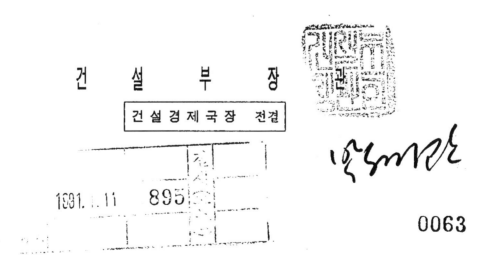

건 설 부 장

건 설 경 제 국 장	전 결

1991. 1. 11   895

0063

관리 번호	81 67			

	분류번호	보존기간

발 신 전 보

번 호 : WIR-0014   910109 2211   DA 종별 : _____

수 신 : 주 이 란   대사. 총영사// (사본: 주이락 대사)

발 신 : 장 관   (중근동, 건설부)

제 목 : 해외 건설 근로자 귀국

　　　　건설부는 ~~관계전(무역) 유검액 대자~~ 이라크 진출 아국 근로자의 긴급 철수 경로로서 육로이용 요르단 국경 통과 경로 외에 이란 국경을 통하여 귀국하는 방안을 현지 업체애서 검토중에 있다 하는바, 동 가능성 및 지원 방안에 대한 귀견 보고 바람.　끝.

　　　　　　　　　　　　　　　　　　　　　　(중동아국장　이 해 순)

예 고 : 1991. 12. 31. 일반

　　　　　　　　　　　┌─────────────────┐
　　　　　　　　　　　│ 검토필(1991. 6. 30.　│
　　　　　　　　　　　└─────────────────┘

	보 안 통 제	2h

앙 고 재	91 년 월 일	중 근 동	기안자 성 명		과 장	심의관	국 장		차 관	장 관
					2h				2H	

외신과통제

0064

우

| 관리
번호 | 91
$\angle$ 0 |

외 무 부

종 별 : 지 급

번 호 : BGW-0036 　　　　　　　　　일 시 : 91 0109 1200

수 신 : 장관(중근동,기정,영재,건설,노동,주요르단대사)-중계필

발 신 : 주 이라크대사

제 목 : 인원잔류현황

1.1.8 현대소속 인원 7 명(키루쿡 지역 6, 바스라 1)이 차량편 출국하고 1.9.09:00 항공편 공관원 3 명(가족 1, 고용원 2)과 삼성 소속인원 3 명이 출발, 현재 아국인 잔류인원 현황은 96 명임.(공관원 4 명및 고용원 2 명 포함)

2. 현재 쿠웨이트에는 최종보고대로 아국교민 9 명이 계속 잔류중임. 작년 12월 중순 그중 3 명이 당관에 찾아왔었는바, 그들에 의하면 9 명 전원이 만일의사태가 발생하더라도 계속 잔류할 결심이라고함. 당관은 현사태 진행상황을 설명해주고, 무력충돌 임박시에는 전원 철수하도록 종용하는 한편, 당지-쿠웨이트간 전화불봉으로 연락을 취할수없는 형편임을 감안, 그들이 가능한 자주 바스라등지로 나와 당관과 연락을 유지토록 당부함. 끝

(대사 최봉름-국장)

예고:91.6.30

1991 6 30 예고문에
의거 일반문서로 재 분류됨

영 사 교 민 국	년 월 일	담 당	겨 장	괴 전	관	리	국 장

중아국 노동부　　장관　　차관　　1차보　　2차보　　영교국　　청와대　　안기부　　건설부

| 관리
번호 | 91-66 |

	분류번호	보존기간

발 신 전 보

WBG-0022   910109 2210 DA

번   호 : _____   종별 : _____

수   신 : 주 이라크   대사. 총영사

발   신 : 장   관   (중근동)

제   목 : 비상 철수

대 : BGW-0022, 0029, 0031

연 : WBG-0627, 0004, 0020

　　　　대호 관련 ~~야해순~~ 중동아 국장은 정훈목 현대건설 사장과 통화, 현대건설
소속 잔류 인원의 철수를 현지에 지시하여 줄것을 요청 하였던바, 정사장은 현대
본사는 이미 현지에 잔류인원을 최대한 조속 철수하도록 지시 하였다고 하고,
잔류인원의 조속한 철수를 ~~다시~~ 현지에 지시하겠다고 약속한바 있음을 참고 바람. 끝.

　　　　　　　　　　　　　　　　　　　　　　(중동아국장   이 해 순)

예 고   19 1991.6.30. 이일 반고문에
　　　　의거 일반문서로 재 분류됨.

			과 장	심의관	국 장		차 관	장 관	보안 통제
앙고재	91년 1월 8일 중근동과	기안자 성명							

외신과통제

0066

관리
번호 91
-77

원 본

외 무 부

종 별 : 지급

번 호 : BGW-0037   일 시 : 91 0109 1700

수 신 : 장관(중근동)

발 신 : 주 이라크 대사   사본: K/IRAN

제 목 : 비상철수대책

대:WBG-0015(TUW-0017)

연:BGW-0033

1. 연호 당지의 어려운 항공편사정을 감안, 당관은 <u>공관원및 아국업체인원의</u> <u>비상시 육로이용 출구계획을 마련하고있는바</u>, 요르단, 터키 경유철수가 곤란해질경우 <u>이란으로가는 방안을</u> 검토중임

2. 상기와관련, 국경까지의 거리(이란국경까지 140KM 로 최단코스임), 도중의 안전도(터키길은 쿠르드족 게릴라 출몰위험), 요르단은 전쟁발발시 안전지역이 못될 가능성등을 고려하여 당지 외교단 상당수가 비상시 이란국경으로 출국하는 방안을 세워 놓고 있는바, 만일의 경우에대비 아국인의 이란국경을 통해 대피할수있도록 주이란대사관에서 이란정부측의 협조를 요청토록 조치해주시기 건의함

3. 당지에서 파악한 바에 의하면, 당지주재 이란대사관은 이란, 이라크 국경은 현재 이란, 이라크 외교관에만 개방되어있으나 앞으로 전쟁이 발발한 후에는 제 3 국 외교관에 한해 개방할것을 고려중이라하며, 필요한 교섭은 테헤란에서 하도록 권유하고있다하니 참고바람. 끝

(대사 최봉름-국장)

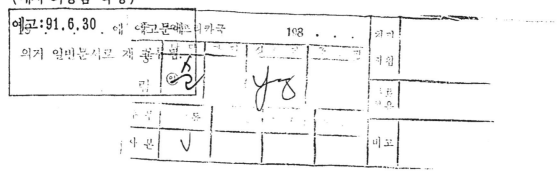

예고:91.6.30. 에 대고문에르 리카국   108
의거 일반문서로 재 분류함

중아국	장관	차관	1차보	2차보	영고국	정와대	안기부

PAGE 1

분류기호 문서번호	중근동 720-606	기 안 용 지	시 행 상 특별취급	
보존기간	영구.준영구 10. 5. 3. 1	장 관		
수 신 처 보존기간				
시행일자	1991.1.9.			

기안책임자 박종순

경유
수신 현대건설(주) 사장
참조

발신명의

문서통제 (印 1991. 1. 10)

발송인 (印 1991. 1. 10 외무부)

제목 이라크 잔류인원 철수

  1. 정부는 걸프지역에 전쟁 위험이 높아지고 있는 상황에 따라

신변 안전을 위해 이라크 잔류 인원을 1.15. 이전에 전원 철수시킬 방침

이니, 귀사 소속 이라크 잔류 인원의 철수를 현지 지사에 지시하여

주시기 바랍니다.

  2. 상기 관련 주 이라크 대사가 이라크 외무부 영사국장을

방문, 아국인 출국을 위하여 협조하여 줄것을 요청 하였던바, 이라크

정부는 외국인에 대하여는 전원 출국을 허용하도록 후세인 대통령의

지시가 각 부처에 이미 하달된 바 있으며, 아국인 출국과 관련 발주처

출국 동의서 발급등에 애로가 있는 경우 발주처에 연락하는등 /계속...

(이락외무성이 직접)

0068

모든 협조를 약속하였다 합니다.

    3. 또한 이라크 정부는 귀사의 경우와 같이 계약상 의무가

남아있는 경우에는 업체가 현사태 종료후 계약 의무를 이행하겠다는

약속을 발주처에 하는 조건으로 외국인 출국비자를 발급하여 주고

있음을 참고하시기 바랍니다. 끝.

0063

원 본

외 무 부

종 별 : 지 급
번 호 : JOW-0028
일 시 : 91 0110 1000
수 신 : 장 관(중근동,기정)
발 신 : 주 요르단 대사
제 목 : 요르단,이라크 국경폐쇄

1. 1.9. 주재국 BADRAN 수상은 의회연설을 통해 쿠웨이트 및 이라크로 부터의 난민 입국을 막기위해 요르단,이라크 국경을 잠정폐쇄, 여하한 제3국인도 받아들일수 없다고 발표한후 국제기구나 난민 소속국에 의한 특별한 송환계획 준비등 동난민 구호를 위한 적절한 조치가 취해질경우에만 재개방될 것이라고함

2. 주재국 정부는 국제기구의 지원호소와 함께 국제기구나 난민 소속국의 지원없이는 주재국으로서 난민의 대량입국에 대응할 능력이없음을 경고한후 금번 폐쇄 조치를 발표하였음

(대사 박태진-국장)

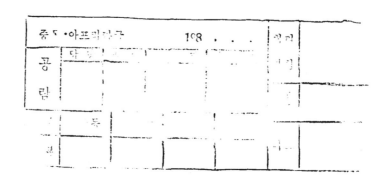

중아국   1차보   정문국   청와대   안기부

PAGE 1

91.01.10   21:35 CG

외신 1과   통제관

0070

원 본

WBG-0031외 910111 2146 DO 무 부

종 별 : 지 급

번 호 : IRW-0017   일 시 : 91 0110 1100

수 신 : 장관(중근동, 건설부)

발 신 : 주 이란 대사

제 목 : 해외건설근로자 귀국

대:WIR-0014

대호 아래와같이 보고함.

1. 주재국은 아국근로자가 이락에서 주재국을 통하여 대피 귀국할경우 당지사증발급 전세항공기 이착륙허가등 편의제공 약속

2. 당관은 동근로자들의 당지에 입, 출국기간중의 숙소를 현지 진출건설업체와협의, 테헤란근교에 약 150 명을 수용할수 있도록 준비완료

3. 당지경우 대피결정시, 주재국입국지점을 당해 건설회사에 통보하고, 당관 영사, 건설관이 현지출장 입국수속, 수송편(항공또는 육로)마련등 준비를 할것임.(대피근로자의 인적사항 당관에의 사전통보요). 끝

(대사정경일-국장)

예고:91.12.31 일반

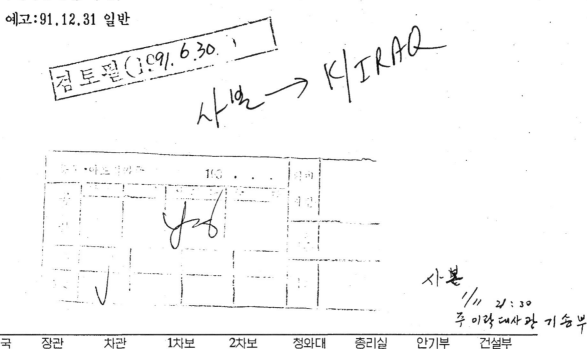

검토필(○○91.6.30.)

사별→K/IRAQ

사본 1/11 21:30
주 이락대사관 기송부

중아국	장관	차관	1차보	2차보	청와대	총리실	안기부	건설부

PAGE 1   91.01.10 21:42
                                     외신 2과 통제관 CE
                                                  0071

<table>
<tr><td>관리
번호</td><td></td></tr>
</table>

원 본

외 무 부

종   별 : 지 급

번   호 : BGW-0039   일   시 : 91 0110 1000

수   신 : 장관(중근동,기정,주요르단대사-중계필)

발   신 : 주 이라크 대사

제   목 : 요르단국경 봉과교섭

1. 이라크-요르단 국경 폐쇄 보도와관련,1.10.09:00 당관에서 당지 요르단 대사관과 동건 협의한바, 요르단대사관측은 국경을 폐쇄해도 당지 외교관들에게는 국경봉과를 허용하게될것이며, 아국인력에 대해서는 당관에서 공식 노트로 협조 요청하면, 특별 고려가 가능할것이라고 하여 동건 조치중임

2. 당지출국 항공편 확보가 어려워 아국업체 잔류인원은 대부분 요르단 국경경유 출국을 준비중에 있는바, 주요르단 대사로 하여금 요르단정부 당국과 당지아국인력 국경봉과가 가능하도록 교섭 지원후 결과 회신바람. 끝

(대사 최봉름-국장)

예고:91.6.30 일반

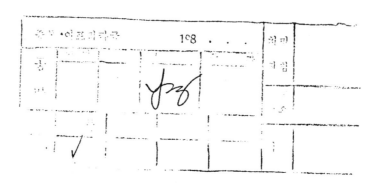

중아국   장관   차관   1차보   2차보   청와대   총리실   안기부

PAGE 1   91.01.10   21:53

                                                  외신 2과 통제관 CE
                                                             0072

관리 번호	91 -27

외 무 부

종 별 :

번 호 : BGW-0045   일 시 : 91 0110 1300

수 신 : 장관(중근동,기정,영재,건설,노동, 주요르단대사-중계필)

발 신 : 주 이라크대사

제 목 : 인원 잔류현황

　　1.10.09:00 항공편 현대 소속 직원 2 명(바그다드 지역)이 출발, 현재 아국인 잔류현황은 94 명임. 끝

　　(대사 최봉틈-국장)

　　예고:91.6.30

```
1991. 6. 30. 에 예고문에
      의거 일반문 □□ 재 분류됨
```

영사교민국	년 월 일	담 당	계 장	과 장	관리관	국 장

중아국　　장관　　차관　　1차보　　2차보　　영교국　　안기부　　건설부　　노동부

PAGE 1

전 언 통 신 문

중근동 720-680

발　신　：　외무부장관 (중동아국장)

수　신　：　수신처 참조

제　목　：　교민 철수 대책 회의

　　　　걸프만 전쟁 위험지역 체류 아국교민 철수대책 관련 관계부처
실무자 회의를 다음과 같이 개최코자 하오니 참석하여 주시기 바랍니다.

　　　　　　　　　　　－　아　　　　　　래　－

1.　일　　　시　：　1991.1.11.　~~14:00~~ 16:30

2.　장　　　소　：　제1종합청사 817호

3.　토의안건　：　특별기 이용 교민 철수 대책 협의

4.　회의주재　：　외무부 중동아프리카국장

5.　참석범위　：　ㅇ　경기원　　산업4과장

　　　　　　　　　ㅇ　안기부　　중동아과장

　　　　　　　　　ㅇ　건설부　　해외건설과장　김병수

　　　　　　　　　ㅇ　노동부　　해외고용과장

　　　　　　　　　ㅇ　교통부　　국제항공과장

　　　　　　　　　ㅇ　대한항공　영업담당이사　．　끝．

　　　　　　　　　ㅇ　외무부　　재외국민과장

기별계획서
장관결재후
시행 (서명)

수신처　：　경기원, 안기부, 건설부, 노동부, 교통부, 대한항공

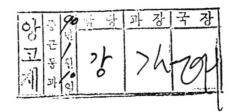

0074

會 議 進 行

1. 本部長 人事 및 向後 對策本部 運營 方案 說明

2. 參席者 紹介

3. 所管事項 對策報告 및 討議

　　가. 醫療支援團 派遣(국방부)

　　나. 原油의 安定的 供給(동자부)

　　다. 建設 未收金 및 損失額 回收(건설부)

　　라. 對中東交易(상공부)

　　마. 戰爭 危險地域 僑民撤收 및 安全對策(외무부)

　　바. 周邊 海域의 我國 船舶 保護 (항만청)

　　사. 各部處 對策班 運營 및 對策本部와의 協調 (외무부)

　　아. 對테러 對策 (안기부)

　　자. 金融關係 (재무부)

0075

91-1438

페灣 事態 報告

(1991.1.11.)

1991. 6.30. 던 대고문에 의거 일반문서로 재 분류됨.

外 務 部

0076

I. 페灣 事態 對策班 運營

1. 페灣 事態 非常 對策班
   - 90.8.2. 事態 發生 直後 構成
   - 班 長 : 外務部 本部 大使
   - 主 任務는 이라크 및 쿠웨이트 滯留 僑民 緊急 撤收
   - 班長의 부산직할시 派遣勤務에 따라 外務部 第1次官補로 班長 交替

2. 外務部 自體 對策班 別途 運營
   - 中東아프리카局 中心 24時間 非常 勤務中

II. 僑民 撤收 및 安全對策

1. 僑民 現況
   - 이락 96名 (大使館 6, 建設業體 90)
   - 쿠웨이트 9名 (個人事業上 殘留 希望者)
   - 周邊 危險地域 約 6,100名
     . 사우디, 요르단, 바레인, 카타르, UAE (5개국)
     . 大使館 및 業體 約 3,700名, 現地 就業者等 純粹僑民 約 2,400名

2. 撤收 推進 現況
   - 이락 및 쿠웨이트
     . 8.2. 現在 約 1,300名中 1,200名 撤收 完了
     . 建設業體 職員 : 1.15.한 全員 撤收 指示 (90.12.27)
     . 大 使 館 員 : 1.9.한 必須要員 除外 職員 및 家族 撤收
       指示 (91.1.4)
     . 必須要員 5名(大使, 派遣官, 外信官, 韓國人 雇備員 2名) 1.14. 撤收
       前提로 準備하되 他國 公館 撤收動向 및 現地 情勢 判斷 綜合하여
       大使가 決定, 第3國으로 臨時 待避토록 指示 (91.1.7)
   - 周邊 危險地域
     . 滯留僑民 : 自進 撤收 勸誘토록 該當 公館에 指示 (90.12.27)
     . 大使館員 : 事態 推移 觀望하여 決定키로 함.

3. 今後 撤收 對策
   - 90.8月 이락.쿠웨이트 僑民 撤收時 KAL 特別機 運航과 原則的으로
     같은 方式의 特別機 運航 (GCC 公館長 會議 建議)
   - 事態 推移에 따라 運航時期, 機種, 回收, 經路等은 伸縮性있게 運營
   - 細部事項은 페灣事態 對策班 및 實務 會議에서 協議토록 함

0077

4. 防毒面 支給

  - 公館員 및 家族

    . 防毒面等 化學戰 裝備 約 200人分 支援 (90.11월)

    . 使用法 示範教育 實施 (90.12월 관계관 2명 현지 파견)

  - 進出業體 職員

    . 業體別로 約 1,600個 購入, 支援

    . 外務部 행랑便 送付 (90.8월-현재)

  - 純粹僑民

    . 約 2,000個 政府 豫算으로 購入, 支援 推進

    . 物量은 確保, 豫備費 措置中

5. 戰爭 危險地域 旅行 制限 勸告

  - 外務部 海外旅行 安全對策班은 이락, 사우디등 11個 戰場 危險地域에 대한 我國人 旅行 自制 勸告

  - 旅行 不可避時는 公館에 申告 및 連絡 維持 當付

Ⅲ. 醫療支援團 派遣 協商團 사우디 派遣

1. 期 間 : 1990.12.29-1.4間

2. 構 成 : 靑瓦臺, 經企院, 安企部, 外務部, 國防部 實務者 11名

3. 協議 內容

  - 사우디側 立場 : 醫療陣 절대 不足으로 積極 歡迎

  - 派遣時期 : 可及的 早期 派遣 希望 (아측 국회 동의 절차를 설명함)

  - 構 成 : 可及的 多數의 醫療要員 希望

  - 醫療裝備, 普及, 支援 : 原則的으로 사우디 提供

  - 配置地域 : 사우디 東部地域 考慮中

  - 地位 協定 締結

    . 政府間 基本協定(12개조) 및 國防部間 約定(10개조) 草案 我側에 提示

    . 外交公館 行政要員에 준하는 特權 免除 附與

0078

외 무 부 암 호 수 신

종   별 :

번   호 : JOW-0029   일   시 : 91 0111 1100

수   신 : 장 관(중근동, 영재, 건설,노동,기정,주 이라크 대사(중계필)

발   신 : 주 요르단 대사

제   목 : 교민철수

대:WJO-0013,21,26
연:JOW-0025

1. 주 이라크 대사 부인 및고용원 2 인은 1.10 15:00 당지발 항공편 바레인,방콕
경유 귀국함

2. 대호 현대소속 9 며, 한양 3 명, 삼성 3 명은 1.10. 항공편 귀국하였음.

(대사 박태진-중아국장)

중아국   영교국   안기부   건설부   노동부

PAGE 1

91.01.11   23:29
외신 2과 통제관 BW

0079

원 본

관리번호 91/85

외 무 부

종 별 :

번 호 : JOW-0031   일 시 : 91 0111 1530

수 신 : 장관(중근동, 영재, 건설, 노동, 기정, 주 이라크 대사(중계필))

발 신 : 주 요르단 대사

제 목 : 교민비상철수

대:WJO-0023, 27, 28
연:JOW-0028

1. 연호 보고와같이 주재국 정부는 요르단, 이라크 국경을 조건부 잠정폐쇄하였음

2. 금 11 일은 주말휴무인 관계로 명 12 일 주재국 내무차관 및 이민국장등관계인사들과접촉, 이라크 체류교민의 육로입국 관련 사항 교섭위계인바, 현재까지 확인된 출국예정인원 지급 통보바람

(대사 박태진-국장)

예고:91.6.30 일반

중아국   영교국   안기부   건설부   노동부

PAGE 1

91.01.11   23:31
외신 2과 통제관 BW
0080

유

영재

외 무 부

종 별 : 지 급
번 호 : IRW-0020   일 시 : 91 0112 1130
수 신 : 장관(중근동)
발 신 : 주 이란 대사
제 목 : 교민비상철수

대:WIR-0019

1. 대호관련, 본직은 1.12 0900 이락근로자철수문제에 관하여 주재국 외무부 아주국장과 협의한바 이란정부로부터 모든 편의를 제공하겠다는 확약을 받은바있으며 금 1300 시 동국장과 아래 구체사항 재협의예정임.

-아국근로자가 주재국 남단국경지점을 봉하여 입국경우에대비 당관직원 파견출장, 현재지방주재국정부와의 협조

-이란입국지점으로부터 테헤란까지의 수송

-테헤란 체제기간허용 사증발급, 출국허가등

2. 테헤란에서의 숙식문제는 당지주재 타건설업체와 협의 모든준비를 이미 완료하였음.

3. 당관은 금 1.12 현대로부터 아국근로자 명단 61 명과 제 3 국인원(방글라데쉬 114 명, 태국 24 명)명단을 수교받았으며 제 3 국인원의 숙식및 송출등에관하여 현대측과 협의를 하고있음을 중간보고함. 끝

(대사정경일-국장)
예고:91.6.30 일반

1001.6 30. 에 다교한 해 악의 안만관 자료 에 관사임

영사교민국	년원일	담 당	계 장	과 장	관 리 관	국 장

중아국   1차보   2차보   영교국

영제

관리 번호	71- 18

외 무 부

종 별 : 지 급

번 호 : IRW-0026

일 시 : 91 0112 2300

수 신 : 장관(중근동,건설부,사본:주이라크대사(중계필))

발 신 : 주 이란 대사

제 목 : 교민비상철수

대:WIR-0019. 연:IRW-0020.0025

1. 대호관련 당지에서 준비를위해 하기사항 문의하니 지급회신바람.

2. 문의사항

가. 철수시기

-바그다드 출발일시

-이.이국경지점(CHECK POINT KHOS ROWVI)도착일시

나. 철수인원

-아국인및 제3국인

다. 차량대수및 번호

-이란으로 철수예정인 아국인 소유차량

라. 환자여부

-환자명, 병명및 상태

-입원치료여부

마. 기타참고사항. 끝

(대사정경일-국장)

예고:91.6.30 일반

1991 6.30. 예 예고문에
의거 일반문서로 재 분류됨

영 사 교 민 국	접 수 인	담 당	계 장	과 장	관리관	국 장

중아국   영교국   건설부

91.01.13   13:00

외신 2과 통제관 DG

0082

유

외 무 부

관리 번호	91 - 20

종   별 : 긴 급

번   호 : JOW-0037   일   시 : 91 0112 1830

수   신 : 장 관(중근동, 영재, 건설,노동,기정,주 이라크 대사)

발   신 : 주 요르단 대사

제   목 : 교민비상철수

대:WJO-0029,30
연:JOW-0031

1. 대호관련, 본직은 금 12 일 외무성 OBEIDAT 정무국장을 면담, 주이라크 대사등 아국외교관   및   현지   아국근로자들의   국경통과   협조를   요청한바, 동국장은긴급대책회의에서 선별적으로 입국을 허용키로 방침을 결정하였으므로 구체적 출국계획등 필요사항등에 관해 대사관이 보증하면 입국토록 협조하겠다고함

2.   상기와   같이   주재국   정부의   협조로   13   일부터   주재국   입국에는 별문제가없을것이나,   난민대책위측에서는   당관   직원이   국경에서   입회   확인하기를 원하고 있어 가능하면 일시에 입국할수 있도록 사전 조치바람

3.KAL   특별기에 탑승하기 위해서는   국경에서의   입국수속(약 4 시간),   공항에서의 출국수속등 많은 시간이 소요됨을 감안하여야 하므로 늦어도 1.14 17:00 까지는 암만에 도착할수있어야 할것임

   (대사 박태진-국장)
   예고:91.6.30 일반

1991.6.30. 예고문에 의거 일반문으로 재분류됨

영 사 교 민 국	년 간 인	담 당	계 장	과 장	관리관	국 장

중아국   영교국   안기부   건설부   노동부

외 무 부

종 별 : 지 급

번 호 : BGW-0066   일 시 : 91 0113 1700

수 신 : 장관(중근동)

발 신 : 주 이라크 대사

제 목 : 비상 철수 대책

1. 본직은 1.12 외무성 AL-RAWI 의전장, 1.13 AL-BEYRAKDAR 정무국장및 EJJAM 영사국장을 각각 면담, 당분간 아국 공관업무가 중단됨과 대사관 및 관저의 안전 보호를 요청하고 인사한바, 동 면담중 주요내용을 다음 보고함

　가. 아국의 의료단 파견관련

　정무국장은 한국정부가 미국에 압력에의해 동 의료주재국 파견을 준비하고있는 것으로 알고있으며, 이는 한국 본래의 대중동정책과 배치되며, 비양심적 미국 입장에 동조하는것으로 아랍전체 국민의 절대지지를 받고있는 이라크입장에 반하는것이므로 한국정부가 지금이라도 동 의료단 파견 문제를 재고해주도록 요청하면서 이를 정부에 전달바란고함

　나. 교민등 철수관련

　영사국장은 아국근로자의 이라크, 요르단국경 봉과 문제관련, 요르단정부의 양승을 전제로, 육로 국경통과일시 및 인원을 본직이 봉고해주면, 동 국장이 직접 국경초소에 협조 지시를 하달하겠다고 약속함.(1.14.09:00 52 명 출발후 통보 위게임)

　마. 공관 및 관저 안전 보호 관련

　의전장은 본건관련, 염려하지말라고 하면서 최선을 다해 관계기관으로 하여금 아국 공관 및 관저의 비품및 장비를 잘 보호토록 조치하겠다고 함.

2. 주재국 외무성 의전장, 정무국장 및 영사국장을 모두 이미 대사를 여러번 역임한 친한 인사들로서 금번 면담에서 본직에게 최대한의 예우와 친절을 베풀었으며 모두 하나같이 가까운 시일내의 재회를 고대한다고 언급을 잊지 않았음. 그러나 아무도 현사태 수습내지 전망에 대해서는 묵묵 무답이었으며 이구동성으로 계속 외무성을 지킨다는 입장을 표명했음. 본직은 금번 일련의 면담에서 주재국이 아국의료단파견에 대해서 다소 불만을 가지고 있으나(미국의 요청에 의해마지못해

중아국　　장관　　차관　　1차보　　2차보　　중아국　　청와대　　안기부

한국정부가 동 파견결정을 고려주이라 생각)하고있었음. 현재까지는 아국을
적대시하지 않고 있음을 확인함. 유엔사무총장 방문 성과에 대해서는 현재논의중이며
금일 18:00 이후에나 회담결과를 발표할것이라고 함. 끝

    (대사 최봉름-국장)

    예고:91.6.30

19**91. 6. 30.** 애 예고문에
외거 일반문서로 재 분류됨.

관리
번호 81 - 34

영지

외 무 부

종 별 : 초긴급

번 호 : JOW-0050 일 시 : 91 0114 2320

수 신 : 장 관(중근동,마그,기정,주 이라크 대사:중계필)

발 신 : 주 요르단 대사

제 목 : 교민철수

연:JOW-0048

1. 1.13. 23:00 현재 현대근로자 37 명은 요르단 국경 입국수속 중인바, 24:00 경 암만으로 향발 예정임

2. 현대근로자들은 국경으로오는 도중 검문소마다 검문을 당함에 따라 국경도착이 어려울것으로 판단 본사에 '바그다드 귀환'으로 보고한것을 현지에 나가있던 현대지사장이 당관에 잘못 보고한 것이었으며, 매 검문소 통과에 많은 시간이 지체되기는 했으나 특별한 제지조치는 없었다함

3. 상기 현대 아국 근로자의 국경통과로 보아 명 15 일 이후 항공편 암만 도착하는 아국인들에 대한 입국도 가능하도록 준비하겠음

(대사 박태진-국장)

예고:91.6.30.일반

1991 6.30. 예고문에
의거 일반문 . 로 개 ... 문집

영사교민국	년인인	담 당				중아국	영교국	청와대	안기부

중아국
안기부 장관   차관   1차보   2차보   중아국   영교국   청와대   안기부

91.01.15   06:51

외신 2과 통제관 CH

0086

관리
번호 91/27

외 무 부

종   별 : 긴 급

번   호 : JOW-0052   일   시 : 91 0115 1200

수   신 : 장 관(중근동)

발   신 : 주 요르단 대사

제   목 : 교민철수

　　　금일 당지 공항으로 도착 예정인 17 명의 확실한 주재국 입국을 위하여 본직은
10:00 내무성 여권국적 국장에게 내무장관앞 아국인 입국 협조 서한과 함께협조를
당부하였던바, 동국장은 어제는 돌연한 일로 한국인이 바그다드로 돌아간데대해
미안하게 생각한다고 전제하고 금일 입국은 틀림없이 될수있도록 직접 확인
협조하기로 하였음

　　　(대사 박태진-국장)

　　　예고:91.6.30 일반

1991. 6. 12 에 예고문에
의거 일반문서로 재 분류됨.

중아국	장관	차관	1차보	2차보	정와대	총리실	안기부	

관리 번호	91/220

외　무　부

종　별 : 긴 급

번　호 : JOW-0053

일　시 : 91 0115 1250

수　신 : 장 관(중근동,마그,기정)

발　신 : 주 요르단 대사

제　목 : 교민철수

　　　금일 바그다드로부터 도착예정 인원 17 명 전원 11:45 당지 공항에 안착 12:40
입국 절차 이상없이 완료하였음

　　　(대사 박태진-국장)

　　　예고:91.6.30 일반

1991. 6. 30. 에 대고문에
외거 일반문서로 제 분류됨.

중아국	장관	차관	1차보	2차보	중아국	청와대	총리실	안기부

PAGE 1

1.　1.16(수) 19:00(서울시간)본사 대책본부장(하오문 전무)이 현지 본부장

　　김종훈 이사와 마지막 등화, Contingency Plan B 수행 지시.

　　ㅇ 가능한 모든 인원을 데리고 바쿠바(바그다드 북방쪽 80km 소재)

　　　　근처 현지 하청업자의 농장에서 집결, 이란 국경(110km)을 통해

　　　　육로로 출국 계획.

　　ㅇ 이라크 철수 MBC 기자 4명, **미국**의 이라크 폭격 직전, 1.16. 현대숙소

　　　　에서 저녁, 그때까지 이라크 잔류 현대소속 인원 무사함을 확인

　　　　- 현대소속 근로자들은 이란 국경에서 100km 떨어진(바쿠바)소재

　　　　　농장에서 안전 대피중일것 같다고 전언.

　　ㅇ 1.18. 08시 주요르단 대사관, 소재파악 및 대피를 위해 요르단 국적

　　　　택시 기사를 멧신저로 이라크에 파견하였으나,(**피폭**으로 인해)

　　　　교량이 끊어져 중도 암만 귀환.

　　ㅇ 1.19. 15:00 현대 요르단 지사, 요르단 택시 기사를 이라크에 추가

　　　　파견, 1.22 귀환 예정.

분류번호	보존기간

발 신 전 보

WCA-0060   910117 2301 CG

번   호 : _____   종별 : _____

수   신 : 주 카이로   //대사 . 총영사 (사본 : 주몰란 대사) ^{WJO-0091}

발   신 : 장   관 (마2 중근동)

제   목 : 교민 철수 (삼성)

     1. 삼성 종합건설측은 이라크 근무 삼성 근로자 41명
(아국인 16명, 태국인 25명)이 이라크에서 육로로 암만을 거쳐 1.17. 11:00
아카바 항으로 떠났으며 카페리로 이집트의 누에이바 항구에
동일 17:55 도착 예정 이라는바, 동인들에대한 이집트 입국 수속 및
필요한 편의 제공 조치바람.

     2. 동인들은 1.18. 10:00 MS 864편 귀국 예정으로 이미 항공권을
예약했다는바 참고바람.   끝.

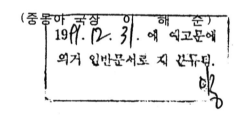

(중동아 국장 이 해 준)
1991. 12. 31. 에 예고문에
의거 일반문서로 재 분류됨.

예 고 : 1991.12.31. 일반

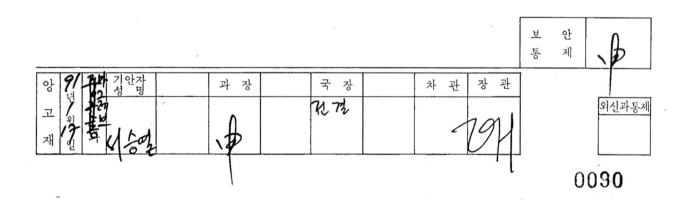

		보 안 통 제	

앙 고 재	91 년 월 일	기안자 성명		과 장		국 장		차 관	장 관	
		시승열				전결				

외신과통제

0090

관리 번호	9/- 97

원 본

외 무 부

종 별 : 지 급

번 호 : CAW-0071

일 시 : 91 0118 1150

수 신 : 장관(대책반,마그)

발 신 : 주 카이로 총영사

제 목 : 교민철수(삼성)

대:WCA-0060,0061,0063

1. 대호, 삼성근로자 일행 16 명은 금 91.1.18(금) 09:00 누에이바에 무사히 도착했으며 당지시간 금 15:00 경 육로로 당지도착예정임.

2. 당관은 송웅엽 영사를 현지에 파견 동인들의 입국수속 및 자동차주선등 당지 도착까지의 제반편의를 제공했음.

3. 동인은들은 당지출발 최선 항공편인 1.22(화)당지발 이집트 항공편으로 출국할 예정임.끝.

(총영사 박동순-대책반장)

예고:91.6.30. 까지

중아국	장관	차관	1차보	2차보	~~동아국~~	청와대	총리실	안기부

91.01.18   19:30

외신 2과 통제관 DO

0091

長官報告事項

報告畢

1991. 1. 18.
中近東課

題目 : 이락 殘留 我國人 撤收 問題

> 1.18. 現在 이락에 殘留하고 있는 我國人은 現代建設 職員 22명과 MBC 取材陣
> 4명, 총 26명인바, 殘留 經緯 및 待避計劃을 아래와 같이 報告 합니다.

1. 現代建設 職員 22名

○ 政府는 駐이락 大使館의 大使 以下 公館員 全員이 1.14. 바그다드를 出發하게
   되면 殘留 我國人 出國에 대한 協調가 더이상 不可能함을 進出業體에 통보하고,
   公館員 撤收 以前 殘留 人員을 全員 撤收시켜 줄것을 要請 하였음.

○ 이에따라, 삼성, 한양, 정우는 殘留人員을 全員 撤收시켰음.   現代는 現場
   사정등을 감안하여 5개 現場 職員 22명을 陸路로 이란 國境을 통해 撤收시킬
   것을 1.16. 19:00 이락 駐在 現代 本部長에게 指示하였는바, 그후 通信이
   杜絕되었음.

○ 금 1.18. 午後 현대 本社側에 의하면 職員 22명중 16명은 이락 政府의 出國
   비자를 소지하고 있으며, 키르쿡 現場 6명은 發注處의 出國 同意書를 待機하고
   있었다 함. (中東阿局長의 정훈목 社長과의 通話)

○ 現代 本社는 現在 重役 1명을 이란 國境에 派遣, 待機시키고 있으며, 22명중
   現地人과 結婚한 職員 2명을 除外한 20명의 出國을 기다리고 있다고 함.

○ 駐 이란 大使館은 本部 訓令에 따라 現代 職員의 이란 入國 및 本國 向發時
   까지의 宿食等 모든 便宜 提供을 위한 必要한 모든 準備를 갖추고 있음.

0092

2. MBC 취재진 4명

○ 國內 言論 各社는 1.11. 이래 特派員을 이락에 派遣, 取材 중이었는바,
   駐이락 大使館은 公館員 撤收 以前 취재진도 全員 撤收토록 要請 하였음.

○ 그러나, MBC 취재진 4명만은 本社 指示에 따라 繼續 殘留를 希望하여
   外務部는 서울 本社에 撤收를 要請하였으나, 결국 戰爭 勃發時까지 撤收하지
   못하였음.

○ MBC 측은 바그다드에서 殘留中인 美國 CNN 취재진을 통해 MBC 취재진 接觸
   및 撤收 指示를 傳達코자 하였으나, 常今 傳達 與否가 確認되지 않고 있는
   狀態임.

○ 外務部는 今 1.18. MBC 本社에 撤收를 再要請하는 한편(第2次官補의
   최창봉 社長과의 通話), 駐 요르단 大使館에 訓令, 취재진의 所在와
   安慰를 確認하고 撤收에 必要한 모든 協調를 하도록 하였음.

참고 : 駐 이락 大使館에는 現地 採用 我國人 雇傭員 1명(박상화)이 殘留
        중인바, 同人은 現地人과 結婚 豫定이어 殘留를 希望하였으므로
        公館을 지키도록 하였음. 끝.

0093

~ 723-1861-2
국무회의 대통령 각하
최영철 각하

페湾 非常對策 本部

1991. 1. 19. 06:00

題 目 : 日日 報告 (10)

1. 전 황 (외신 및 공관보고 종합)

가. 다국적군 공격 현황

- ○ 작전개시 36시간 동안 총 2,000회 출격, 적중율 80%
- ○ 참가국(7) : 미, 영, 불, 카나다, 이태리, 사우디, 쿠웨이트
- ○ 이라크함 3척 격침, 이라크 공군기 8대 격추
- ○ 모빌스쿠드 미사일 11기 확인공격, 6기 격파
- ○ 사우디 다란쪽 발사 이라크 미사일 요격 파괴
- ○ 이집트, 영국군, 쿠웨이트 진입 전진 배치 진행중

나. 이스라엘 관계

- ○ 1.18. 이라크 미사일 공격으로 15명이내 인명사상
- ○ 이스라엘 정부, 긴급 동원령 발동(25만명의 예비군 동원)
- ○ 알제리, 튀니지, 요르단, 예멘, PLO : 이라크의 이스라엘 공격지지

Ⅱ. 각국동향

가. 부시 대통령 기자회견(1.19 KST 02:00)

- – 과도한 낙관자제 요망 및 작전의 장기화 가능성 언급
- – 이라크의 쿠웨이트 무조건 완전철수 재요구

나. 터키의회, 정부에 전쟁권한위임 결의안 통과

- – 미공군기의 터키기지 사용 이라크 공격 가능
- – NATO 외상회의, 이라크의 터키공격시 강경대응 결정

0094

다 . 북한

- 미국의 이라크 공격은 제국주의적 침략임 .

- 북한이 대이라크 경제제재조치 위반했다는 주장도 날조된것임 .

라 . 일본

- 난민수송위한 자위대 군용기 파견 입장표명 (야당은 강력반대)

마 . 중국

- 이스라엘 피습관련 우려표명 및 관련국의 최대 자제요망

바 . 싱가폴

- 1.18. 의료지원단 30명 파견

사 . 이란

- 외무부 대변인 . 이란의 개입가능성 부인

Ⅲ. 교민안전동향

가 . 이스라엘 체류교민(1.18. 주카이로총영사 보고)

o 1.18. 현재 교민피해 없음 .(체류교민 72명)

o 1.19. 이집트로의 대피문제 협의예정

o 주카이로총영사관 안전대책

- 매일 2회 교민회와 전화연락 유지

- 교민대피에 대비 . 한인학교를 임시수용소로 준비

나 . 이라크 체류교민

o MBC 기자 4명 요르단 입국 (주요르단대사 전화보고)

- 현지시간 1.18. 13:30 요르단 입국(출입국관리소 확인)

o 주요르단대사 . 택시운전사 1명 바그다드 급파(1.20.귀환예정)

- 교민 긴급철수위한 메신저 역할

o 이라크 잔류교민의 이란 피신에 대비

- 주이란대사관 직원2명 바크타란 파견(테헤란서부 600Km, 국경 100Km)

- 이란 외무부 . 비자발급 및 교통편의 약속

0095

다. 요르단 체류 아국 기자단

　　o 1.18. 현재 10개언론사 소속 18명 체류중

　　o 사태의 위험성 고조에 따라 조속 요르단에서 철수토록 각 언론사에
　　　요청 (1.18. 20:00)

라. 특별기 파견 계속 보류중

　　o 사우디 공항 및 국경폐쇄

　　o UAE, 카타르의 탑승희망고민 기십명 불과

Ⅳ. 경제관계 (1.18. 주일대사 보고)

o 일본 평균주가 상승 (영국주가는 소폭 하락)

o 3월인도 두바이산 원유 17-18불 전후거래

o 전쟁단기종결시 유가 20불 전후 하락예상

o 전쟁장기화시 40-50불 급등(성장율 2% 하락)

0096

원 본

외 무 부

종 별 :

번 호 : IRW-0043   일 시 : 91 0120 1030

수 신 : 장관(대책본부장,중근동,기정,건설부)사본:주요르단 대사

발 신 : 주 이란 대사

제 목 : 이라크 잔류 근로자 철수

대:WIR-0061

연:IRW-0042

1. 대호 주요르단 대사의 보고를 감안시 이라크 잔류 현대 근로자들이 주재국 국경 KHOSRABI 로 입국할 가능성이 높기 때문에, 연호 당관의 출장자들에게 1.21(월)까지 동지역에서 대기토록 지시하였음. 진전사항 있을경우 재보고 하겠음.

2. 당관 출장자들의 보고에 의하면 동지역에서 주재국 외무부 직원과 함께 국경지역인 KHORABI 로 갈것을 시도하였으나, 주재국측에서 신변안전을 이유로 이를 거부함에 따라 현재 BAKTARAN 지역에 체류중임.끝.

(대사 정경일-국장)

예고:91.6.30 일반

중아국   장관   차관   1차보   2차보   안기부   건설부

| 관리번호 | 9/
2*7 | | 원 본 |

외 무 부

종 별 : 지 급

번 호 : JOW-0088   일 시 : 91 0120 2000

수 신 : 장 관(대책본부장,중근동,기정)

발 신 : 주 요르단 대사

제 목 : 1차 파견 연락원 귀환

연:JOW-0077

　1. 금일 귀환한 연호 파견 연락요원에 의하면 바그다드 전방 100KM 지점(AR. RAMADI 시 부근)까지 갔으나 현지 입체교차로가 파괴(군사용으로 사용하는 상단도로가 피폭)되어 차량통행이 불가하고 군인들의 통제로 1.19 14:00 경 사고지점을 출발 되돌아 왔음

　2. 2 차 파견한 연락요원의 통과여부는 현지 도로 복구작업 속도에 따라 좌우될것으로 봄

　(대사 박태진-대책본부장)

　예고:91.6.30 일반

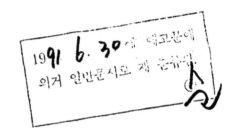

1991 6.30 대고분에
의거 일반문시로 재 근거하

중아국	장관	차관	1차보	2차보	청와대	총리실	안기부

주요르단 정신구 영사 전화 보고

(1.20. 21:30)

○ 1.18. 이라크에 보낸 피고용 택시기사는 상금 요르단에 도착치 않고 있으며, 이락-요르단 국경에 있는 피난민과다 집결로 도착이 지연될 것으로 예상됨.

○ 1.19. 현대 암만지점 고용 기사는 1.21. 도착 예정임.

0099

┌───┐
│   │
│   걸프灣 隣近地域에 남아 있는 僑民들의 數와   │
│   │
│   生死與否 및 向後 이들의 撤收·安全對策   │
│   │
└───┘

1. 戰爭 危險地域 滯留僑民 撤收現況 및 對策

〈現 況〉

ㅇ 僑民 撤收 現況은

- 91.1.5. 現在 사우디, 이라크, 쿠웨이트, 요르단, 카타르, 바레인,

  U.A.E., 이스라엘等 8個國에 總 6,331名이 滯留하고 있었으나,

- KAL特別機便으로 301名이 撤收한 것을 비롯 그간 總 715名이 撤收,

  現在 5,616名이 殘留中임.

- 國家別로는 사우디 4,697, 요르단 20, 카타르 65, 바레인 259,

  U.A.E. 479, 이라크 23, 쿠웨이트 9, 이스라엘 64명이 각각

  殘留하고 있는바, 現在까지 僑民들의 被害는 전혀없음.

〈對 策〉

ㅇ 僑民들의 非常 撤收는

- 事態 推移 및 本國 撤收 希望 僑民數를 보아가며, 迅速한 撤收를

  위해 KAL特別機를 追加 運航, 이들을 緊急 輸送할 계획이나,

0100

1.17 戰爭 勃發 이후 걸프 地域 대부분의 空港이 閉鎖됨으로써
특별기 投入이 遲延되고 있음.

- 空港閉鎖로 인해 航空便 利用이 不可能할 境遇, 現地 實情에
  맞게 樹立된 公館別 自體 撤收 計劃에따라 利用可能한 海上 및
  陸路를 통해 隣接國으로 安全 待避토록함.

- 특히 戰爭으로 被害가 豫想되는 사우디 東北部地域 滯留 僑民들에
  대해서는 리야드, 타이프, 젯다 等으로 臨時 待避토록 措置하여
  이미 801명이 安全地帶로 待避하였고, 殘餘 320명도 緊急待避中에
  있음.

o 現在 이라크에 殘留하고 있는 現代建設 所屬職員 22명은 現場管理
  必須要員들로서 부득이 殘留하게 되었으나 요르단 및 이란 政府,
  현대 본사와 緊密히 協調, 요르단 또는 이란 國境을 통한 陸路撤收
  方法을 모색하고 있음.

o 이스라엘 僑民에 대해서는 이집트로의 緊急 待避를 積極 推進한
  결과 총 113명중 49명이 待避完了 하였으며, 公館職員을 이스라엘
  國境으로 出張케하여 入國手續, 交通便宜 및 臨時宿所 提供等
  잔류 교민의 待避에 萬全을 기하고 있음.

0101

o 政府는 撤收 僑民의 事後 對策으로,

- 무의탁 僑民에 대하여 保社部等 關係機關과 協調, 臨時 居處 및

生計 救護對策을 講究할 豫定임.

2. 戰爭 危險地域 殘留 僑民 身邊 安全 對策

o 公館別로 樹立된 非常計劃에 依據, 僑民의 個人 身上 事前 把握 및

公館과의 非常 連絡 體制를 維持하고,

o 방공호等 非常 待避施設, 非常 食糧等을 確保하여 자체 自衛力을 强化토록

하며 現地 公館의 자체 緊急 待避 計劃에 따라, 現地 實情에 맞게 殘留

僑民의 安全 措置를 講究함.

- 특히, 殘留 僑民이 安全 地帶로 긴급히 待避할 境遇를 對備, 現地

進出業體 캠프等을 活用하여 臨時 宿所를 마련해 놓고 있을 뿐아니라

- 또한 이들이 유사시 近接國으로 緊急 待避할 것에 對備, 近接國

駐在 我國 公館에도 緊急 訓令을 내려 이들의 入國이 可能토록

事前 措置를 취함.

o 또한, 化學戰에 對備, 걸프地域 僑民 및 公館員用 防毒面等 裝備 4,000착을

支給하여 殘留僑民의 身邊 保護에 萬全을 기하도록 함.

0102

- 예를 들면, 유사시 僑民 全員 및 公館 職員 家族等이 大使官邸로 옮겨

  集團 居住하여 組를 編成 警備를 强化케 하고

- 每日 安全 對策 會議를 갖고 非常 事態에 對備하며

- 또한 이들의 外出을 可及的 자제케하는 方法등을 통해 적절히 對處케 함.

o 더우기, 危險地域 滯留 勤勞者, 公館員 및 家族 全員에 대한 戰爭 保險

  加入도 推進코져 함.

0103

동아일보 보도(1.21.자) 잔류교민 동향

1. 요르단 (20명)
    ㅇ 공관원 7명 (공관고용원및부인 포함) = 공관원 5, 고용원 밋 부인 = 7
    ㅇ 교민 13명 (대부분 개인 사업가로 잔류 희망)
    ㅇ 공관측은 긴급 사태에 대비, 아카바항 및 항공편을 통한 이집트로의
       출국과 육로를 통한 시리아로의 출국 준비 완료
       ※ 국내 보도진 22명(이중 15명은 이스라엘 입국, 취재 활동중)

2. 이라크 (23명)
    ㅇ 공관 고용원 박상화(34세, 朴相化)
      - 공관 거주(지하 방공호를 피난처로 활용)
    ㅇ 현대근로자 22명
      - 전쟁 발발 직전일인 1.16. 14명은 바그다드 남부 아다시야 위치
        사업본부에 집결
      - 나머지 인원 8명은 바스라등 각 사업장에 소수인원씩 분산되어
        있었음.
      - 현대측은 이들 전원을 바그다드에 집결시켜 바그다드 동북쪽
        170 ㎞ 지점의 라마디 대피장소로 소개시킬 계획이었음.

3. 쿠웨이트 (9명)
    ㅇ 이들 대부분은 현지에 생활 터전을 갖고있는 사람들로서 잔류를 희망

4. 사우디 (4,697명)
    ㅇ 진출업체(2,546명) : 현대 899, 대림 203, 신성 240, 한일개발 265명등
    ㅇ 전쟁 발발 직후 사우디 동북부 쿠웨이트 국경 150㎞ 지점인 담맘, 쥬베일
       지역의 공사현장에 필수요원만 남기고 모든 인원을 리야드나 젯다등
       안전지대로 대피시킴.

0104

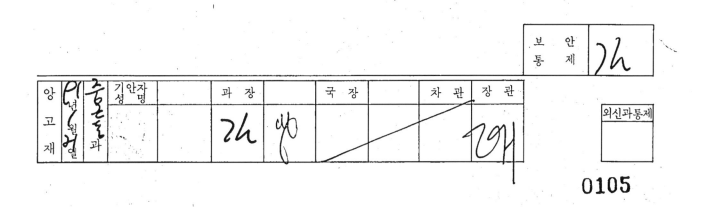

관리번호 91/870

분류번호　보존기간

발 신 전 보

번　　호 : WIR-0067　910121 1211 FK　　종별 : 지 급

수　　신 : 주　이란　대사. 총영사　(사본 : 주요르단 대사)　WJO-0107

발　　신 : 장 관 (중근동)

제　　목 : 현대 건설 근로자 22명

　　1.　1.21. 아침 현대 건설 정호목 사장에 의하면 1.18 주 요르단
대사관에서 이라크에 보낸 메센저는 바그다드 서쪽 120km 지점인 라마디
검문소 까지는 접근하였으나, 그이후는 폭격으로 도로가 크게 파손되어 더이상
가지 못하고 암만으로 돌아왔다는 암만 지사로 부터의 보고가 있었다함.

　　2.　따라서 1.19 암만 현대 지사에서 보낸 두번째 메센저도 바그다드
임무를 수행하지 못하고 돌아올 가능성이 있으며, 특히 라마디와 바그다드
사이에는 유프라테스강 다리가 아직도 폭격을 받지 않았는지 의문시 된다함.

　　3.　이러한 상황에서 현대측은 이란 국경을 통해 아국인 또는 이란인
또는 제 3국인을 메센저로 바쿠바에 파견하는 방안을 강구하고 있다는바,
국경(코스라비)통과를 위해 귀 주재국 및 귀지주재 이라크 대사관과 협조하고
결과 보고 바람.　끝.

91. 6. 30.

예고 : 91. 12. 31. 일반..

(중동아국장　이 해 순)

보안통제

앙고재	기안자성명	과장	국장	차관	장관

외신과통제

0105

원 본

관리 번호	91- 24

외 무 부

종 별 : -

번 호 : IRW-0047

수 신 : 장관(대책본부,중근동,건설부,기정)

발 신 : 주 이란 대사

제 목 : 이라크 잔류 교민 철수

일 시 : 91 0120 2300

연:IRW-0043

1. 이라크 잔류 현대 근로자의 긴급 대피를 위하여 BAKHTARAN 에 출장중인 당관 직원으로 부터 아래 상황을 알려 왔기 보고함.

가.1.20(일) 21:00 현재 이라크 잔류 현대 근로자가 이라크 국경에도 없으며, 이란에 입국한 기록도 없음.

나. 이에 따라 명 1.21(월) 17:00 까지 BAHKTARAN 에서 현대 근로자의 긴급대피를 위하여 체재할 것이며 동 시간까지 별다른 연락이 없을 경우 일단 테헤란에 귀임할 것임.

2. BAHKTARAN 에 긴급 대피한 주이라크 모리타니아 대사의 전언에 의하면 바그다드로 부터 이란 국경 입국지점인 호스라비까지 자동차로 여행하는 도중 한국인을 본 사실이 없다고 하며, 바그다드에서도 한국인을 본 기억이 없다고 함. 또한 동 대사는 바그다드의 일반 상황은 다국적군의 공습으로 봉신, 전화, 전기, 상수도 시설이 파괴되어 생활에 어려움을 느낄 뿐이며, 민간인의 인명 피해와 민간 거주지역의 피해 상황은 전무하다고 함.

3. 동 모리타니아 대사(MR. MUNIER)는 이라크의 봉신 두절로 일단 이란으로 대피하여 본국에 자기 자신의 안전을 보고한 후 다시 임지인 바그다드로 돌아가겠다고 하면서 이란으로 부터 본국에의 교신에 착오가 있을것에 대비, 가능하다면 당관이 전보로 모리타니아 본국에 대사가 안전하며 임무 수행을 위하여 명 1.21 바 그다드로 돌아갈 것이라는 사실을 전하여 줄 것을 당부하였음. 본부에서 주 모리타니아 대사로 하여금 동 사실을 모리타니아 외무부에 전달하여 주도록 조치 바람. 진전 사항 추보 하겠음. 끝

(대사 정경일-국장)

중아국	장관	차관	1차보	2차보	청와대	안기부	건설부

PAGE 1

91.01.21 14:45

외신 2과 통제관 CW

0106

예고:91.6.30 일반

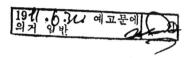

원 본

관리번호 91/105

외 무 부

종 별 :

번 호 : IRW-0049   일 시 : 91 0121 1230

수 신 : 장관(중근동,건설부,기정),사본:주요르단 대사(직송필)

발 신 : 주 이란 대사

제 목 : 현대건설 근로자 22명

대:WIR-0067

연:IRW-0047

1. 바크타란 지역에서 대기중인 당관직원은 금 1.21(월) 오전 이라크로 귀환한 테헤란 주재 이라크 외교관 2명(성명, 직책 미상)에게 현대 근로자가 대피해 있는 것으로 추정되는 농장의 이름 및 전화 번호를 알려주고 멧시지 전달을요청, 동인들로 부터 가능한 전달해 주겠다는 다짐을 받았다 함. 또한 금일중 바그다드 귀임 예정인 연호 주이라크 모리타니아 대사에게도 동일한 요청을 한바, 동인은 가능한 귀임 도중에 동 농장을 경유하여 멧시지를 전달해 주겠다 말하였다 함.

2. 대호 3 항 관련, 주재국 정부 및 당지 주재 이라크 대사관을 접촉하였으나 이란정부는 [84f (대사 정경일-국장)

예고:91.6.30 일반

1991. 6. 30. 대 예고문에 의거 일반문서로 재 분류됨

중아국	장관	차관	1차보	2차보	청와대	안기부	건설부

91.01.21   21:17

외신 2과 통제관 CE

0108

이라크 체류 현대 근로자 소재 파악

(1.21. 주 이란 대사 보고)

o 바크타란 지역 대기 아국 공관원, 1.21. 이라크로 귀환하는 테헤란 주재
  이라크 외교관 2명과 주이라크 모리타니아 대사에게 현대 근로자의 대피
  장소로 추정되는 농장의 이름과 전화번호를 각각 알려주고 이들에게 멧시지
  전달요청

  - 가능한한 대피농장 경유, 멧세지 전달 약속

		담 당	과 장	국 장
상 고 재	이 년 / 월 22 일 중 근 동 과	/3		

0109

관리 번호	91/213			원 본

외 무 부

종 별 : 긴 급

번 호 : JOW-0099   일 시 : 91 0122 1200

수 신 : 장 관(대책본부장,마그,중근동,신일,기정)

발 신 : 주 요르단 대사

제 목 : 요르단.이락간 봉신두절

　　1.　본직은　1.22　10:00　주재국　외무성　OBEIDAT　정무국장을　방문
정무관계(국회사항별전)　대담후　이락　잔류현대근로자　철수문제로　주재국의　가능한
지원을　요청하였던바,　현재　주재국과　이락간에는　일체의　봉신수단이　완전두절되어
있다함.당지　주재　이락　대사관　뿐만아니라　왕실에서도　이락과는　일체　소봉하지
못하고있는　실정이라함

　　2.　동인은　이러한　봉신　완전　두절현상은　기술상의　문제뿐만은　아닐것으로
생각한다고　부언하였으며,　봉신수단이　회복되면　동문제를　알아보자하였음

　　(대사 박태진-대책본부장)

　　예고:91.6.30 일반

1991 6.30. 애 예고문애
의거 일반문서로 재 분류됨.

중아국	장관	차관	2차보	중아국	신일	청와대	안기부

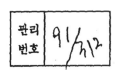

원　본

외　무　부

종　별 : 긴급

번　호 : IRW-0054   일　시 : 91 0122 0900

수　신 : 장관(이기주 페만대책본부장)

발　신 : 주 이란 대사(정경일)

제　목 : 업연

1. 당지에서 파악한바에 의하면, 현재 이라크내에는 전기, 수도및 통신망이단절되여있어 시간이 지날수록 이라크 잔류 현대근로자들의 신변은 위험해질 가능성이 높으며 이라크로부터의 대피가 더욱 힘들어질것으로 예상됨.

2. 상기감안, 현대 근로자에게 속히 이란 국경으로의 철수메세지를 전달하여야 할것인바, 주재국또는 제 3 국인을 보낼경우 임무에대한 성실성이나 보고의신빙성이 의문시될것이기 때문에 아국인 (본인의견해로는 현대건설 직원이 바람직함)을 파견할수밖에 없는것으로 보임. 아국인이 이라크에 입국한점으로 미루어 신변에 위험이 있다든가 바그다드까지의 여행이 불가능한것은 아닌것으로보임.

3. 아국인의 메센저파견을 결정할경우 서울에서 이란, 이락입국사증을 받아오도록 하여주기 바라며 당관은 필요한조치에 최선을 다하겠음. 단, 이란, 이락국경지역인 바크타란에 출장중인 당관 직원보고에 따르면 현재 이르크 입국이 특별한경우(모리타니아대사의 이란입국, 이락 재입국등의에)를 제외하고는 어려움이 많을것으로 예당되나 당관은 주재국 외무성및 당지 이라크대사관과 접촉 최선을다하여 동메센저가 임무를수행할수있도록 지원하겠음.

4. 현재와같이 수동적인 태도로서 이락에있는 아국근로자 들로부터 연락이 오기를 기대하고있는것은 사실상 불가능한 상황이며 성의있는 노력이라고도 보기어려움. 본인이 받은 인상으로는 현대에서도 성의를 갖고 이문제해결에 임하지않은것같음. 현대에서 좀더 적극적인 자세로 나오도록 독려하여야 할것이라는 본인의견을 개진함. 끝

예고 : 91. 6. 30 일반

1991. 6. 30에 예고문에 의거 일반문서로 재 분류됨.

대책반

PAGE 1

91.01.22　16:46

외신 2과 통제관 BN

0111

강관보라항

外務部 걸프事態 非常對策 本部

題 目: 1991. 1 .23.

이라크 현대근로자 소재 확인건

(1.23. 10:00 현대 본사 김호영 이사와 통화)

1. 요르단 운전수 이락 파견
   o 1.19. 밤 10시 파견된 요르단 운전수는 1.22. 귀환 예정이었으나,
     상금 연락이 없음.
     - 귀환이 지체되고 있는 것으로 보아 이라크 내에서 소재파악 임무
       수행중인 것으로 보임.
     국령의 팔레스타인
   o 쿠웨이트 지점 근무 직원으로서 요르단인(1.19. 쿠웨이트에서 출국한
     자로 현지 사정에 밝음)을 현지시간 1.23. 04:00 추가급파 예정
     - 대형 지프차(사막용) 2대 임차, 현지인 2명 고용, 함께 출발
2. 국제방송을 통한 멧시지 전달
   o 1.19. 이후 "이라크에 잔류중인 근로자 여러분에 드리는 멧시지"
     프로그램 수시 방송
   o 멧시지 내용
     - 정부 관련부서 및 공관, 이라크 인접 지사등은 여러분의 신변 안전
       및 긴급 대피를 위해 총 수단을 동원하고 있으며, 24시간 비상
       대책반을 운영하고 있음.
     천수
     - 이란, 요르단 국경 어느쪽으로 탈출해도 입국등 만반의 준비를 갖추어
       대피   대피
       놓았으니 현지 판단에 따라 탈출 용이한 것으로 조속 전원 탈출하시기
       바람.

"대피" 표현으로 수정 요망
(KBS 국제방송과 협조) 기예

	담당	과장	심의관	국장	본부장
앙교재	ᄀ	ᄀ사	여	기예	ᄀ

0112

政府綜合廳舍 810號   電話 : 730-8283/5, 730-2941.6.7.9, (구내)2331/4, 2337/8   Fax : 730-8286

이라크 잔류 현대근로자 소재파악

(1.24. 06:30 주 요르단 정신구 영사와 통화)

o 요르단 주재 <u>현대지사</u>는 <u>1.23. 07:30 경</u> 요르단인 택시기사를 추가 파견
  - 10:10 요르단 국경통과

o 현대측이 지난 1.19. 파견한 요르단인 멧신저는 ~~이름~~ 귀환일(1.22)이 지난
  현재까지 연락이 없는 상태임.

o 이라크, 요단국경 전경 폐쇄.

0113

관리
번호 9/643

원 본

외 무 부

종 별 : 긴 급

번 호 : IRW-0072

일 시 : 91 0125 1000

수 신 : 장관(중근동,기정)

발 신 : 주 이란 대사

제 목 : 현대건설 근로자 철수

1. 금 1.25(금) 0850 이란, 이락국경지역에 출장대기중인 현대 유풍 테헤란주재 지사장 보고에 의하면 한국인 9 명과 방글라데시인 28 명이 1.25 1100 경 이락으로부터 이란으로 입국한다는 봉보를 주정부 난민담당 책임자로부터 받았음.

2. 동 직원은 당관직원이 공한을 지참하고 현지로가 동인들을 인수할것을 요청하여왔으며 이에따라 당관은 홍충웅영사를 금 1050 차량편 테헤란 출발 현지로 향발토록 조치하였음. 한국인 인수에 관한 진전상황은 (인적사항, 잔류인원소재등) 파악되는대로 계속 보고 하겠음.

3. 또한 방글라데시인 인수에관한 신변인수 문제에 대해서도 당관은 동파견직원으로 하여금 인수토록 지시 하였음을 참고로 첨언함. 주재국은 방글라데시인들이 자국으로 귀국하는 보장을 당관이 해주도록 요청하고 있으나 당관은 여사한보장은 주이란 방글라데시 대사관에서 공한으로 주재국정부에 해줄것을 요청중에있음. 끝

(대사정경일-비상대책본부장)

예고:91.6.30 일반

1991. 6.30. 에 예고문에
의거 일반문서로 재 분류됨.

중아국 노동부	장관	차관	1차보	2차보	청와대	총리실	안기부	건설부

PAGE 1

91.01.25 16:24

외신 2과 통제관 BA

0114

外務部 걸프事態 非常對策 本部

題 目: 이라크 잔류 현대근로자 9명 이란도착 1991. 1. 25.
(주이란 정경일대사 전화보고 17:30)

　　이라크 잔류 현대근로자 22명중 9명이
금 1.25. 17:00頃(이란시간 11:00) 이라크 國境
을 넘어 이란의 국경도시 코스라비에 도착하여
現在 이란 移民局의 保護下에 있음.

　　이란측은 우리 대사관에 대해 이들을 23:30
頃(이란시간 17:30경) 바크타란(코스라비에서
約 100km)에서 引受할 것을 要請하였음.
우리 대사관은 홍충웅 영사등 공관원 2名을
현대 支社長과 함께 바크타란에 急派하였음.
(往路 約 8時間 所要)

　　9名의 人的事項은 尙今 알려지지
않고 있음. 이번에 도착 13名의 所在는
이들이 도착하면 파악될 수 있을 것으로 봄. 끝.

0115

政府綜合廳舍 810號　電話: 730-8283/5, 730-2941. 6. 7. 9, (구내)2331/4, 2337/8　Fax: 730-8286

전화 보고문

(91.1.26. 03:50 주이란 대사관 천인필)

1. 연호 보고한 현대근로자 9인은 전원 건강하며 명단은 아래와 같음.
   (동 9인과 함께 28인의 방글라데쉬 인도 현재 바크타란에 체재중임)
   -김종훈, 김무웅, 임풍호, 백종호, 문동날, 김효석, 김봉길, 임진수,
   김명균

2. 이라크에 잔류중인 현대 근로자 13인은 안전하며, 이중 현지인과 결혼한
   2인을 제외한 11인도 곧 대피할 것이라함.

3. 당관에서 파견된 홍충웅 영사는 금 1.25 21:00 (현지시간) 이란으로 대피한 9인의
   현대 직원과 면담예정이며 이란측으로부터 이들 9인의 신병을 인수할
   예정임.

4. 잔류 현대 직원에 관한 상세 사항은 21시 면담후 상세 보고하겠음.

0116

현대건설 김호영 이사 통화 내용

(1.25. 14:30)

o 이라크 잔류 현대 근로자 22명중 9명이 이-이 국경을 경유, 이란에 입국
   하였다는 소문을 들었는바, 이는 전혀 근거없는 일임.

o 현대측은 상금 동인들에 대한 소식을 접하지 못하고 있음.

o 1.19. 자사 요르단 지점에서 이라크에 파견시킨 고용 기사가 이라크-
   요르단 국경 폐쇄로 인해 상금 도착치 않고 있음.

o 새로운 진전사항 있을경우 즉각 외무부에 통보 예정이며, 외무부측도
   새로운 진전사항 입수시 현대측에 알려 주시기 바람.

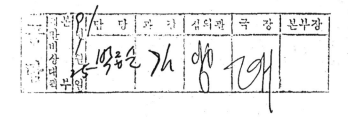

0117

원 본

외 무 부

종 별 :

번 호 : IRW-0075 　　　　　　　　　　 일 　 시 : 91 0125 2240

수 신 : 장관(비상대책본부장,중근동,노동부,건설부,기정)

발 신 : 주 이란 대사

제 목 : 현대 근로자 철수

　　1. 기보고한 9인의 현대 근로자들은 전원 건강하며 명단은 하기와 같음.

　　김종훈, 김무응, 임용호, 백성호, 문동남, 김효석, 김봉길, 임진우, 김명균.

　　또한 28인의 방글라데시 근로자도 현재 박타란에 체재중임.

　　2. 잔류 현대 직원 13인은 이라크내에 안전하게 있으며, 이중 현지인과 결혼한 2인을 제외한 12인도 곧 대피할 것이라고 함.

　　3. 당관에서 파견된 홍충웅 영사는 금 1.25. 21:00 이란으로 대피한 9인의 현대직원과 면담할 예정이며, 이란측으로 부터 이들 9명의 신병을 인수할 예정임.

　　잔류 현대 직원에 관한 상세한 상황은 21:00 면담후 상세히 보고 하겠음.

　　끝.

　　(대사 정경일-국장)

[손글씨 메모]
면담 23:00 ~ 24:00 간
(홍영사 + 가이사)
현재 이란 Guest House에 유숙
1.26. 아침 8:30 Guest House에 가서
신병인수토 등로 테헤란 출발 예정.
테헤란까지 약 11-12시간 걸릴것 같음.
(홍영사 어제밤 박타란까지 9시간 걸렸음)
왜 7인이 못나왔나? — 이락에서 비자 안나왔다.
이번에도 고용원시켜 힘들게 받았다.

대책반	장관	차관	1차보	2차보	미주국	중아국	청와대	종리실
안기부	건설부	노동부						
✓						✓		

PAGE 1 　　　　　　　　　　　　　　　　　　　　　91.01.26　04:37 DA
　　　　　　　　　　　　　　　　　　　　　　　　　외신 1과 통제관
　　　　　　　　　　　　　　　　　　　　　　　　　　　　　　0118

관리
번호

원 본

외 무 부

종 별 : 긴급

번 호 : IRW-0080

일 시 : 91 0126 2330

수 신 : 장관(대책본부장,중근동,노동,건설,기정)

발 신 : 주 이란 대사

제 목 : 현대근로자철수

연:IRW-0075

1. 연호보고한 현대근로자 9 명및 방글라데시인 28 명은 금 1.26(토) 1100박타란출발 2200(현지시각)무사미 당지 도착 시내호텔에 부숙중에있음.(방글라데시인은 당지 현대측이 별도 숙소를 제공, 당지 방글라데시대사관과 협조처리예정임)

2. 당관은 이들의 도착시간이 저녁임을 감안 식사등을 준비 동인들을 위로예정이었으나 동인들이 극도로 피곤한 상태인외에 신경이 예민하여있어 정상적인 대화조차 어려운상황 이였으므로 일단 휴식을 취하도록 하였고 명 27 일 오전대사관에서 이들과 면담 잔류 현대직원 소재파악등 관련사항에대해 사정을 청취하기로 하였음.

3. 참고로 동인들의 여사한 과민반응은 대피과정에서 느낀 회사측에대한 불만의 일환으로 사료되며, 불만의 이유중의 하나인 이락, 이란 국경 봉과지점에서현대측 대표가 마중하지 않았다는 사실등이 이와같은 상황을 야기한것으로 판단됨. 당관은 국경초소지역 100 키로이내에는 어떤 외국인이든 출입이 통제되어있음을 설명하고 이들의 감정이 오해에서 나온것임을 설득하였음.

4.(건의) 명일 당관은 이들과의 대화를통하여 격앙된 감정을 순화하도록 최선을 다할것이나 현대본사 회장, 또는 사장이 직접이들과 통화를 하여(특히 김정훈이사가 부정적인 분위기 조성을 하고있음)이들을 위로하고 갖고있는 오해를 불식토록함이 긴요하다고 판단되니 현대로 하여금 시행하도록 조치바람. 끝

(대사정경일-대책본부장)

예고:91.6.30-일반

1991. 6.30 에 예고문에 의거 일반문서로 재 분류됨.

중아국 건설부	장관 노동부	차관	1차보	2차보	미주국	청와대	총리실	안기부

관리
번호 P1/[[]]

종 별 : 긴 급

번 호 : IRW-0080   일 시 : 91 0126 2330

수 신 : 장관(대책본부장,중근동,노동,건설,기정)

발 신 : 주 이란 대사

제 목 : 현대근로자철수

    연:IRW-0075

1. 연호보고한 현대근로자 9 명및 방글라데시인 28 명은 금 1.26(토) 1100박타란출발   2200(현지시각)무사미   당지   도착   시내호텔에 부숙중에있음.(방글라데시인은   당지 현대측이 별도   숙소를   제공,   당지 방글라데시대사관과 협조처리예정임)

2. 당관은   이들의   도착시간이   저녁임을   감안 식사등을 동인들을 위로예정이었으나 동인들이 극도로 피곤한 상태인외에 신경이 예민하여있어 정상적인 대화조차   어려운상황   이였으므로   일단 휴식을 취하도록 하였고 명 27 일 오전대사관에서   이들과 면담 잔류 현대직원 소재파악등 관련사항에대해 사정을 청취하기로 하였음.

3. 참고로 동인들의 여사한 과민반응은 대피과정에서 느낀 회사측에대한 불만의 일환으로 사료되며, 불만의 이유중의 하나인 이락, 이란 국경 봉과지점에서현대측 대표가 마중하지 않았다는 사실등이 이와같은 상황을 야기한것으로 판단됨. 당관은 국경초소지역 100 키로이내에는 어떤 외국인이든 출입이 통제되어있음을 설명하고 이들의 감정이 오해에서 나온것임을 설득하였음.

④ (건의) 명일 당관은 이들과의 대화를통하여 격양된 감정을 순화하도록 최선을 다할것이나 현대본사 회장, 또는 사장이 적접이들과 봉화를 하여(특히 김정훈이사가 부정적인 분위기 조성을 하고있음)이들을 위로하고 갖고있는 오해를 불식토록함이 긴요하다고 판단되니 현대로 하여금 시행하도록 조치바람. 끝

(대사정경일-대책본부장)

예고:91.6.30 일반

91.01.27   07:07

외신 2과 통제관 DG

0120

원 본

관리
번호 91/PPP

외 무 부

종 별 : 긴 급

번 호 : IRW-0083

일 시 : 91 0127 1515

수 신 : 장관(대책본부장,중근동,노동,건설,기정)

발 신 : 주 이란 대사

제 목 : 현대근로자 철수

연:IRW-0080

1. 연호 당지도착 현대근로자들은 시내호텔에서 1 박후 금 1.27(일) 오전 당관을 방문한바, 동인들과의 면담요지 아래보고함.

가. 탈출경위

-이락 정부의 출국허가 지연으로 출국이 늦어진바, 그간 현대건설공사장에서 약간 떨어진 이라크인의 농장에서(이란국경통과지점인 호스라비와는 도보통행거리) 체류함.

-일부 책임자가 수차례 이란국경으로와서 월경가능성을 확인하였으나 이라크 국경 이민국 직원들의 업무처리지연으로 대피지로 되돌아간바있음.

-1.21 경 이란을 방문후 바그다드에 돌아온 주이라크 모리타니아 대사로부터, 이란주재 아국공관원이 국경에서 대기하고있다는 연락을 받았으며, 출국 수속을 끝낸후 국경을 넘었음.

나. 잔류인원

-잔류인원 13 명은 상기 이라크인의 농장에서 체류중인바 직접저인 공습지역에서는 다소 떨어져있어 일단 안전한것으로 보임.

-동인들도 이라크측의 출국허가를 받는대로 2-3 일내에 동일 루트로 이란으로 나올것으로 예상됨.

-전기 수도등이 단절되어 어려운점이 많으나 식량은 충분히 비축되어있음.

2. 동인들은 모두 건강상의 문제점은 없으며 26 일 밤과는 달리 하루 휴식을취한후 정신적으로도 안정을 되찾은것으로 보였음. 당관은 당지 파견 현대측과협의, 조속한 시일내에 귀국할수있도록 조치중임.

3. 잔류인원의 이란입국 가능성에대비, 당관은 바크타란 주정부와 접촉을 계속하고있음. 이란측 관계자는 이라크쪽 국경에 난민이 도착할경우, 월경 2 시간전에

중아국	차관	1차보	2차보	중아국	정와대	안기부	건설부	노동부

PAGE 1

이라크측에서 이란측에 통보가오며, 입국수속에 통상 하루가 소요되므로 통보를
접수하는대로 공관직원을 국경지역으로 보낼수있도록 대기중임.끝
　　(대사정경일-국장)
　　예고:91.6.30 일반

1991. 6.30. 에 예고문에
의거 일반문서로 재 분류됨.
（서명）

관리 번호	91 /1004

외 무 부

종 별 : 긴 급

번 호 : IRW-0083   일 시 : 91 0127 1515

수 신 : 장관(대책본부장,중근동,노동,건설,기정)

발 신 : 주 이란 대사

제 목 : 현대근로자 철수

연:IRW-0080

1. 연호 당지도착 현대근로자들은 시내호텔에서 1 박후 금 1.27(일) 오전 당관을 방문한바, 동인들과의 면담요지 아래보고함.

가. 탈출경위

-이락 정부의 출국허가 지연으로 출국이 늦어진바, 그간 현대건설공사장에서 약간 떨어진 이라크인의 농장에서(이란국경통과지점인 호스라비와는 도보통행거리)체류함.

-일부 책임자가 수차례 이란국경으로와서 월경가능성을 확인하였으나 이라크 국경 이민국 직원들의 업무처리지연으로 대피지로 되돌아간바있음.

-1.21 경 이란을 방문후 바그다드에 돌아온 주이라크 모리타니아 대사로부터, 이란주재 아국공관원이 국경에서 대기하고있다는 연락을 받았으며, 출국 수속을 끝낸후 국경을 넘었음.

나. 잔류인원

-잔류인원 13 명은 상기 이라크인의 농장에서 체류중인바 직접적인 공습지역에서는 다소 떨어져있어 일단 안전한것으로 보임.

-동인들도 이라크측의 출국허가를 받는대로 2-3 일내에 동일 루트로 이란으로 나올것으로 예상됨.

-전기 수도등이 단절되어 어려운점이 많으나 식량은 충분히 비축되어있음.

2. 동인들은 모두 건강상의 문제점은 없으며 26 일 밤과는 달리 하루 휴식을취한후 정신적으로도 안정을 되찾은것으로 보였음. 당관은 당지 파견 현대측과협의, 조속한 시일내에 귀국할수있도록 조치중임.

3. 잔류인원의 이란입국 가능성에대비, 당관은 바크타란 주정부와 접촉을 계속하고있음. 이란측 관계자는 이라크쪽 국경에 난민이 도착할경우, 월경 2 시간전에

중아국	차관	1차보	2차보	중아국	청와대	안기부	건설부	노동부

PAGE 1

91.01.27 21:50

외신 2과 통제관 FI

0123

이라크측에서 이란측에 통보가오며, 입국수속에 통상 하루가 소요되므로 통보를
접수하는대로 공관직원을 국경지역으로 보낼수있도록 대기중임.끝
　　(대사정경일-국장)
　　예고:91.6.30 일반

1991. 6.30. 에 예고문에
의거 일반문서로 재 분류됨.
(인)

원 본

외 무 부

관리
번호 91 / A71

종 별 :

번 호 : JOW-0124

일 시 : 91 0128 1300

수 신 : 장 관(중근동,대책본부)

발 신 : 주 요르단 대사

제 목 : 국경상황및 현대요원 철수 관련

1. 이라크측의 대요르단 국경폐쇄 조치(1.22.)는 금일까지 계속되고 있으며현재 이라크측 TREBEIL 국경에는 요르단인을 비롯한 약 5 천명의 피난민이 대기중에 있음

2. 당지 언론및 목격자들에 의하면 이들 난민은 추위와 유류. 식량문제로 심한 곤경을 겪고있는 것으로 알려지고 있는 가운데 1.27 TREBEIL 국경사무소는 약 70 명의 튜니시아 국민및 국경에서의 사망지가 있는 2 가구의 요르단인들에 대해서만 특별 출국허가 시킴. 동 튜니시아 국민들에 대한 특별 허가조치는 지난 1.26 BEN ALI 튜니시아 대통령의 다국적군에 대한 비난및 안보리 소집 요구에 대한 감사의 외교적 조치로 알려짐

3. 또한 1.28 자 일간지는 바그다드로 부터의 여행객의 말을 인용, 요르단-이라크간의 고속도로가 공습으로 크게 파괴되었다고 함

4. 금일 당지 현대지사장이 테헤란으로 철수한 현대측(김종문대표)에 확인한바에 의하면 1.19. 당지에서 2 차 파견한 연락요원으로부터 1.22. 철수 연락메모지(대사관및 현대지사)를받고 바로 동인편에 회신을 보냈다 하나, 1.19 및 1.20 파견한 2 차(현대지사파견)및 3 차(현대지사파견) 연락요원이 금일 현재까지 당지에 귀환하지 못하고 있음. 이는 상기 국경상황으로 보아 공습으로 인한 도로파괴및 국경폐쇄조치에 기인한것으로 보여지고 있음

(대사 박태진-국장)

예고:91.6.30 까지

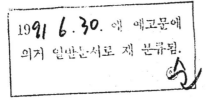

1991 6.30. 애 예고문에 의지 일반문서로 재 분류됨.

중아국	장관	차관	1차보	2차보	청와대	안기부

PAGE 1

91.01.28   20:18
외신 2과 통제관 CH
0125

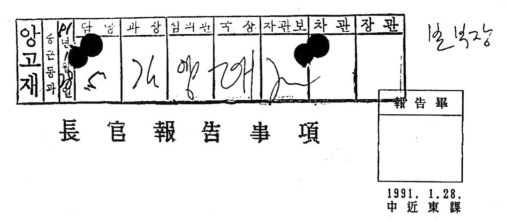

報告畢

1991. 1. 28.
中近東課

長官報告事項

題　目　: 駐韓 이라크 大使代理 接觸(案)

> 이라크와 쿠웨이트에 殘留하고 있는 我國民의 撤收 및 安全에 대한 協助
> 要請과 我國 醫療支援團의 사우디 派遣이 이라크를 자극할 憂慮가 있으므로
> 이의 적절한 說明을 위하여 駐韓 이라크 大使代理를 아래와 같이 隱密히
> 接觸코자 합니다.

1. 接觸日時　:　1991. 1. 31.（木）　午餐

2. 接觸場所　:　프라자 호텔 小別室

3. 接觸人士　:　駐韓 이라크 大使代理　　Burhan K. Ghazal
　　　　　　　　2等書記官　　　　　　Falih A.H. Huzam
　　　　　　　　中東아프리카局 審議官　양태규
　　　　　　　　中近東 課長　　　　　　김의기

4. 接觸時 言及 事項

　가. 醫療支援團 派遣 立場 說明

　　- 我國은 國際社會의 責任있는 一員으로서 유엔 決議를 尊重하며
　　　人道的인 考慮에서 醫療陣을 派遣함.

　　- ~~同 醫療陣은 戰後에도 必要할 것으로 判斷되며 彼我 區分없이 仁術에~~
　　　~~從事할 것임~~

　나. 이라크와 쿠웨이트 殘留 我國民의 撤收 및 安全 協助 要請

　　- 現在 이라크와 쿠웨이트에 殘留하고 있는 我國民과의 通信이 斷切되어
　　　이들의 安危가 念慮되는바, 이들의 所在把握, 安全確認 및 撤收를
　　　위한 협조를 요청함.

　　- 現在 殘留人員

　　　이라크　:　公館 現地 雇傭員　　　1名
　　　　　　　　現代建設　　　　　　13名

　　　쿠웨이트　:　自營業　　　　　　　9名.

5. 參考 事項

　駐韓 이라크 大使代理는 1990.7. 大使代理 官邸에 中東阿局 審議官 및 課長을
　午餐에 招請한 바 있어, 이에 대한 答禮 形式으로 今番 午餐을 推進코자 함.　끝.

0126

관리
번호

발 신 전 보

WJA-0397   910128 1528 DP   종별 지급

WGE -0148   WUK -0176
WFR -0177   WIT -0121
WND -0101

수   신 : 주   수신처   대사!!총영사!

발   신 : 장   관   (중근동)

제   목 : 이라크 및 쿠웨이트 잔류자의 철수 계획

   이라크 및 쿠웨이트에 잔류하고 있는 아국민의 철수 계획에 참고코자
하니 이들 국가에 잔류하고 있는 귀주재국 국민의 인원과 철수 계획등 참고
사항을 지급 조사 보고 바람. 끝.
   귀주재국 정부 에 문의

(중동아국장 이 해 순)

수신처 : 주일본, 독일, 영국, 불란서, 이태리, 인도 대사

예 고 : 91.6.30.까지

1991. 6.30. 에 예고문에
의거 일반문서로 재 분류됨.

보 안
통 제

앙고재	91년 1월 28일 중근동과	기안자성명		과 장 심의관 앙	국 장 전결.	차 관	장 관	외신과통제

0127

長官 報告 事項

報告畢

1991. 1. 28.
中近東課

題 目 ：駐韓 이라크 大使代理 接觸(案)

이라크와 쿠웨이트에 殘留하고 있는 我國民의 撤收 및 安全에 대한 協助 要請과 我國 醫療支援團의 사우디 派遣이 이라크를 자극할 憂慮가 있으므로 이의 적절한 說明을 위하여 駐韓 이라크 大使代理를 아래와 같이 隱密히 接觸코자 합니다.

1. 接觸日時 ： 1991. 1. 31. (木)   午餐

2. 接觸場所 ： 프라자 호텔 小別室

3. 接觸人士 ： 駐韓 이라크 大使代理   Burhan K. Ghazal
            2等書記官   Falih A.H. Huzam
            中東아프리카局 審議官   양태규
            中近東 課長   김의기

4. 接觸時 言及 事項

   가. 醫療支援團 派遣 立場 說明

       - 我國은 國際社會의 責任있는 一員으로서 유엔 決議를 尊重하며
         人道的인 考慮에서 醫療陣을 派遣함.

   나. 이라크와 쿠웨이트 殘留 我國民의 撤收 및 安全 協助 要請

       - 現在 이라크와 쿠웨이트에 殘留하고 있는 我國民과의 通信이 斷切되어
         이들의 安危가 念慮되는바, 이들의 所在把握, 安全確認 및 撤收를
         위한 협조를 요청함.

       - 現在 殘留人員

         이 라 크 ： 公館 現地 雇傭員   1名
                    現代建設   13名

         쿠웨이트 ： 自營業   9名

5. 參考 事項

   駐韓 이라크 大使代理는 1990.7. 大使代理 官邸에 中東阿局 審議官 및 課長을
   午餐에 招請한 바 있어, 이에 대한 答禮 形式으로 今番 午餐을 推進코자 함.   끝.

0128

주한 이라크대사관 직원현황

	직위	성명	부임일	생년월일	가족사항 성명	생년월일	관계
①	대사대리	Burhan K. Ghazal	89. 6.10.	40. 3.20.	Shatha A. ayoub	48.	부인
					Rola B.K. Ghazal	74. 7.31.	딸
					Amra B.K. Ghazal	81.10.21.	딸
					Ali B.K. Ghazal	87.	아들
②	2등서기관	Falih A.H.Huzam	89. 8.13.	47.	Zahra Alwan Hasan	50.	부인
					Wasan Falih A.Hasan	74	딸
					Ahmed Falih A.Hasan	76	아들
					Enas Falih A.Hasan	78	딸
③	주재관 , ATTACHE	Faris A. Abdulwahab	90. 7.25.	54. 1. 2.	Sewsan K. Ahmed	60. 6. 2.	부인
					Awse K. Ahmed	85. 7.13.	아들
					Ahmed K. Ahmed	88.11. 6.	아들
Ⓐ	행정관	Manhal M. Hasan	89.11.15.	63. 4.21.	가족 없음.		
Ⓑ	행정관	Hussein Q. Hassan	89. 9.27.	64.	가족 없음.		
Ⓒ	노무직원	Selman Kh.Rahim	90. 6.18.	58. 2.10.	Kami M. Rahim	69. 9. 5.	부인
					Hader M. Rahim	86. 7.25.	아들
					Ali M. Rahim	89. 7. 1.	아들

한국인

	직위	성명		생년월일
	비서	김은희	■■■	1989.4.18.
	고용원	강완순		1986.11.30.
	비서	양인순		1989.12.

0129

| 관리
번호 | 91
/898 |

외 무 부

원 본

종 별 : 지 급

번 호 : IRW-0094

일 시 : 91 0130 2000

수 신 : 장관(대책본부장,중근동)

발 신 : 주 이란 대사

제 목 : 현대건설근로자귀국

1. 이락에서 탈출한 현대근로자 9 명은 금 1.30 19:15 IR-801 편 동경향발함.

2. 동인들은 1.31 15:50 KE-001 편 동경출발 서울도착예정임.끝

(대사정경일-대책본부장)

예고:91.6.30 일반

1991. 6.30. 에 예고문에
의거 일반문서로 재 분류됨.

중아국   차관   2차보   안기부

91.01.31   05:09

외신 2과 통제관 CA

0130

원 본

관리
번호 91/1078

외 무 부

종 별 :

번 호 : JOW-0133

일 시 : 91 0131 1300

수 신 : 장 관(중근동,대책본부,기정,주 이란대사)

발 신 : 주 요르단 대사

제 목 : 현대파견 연락요원 귀환

연:JOW-0124

1. 이라크 잔류 현대근로자 철수를 위해 1.19 현대측이 파견한 1 차 연락요원이 1.30 밤 현대 김종훈 이사의 1.22 자 메모를 휴대 당지에 귀환함. 동메모에의하면 주이라크 대사관 잔류아국인 고용원 박상화는 무사하다고함

2. 동연락요원은 1.26 요르단 국경에 도착했으나, 이라크측 국경폐쇄로 다시 바그다드로 되돌아가 1.27 바그다드 소재 현대 공사장에서 현대 기능공을 만났다함. 동인에 의하면 현대기능공들은 모두 무사하며 이들중 7 명은 바그다드 소재 공사장에서,6 명이 바쿠바에 피난대기중이며, 총 13 명중 12 명이 이란측을봉한 출국을 수속중이라고함

3. 동인에 의하면 바그다드시내는 공습에도 불구하고 평온한편이나 바그다드-암만간의 고속도로는 많이 파괴되었다함. 상기와 관련 현대측이 1.20 파견한 2차 연락요원도 1.30 암만에 귀환하였음을 첨언함

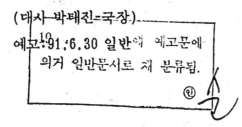

(대사 박태진=국장)

예고:91.6.30 일반에 예고문에 의거 일반문서로 재 분류됨.

중아국   장관   차관   1차보   2차보   청와대   총리실   안기부

外務部 걸프事態 非常對策 本部

이라크 잔류 현대 건설 직원 소재파악

題 目 :

(1.31. 19:10 현대건설 김호영 이사와 통화)

1991. 2. 1

o 요르단 주재 현대건설 지사는 지난 1.19 이라크에 입국,
   1.31 귀환한 요르단인 멧신저로 부터 이라크에 잔류중인
   현대건설 직원 및 근로자들의 편지(사원 박효중씨 명의
   1.27 자서신)를 받았는바, 동 내용은 아래와 같습니다.

- 잔류인원 13명 전원은 무사하며 건강하게 대피장소인
   바쿠바에 체류하고 있음.(식량, 전기, 수도사정 양호)

- 상기 잔류인원과, 제3국인 42명의 출국수속을 위해 최선을
   다하고 있으며, 곧 이란 국경으로 출국 예정임.   끝.

		담 당	과 장	심의관	국 장	본부장

0132

494   걸프 사태 재외동포 철수 및 보호 2: 쿠웨이트 및 이라크(2)

外務部 걸프事態 非常對策 本部

題 目: <u>이라크 잔류 현대근로자 2명 이란 도착</u>　　　　1991. 2. 1
　　　　　　（주 이란 대사관 및 현대건설 보고）　　　　　09:30

1. 이라크 잔류 현대소속 13명중 2명 (김규문, 이영일)이 방글라데시인 1명과
   함께 2.1. 01:30 (이란시간 1.31. 19:30) 이라크 국경을 넘어 이란 국경도시
   호스라비에 무사히 도착함. （이란 바크타란에 파견된 현대직원도 이란 외무성
   직원으로부터 이들 2명의 도착내용 연락 받음）

2. 한편, 주요르단 대사관이 1.19. 이라크에 파견한 요르단인 메센저는 바쿠바
   체류중인 현대직원의 1.27.자 서신을 받아 1.31. 요르단으로 귀환 하였는바
   현대직원 13명은 모두 무사하며, 출국 수속이 끝나는대로 이란 국경쪽으로
   출국 예정이라 함.

3. 주이란 아국 대사관이 상기 2인을 면담하게되면 이라크 잔류인원의 근황이
   파악될 수 있을것으로 봄.

0133

政府綜合廳舍 810號　電話 : 730-8283/5, 730-2941.6.7.9, (구내)2331/4, 2337/8　Fax : 730-8286

外務部 걸프事態 非常對策 本部

題 目 : 주 이란 총영사 전화보고 통화 내용

1991. 2. 1
03:15

ㅇ 바크타란에 나가있은 현대 이 이사는 1.31. 저녁 7:30 바크타란 난민
 수용소에 파견된 이란 외무성 직원으로 부터 전화 연락을 받음.
 - 호스라비에 한국인 2명이 와있음.
 - 동 2명이 현대 직원인지 여부는 2.1. 12:00경에야 알수 있으니
  그때 다시 알려 주겠음.

ㅇ 상기건 접수되는 대로 전화 및 공전 보고 위계임.

공람	승근동과	91년 2월 1일	담 당	과 장	심의관	국 장	차관보	차 관	장 관
			박종운				전결		

0134

外務部 걸프事態 非常對策 本部

題 目: 현대 이종윤 차장 전화 통화 내용

1991. 2 1
08:40

o 금일 05:05 테헤란의 공영호 전무와 전화 통화함.

- 현대소속 한국인 2명(직원 : 김규문, 근로자 : 이영일) 방글라데시인
1명(북부철도공사 소속 직원) 호스라비에 무사히 도착.

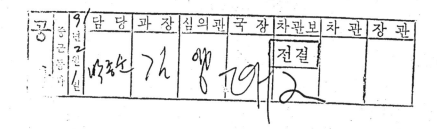

0135

政府綜合廳舍 810號   電話 : 730-8283/5, 730-2941. 6. 7. 9, (구내) 2331/4, 2337/8   Fax : 730-8286

外務部 걸프事態 非常對策 本部

題 目 : <u>이라크 잔류 현대근로자 2명 이란 ~~국경~~ 도착</u>   1991. 2   1
                                                                              09:30

(주이란~~아국~~ ~~대사관~~ 현대건설 대책본부 보고)

대사관밀

1. 이라크 잔류 현대소속 13명중 2명 ~~직원~~ (김규문, ~~근로자~~ 이영일)이
   방글라데쉬인 1명과 함께 2.1. 01:30 (이란시간 1.31. 19:30) 이라크
   국경을 넘어 이란 국경도시 호스라비에 무사히 도착함.
   (이란 바크타란에 파견된 현대직원도 이란 외무성 직원으로부터 이들 2명의
   도착내용 연락 받음)

   한편   *1.19.*   *는 바쿠바 체류중인*
2. 주요르단 대사관이 이라크에 파견한 ~~파견중~~ 요르단인 메센저 ~~상기인들 접촉후~~ *출국수속이 끝나는 대로*
   현대직원외 1.27자 외신을 받아
   ~~1.31~~ 요르단 귀환에 의하면 이들중 나머지 11명도 무사하며, *건강하게*
   으로 *하였는바 현대직원 13명은 모두*
   ~~대피장소인 이라크 바쿠바에 체류, 곧~~ 이란 국경으로 출국 예정이라 함.

                  상기 2인을 면담   *쪽*
                                                  ?
3. 주이란 아국 대사관이 ~~동안들을 접수하게 되면 좀~~ 이라크 잔류인원의 ~~상황~~
   근황이 파악될 수 있을것으로 봄.

政府綜合廳舍 810號   電話 : 730-8283/5, 730-2941.6.7.9, (구내)2331/4, 2337/8   Fax : 730-8286

관리번호 91042

원 본

외 무 부

종 별 : 지급

번 호 : IRW-0095
일 시 : 91 0201 1030

수 신 : 장관(대책본부장,중근동)

발 신 : 주 이란 대사

제 목 : 현대건설근로자

연:IRW-0094

1. 연호에이어 이라크내 현대잔류인원중 2 인(김규문 별정직근로자, 이영일기능직사원)이 이라크로부터 1.31(목) 1930(당지시각) 이란국경도시인 호스라비에 도착한것으로 확인되었음.

2. 당관은 현재 박타란에 출장중인 현대건설 이재호이사가 동인들을 인수할수있도록 당지 외무부와 교섭중이나, 만일의 경우에대비 당관직원을 현지에 파견하는 방안도 검토중임을 보고함.

3. 진전사항 추보하겠음. 끝

(대사정경일-대책본부장)

예고:91.6.30 일반

사본
건설부
노동부에 각 1 COPY
홍 촉가
배포

| 중아국 | 장관 | 차관 | 1차보 | 2차보 | 청와대 | 총리실 | 안기부 |

PAGE 1

91.02.01   16:29

외신 2과 통제관 CA

0137

원 본

관리 91
번호 /104

외 무 부

종 별 : 지 급

번 호 : IRW-0102

수 신 : 장관(대책본부장,중근동,노동,건설)

발 신 : 주 이란 대사

제 목 : 현대건설근로자 철수

일 시 : 91 0202 1200

연:IRW-0095

1. 연호 박타란에 체제중인 현대 이이사는 현대건설근로자 2 인(김규문, 이영일)과 방글라데시인 1 인의 신병을 2.1 21:00 (현지시간) 이란측으로부터 인수하였음. 위 2 인에 따르면 현대근로자 1 인(양동수, 별정직직원)과 태국인 근로자 2 명및 방글라데시 근로자 42 명이 금 2.2 오후 이란국경으로 넘어올 가능성이 크다고함.

2. 금 2.2 오후 현대근로자 1 인의 신병이 추가로 인수될경우 위 3 인을 동시에 테헤란으로 이송할계획임.

3. 진전사항 추보하겠으며 연호 IRW-0095 사본은 건설부및 노동부에 각각 참고로 송부하여 주기바람. 끝

(대사 정경일-대책본부장)

예고:91.6.30 일반에 예고문에 의거 일반문서로 재 분류됨. ㉔

IRW-0095 전문
사본 1 ~~~석
건설. 노동부에
2.3 기동북

중아국 노동부	장관	차관	1차보	2차보	청와대	총리실	안기부	건설부

外務部 걸프事態 非常對策 本部

題 目 :   1991.

이라크 잔류 현대 직원 1명 이란 추가 철수

(2.2. 10:40 현대 본사 김영호 이사 및 대책본부 김종구와 통화)

o 이라크 잔류 현대직원 양동수가 한국시간 2.2. 00:00시경(현지시간 2.1. 18:30) 제3국인 근로자 44명(방글라데쉬인 42, 태국인 2)과 함께 이란 국경 도시 코스라비에 무사히 도착함.

o 동인들은 오늘중 바크타란으로 이동될 것으로 보이며, 1.31. 이란으로 철수하여 현재 바크타란 소재 호텔에 체류중인 2명과 함께 오늘밤 늦게 또는 내일 아침중으로 이란 적십자사가 제공하는 차량편 테헤란으로 수송될 예정임.

o 이로써 현대소속 이라크 잔류자는 10명(직원 2, 근로자 8)으로 전원 바쿠바에 안전하게 대피중인바, 현지인과 결혼 2명을 제외한 8명(직원 1, 근로자 7)이 철수할 것으로 예상됨.

o 8명중 3명이 상금 출국 동의서를 받지 못하고 있는바, 이를 위해 이라크 이민국과 접촉중임.   끝.

원 본

관리번호 91/105

외 무 부

종 별 : 지급

번 호 : IRW-0108

수 신 : 장관(대책본부장, 중근동,노동부,건설부)

발 신 : 주 이란 대사

제 목 : 현대근로자 철수

일 시 : 91 0203 1630

연:IRW-0102

1. 연호 박타란에 체재중인 현대 이이사는 현대건설근로자 1 인(양동수)의 신변을 2.2. 1800 경(현지시간) 이란측으로부터 인수 호텔에 부숙하였음(배국인 2, 방글라데시인 44, 은 호수라비 난민수용소에 수용)

2. 금 2.3 현재까지 신병이 인수된 현대근로자 3 명은 2.5 오후 버스편으로테헤란경유, 2.6 1700 항공편 귀국조치할예정임.

3. 위 양동수에따르면 잔류 현대근로자 10 인중 9 인 (현지인과결혼한 1 인은 타지에대피)은 이락국경에서 5KM 지점에 있는 마을 지하실에 충분한 식량을 가지고 대피중에잇으며 이중 2 인이 시일이 경과한 출국비자를 갖고 철수하려하고있으나 현재까지 확인되지않고 있다고함. 끝

(대사정경일-대책본부장)

예고:91.6.30 일반 애고문에 의거 일반문서로 재 분류됨.

중아국   장관   차관   1차보   2차보   중아국   건설부   노동부

PAGE 1

91.02.03 23:29

외신 2과 통제관 FF

0140

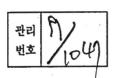

외 무 부

증 별 : 지 급
번 호 : IRW-0108
일 시 : 91 0203 1630
수 신 : 장관(대책본부장, 중근동,노동부,건설부)
발 신 : 주 이란 대사
제 목 : 현대근로자 철수

연:IRW-0102

1. 연호 박타란에 체재중인 현대 이이사는 현대건설근로자 1 인(양동수)의 신변을 2.2. 1800 경(현지시간) 이란측으로부터 인수 호텔에 부숙하였음(태국인 2, 방글라데시인 44, 은 호수라비 난민수용소에 수용)

2. 금 2.3 현재까지 신병이 인수된 현대근로자 3 명은 2.5 오후 버스편으로테헤란경유, 2.6 1700 항공편 귀국조치할예정임.

3. 위 양동수에따르면 잔류 현대근로자 10 인중 9 인 (현지인과결혼한 1 인은 타지에대피)은 이락국경에서 5KM 지점에 있는 마을 지하실에 충분한 식량을 가지고 대피중에잇으며 이중 2 인이 시일이 경과한 출국비자를 갖고 철수하려하고있으나 현재까지 확인되지않고 있다고함. 끝

(대사정경일-대책본부장)

예고:91.6.30 일반

중아국	장관	차관	1차보	2차보	중아국	건설부	노동부

長 官 報 告 事 項

題 目 : 駐韓 이라크 大使代理 接觸

2.5. 양태규 中東阿局 審議官은 Burhan K. Ghazal 駐韓 이라크 大使代理와
午餐을 갖고(中近東課長, Huzam 2등 書記官 同席) 이라크 殘留 我國 勤勞者
安全 問題等을 協議한바, 그 結果를 다음과 같이 報告 합니다.

---

1. 이라크 殘留 現代 勤勞者 및 駐이라크 大使館 殘留 雇傭員 安全 問題

o 양 審議官은 작년 7월 가잘 대사대리의 午餐 招請에 대한 答禮로 今日
갖는 午餐 機會에 주이라크 대사관에 잔류하고 있는 아국인 雇傭員
박상화와 現代 勤勞者 10명의 安全 與否를 本國에 照會, 통보하여 주기를
要請함.

o 이라크 大使代理는 現代 勤勞者 10인의 安危 把握과 철수를 위해 최대로
노력하고 있으며 이들이 出國 手續中인 것으로 알고 있고, 최근에도 이
문제로 現代 하 專務와 電話로 接觸 하였으며, 現代側과 緊密히 協助하고
있다고 함.

o 또한 5-6일전 이라크 정부가 出國을 희망하는 모든 外國人에 대해 出國비자
없어도 出國을 許容하기로 결정 하였다는 本部의 方針을 연락받고 出國비자
없는 직원들도 이란 國境을 통해 出國하도록 現代에 알려주었으나, 出國
비자가 없다는 理由로 이라크 國境에서 이들을 돌려보내 현재 本國 政府에
이에 대해 照會중에 있다 하고 駐 이라크 大使館 雇傭員 박상화의 安全
與否도 本國에 照會, 조만간 通報하여 주겠다고 約束함.

0142

2. 戰後 兩國關係 展望

o 동 大使代理는 西方諸國에 비해 戰後 我國企業의 이라크 進出 機會가
戰前보다 더욱 增大될 것으로 展望하고, 自身의 見解로는 現在까지
我國企業의 中東進出이 成功的이었던 理由는 我國 企業의 實積이
卓越한 면도 있지만, 我國이 아랍지역을 支配한적이 없었던 사실에
起因하는것 같다고 함.

o 戰爭으로 인해 道路, 橋樑, 港灣施設, 建物等이 많이 破壞될 것이며,
이러한 施設의 復舊에는 ~~精密한 技術이 필요하지 않을것이므로~~ 韓國
企業의 參與 機會가 더욱 ~~많아질 것~~으로 생각함.
    (손글씨: 을 것)

3. 醫療支援 派遣

o 양 審議官이 醫療團 派遣에 대한 我國의 立場을 婉曲히 説明한데 대해
이라크 大使代理는 人道的 次元에서 醫療團 派遣을 理解할수 있다는 反應을
보였으며, 我國 醫療團이 사우디에서 이라크 捕虜 44명을 治療하고 있다고
説明하자 感情을 抑制하는 表情을 지었음.

4. 테러 問題

o 2-3일전 我國人에 대한 이라크등 아랍인의 테러 可能性에 대한 言論
報道를 보았으나, 自身의 見解로는 아국인에 대한 팔레스타인등 아랍인의
테러 憂慮는 없다고 봄.

※ 양 審議官은 우리 政府는 아랍인의 行爲로 假裝한 北韓의 테러 可能性을
憂慮하고 있으며, 이라크 政府나 PLO등 政治 團體의 意圖와는 관계없이
自生的인 테러 組織에 의한 테러 可能性도 있음을 指摘하고 政府가
如何한 테러 可能性에 對備하는 것은 당연한 것이라고 言及한바, 首肯
하는 態度를 보임.
    (손글씨: 斯)

5. 걸프戰爭에 대한 展望

o 자신은 모든 形態의 殺傷을 反對하며, 이라크가 Super Power도 아니고,
美國 및 同盟國과의 戰爭에서 勝利할 것으로도 보지 않으나 美國의
攻擊에 대해 國家를 防衛하는 것은 當然한 것임.

o 美國이 戰爭에 勝利한다 하더라도 아랍인의 美國에 대한 憎惡는
數世代까지 남게될 것인바, 戰爭은 美國의 國益에도 도움이 되지 않음.

0143

o 自身은 걸프事態가 政治的으로 解決될 것으로 생각하며, 美國이 安保理 決議 內容을 넘어 擴戰시키는 境遇, 蘇聯, 佛蘭西, EC 諸國의 反對가 있을것으로 봄.

戰爭 勃發前에도 아랍諸國에 自體的으로 事態를 解決하도록 맡겼다면 平和的 解決이 可能하였다고 생각함. 끝.

예 고 : 1991. 6. 30. 일반

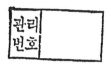

報告畢

1991. 2. 5.
中近東課

長官報告事項

題目 : 駐韓 이라크 大使代理 接觸

2.5. 양태규 中東阿局 審議官은 Burhan K. Ghazal 駐韓 이라크 大使代理와
午餐을 갖고(中近東課長, Huzam 2등 書記官 同席) 이라크 殘留 我國 勤勞者
安全 問題等을 協議한바, 그 結果를 다음과 같이 報告 합니다.

---

1. 이라크 殘留 現代 勤勞者 및 駐이라크 大使館 殘留 雇傭員 安全 問題

ㅇ 양 審議官은 작년 7월 가잘 대사대리의 午餐 招請에 대한 答禮로 今日
갖는 午餐 機會에 주이라크 대사관에 잔류하고 있는 아국인 雇傭員
박상화와 現代 勤勞者 10명의 安全 與否를 本國에 照會, 통보하여 주기를
要請함.

ㅇ 이라크 大使代理는 現代 勤勞者 10인의 安危 把握과 철수를 위해 최대로
노력하고 있으며 이들이 出國 手續中인 것으로 알고 있고, 최근에도 이
문제로 現代 하 專務와 電話로 接觸 하였으며, 現代側과 緊密히 協助하고
있다고 함.

ㅇ 또한 5-6일전 이라크 정부가 出國을 희망하는 모든 外國人에 대해 出國비자
없어도 出國을 許容하기로 결정 하였다는 本部의 方針을 연락받고 出國비자
없는 직원들도 이란 國境을 통해 出國하도록 現代에 알려주었으나, 出國
비자가 없다는 理由로 이라크 國境에서 이들을 돌려보내 현재 本國 政府에
이에 대해 照會중에 있다 하고 駐 이라크 大使館 雇傭員 박상화의 安全
與否도 本國에 照會, 조만간 通報하여 주겠다고 約束함.

0145

2. 戰後 兩國關係 展望

o 동 大使代理는 西方諸國에 비해 戰後 我國企業의 이라크 進出 機會가
戰前보다 더욱 增大될 것으로 展望하고, 自身의 見解로는 現在까지
我國企業의 中東進出이 成功的이었던 理由는 我國 企業의 實積이
卓越한 면도 있지만, 我國이 아랍지역을 支配한적이 없었던 사실에
起因하는것 같다고 함.

o 戰爭으로 인해 道路, 橋梁, 港灣施設, 建物等이 많이 破壞될 것이며,
이러한 施設의 復舊에는 韓國 企業의 參與 機會가 많을것으로 생각함.

3. 醫療支援 派遣

o 양 審議官이 醫療團 派遣에 대한 我國의 立場을 婉曲히 說明한데 대해
이라크 大使代理는 人道的 次元에서 醫療團 派遣을 理解할수 있다는 反應을
보였으며, 我國 醫療團이 사우디에서 이라크 捕虜 44명을 治療하고 있다고
說明하자 感情을 抑制하는 表情을 지었음.

4. 테러 問題

o 2-3일전 我國人에 대한 이라크등 아랍인의 테러 可能性에 대한 言論
報道를 보았으나, 自身의 見解로는 아국인에 대한 팔레스타인등 아랍인의
테러 憂慮는 없다고 봄.

※ 양 審議官은 우리 政府는 아랍인의 行爲로 假裝한 北韓의 테러 可能性을
憂慮하고 있으며, 이라크 政府나 PLO등 政治 團體의 意圖와는 관계없이
自生的인 테러 組織에 의한 테러 可能性도 있음을 指摘하고 政府가
如斯한 테러 可能性에 對備하는 것은 당연한 것이라고 言及한바, 首肯
하는 態度를 보임.

5. 걸프戰爭에 대한 展望

o 자신은 모든 形態의 殺傷을 反對하며, 이라크가 Super Power도 아니고,
美國 및 同盟國과의 戰爭에서 勝利할 것으로도 보지 않으나 美國의
攻擊에 대해 國家를 防衛하는 것은 當然한 것임.

o 美國이 戰爭에 勝利한다 하더라도 아랍인의 美國에 대한 憎惡는
數世代까지 남게될 것인바, 戰爭은 美國의 國益에도 도움이 되지 않음.

0146

ㅇ 自身은 걸프事態가 政治的으로 解決될 것으로 생각하며, 美國이 安保理
決議 內容을 넘어 擴戰시키는 境遇, 蘇聯, 佛蘭西, EC 諸國의 反對가
있을것으로 봄. 戰爭 勃發前에도 아랍諸國에 自體的으로 事態를 解決
하도록 맡겼다면 平和的 解決이 可能하였다고 생각함. 끝.

예 고 : 1991. 6. 30. 일반

0147

| 관리
번호 | 91
105 | | 원 본 |

외 무 부

종 별 : 지급

번 호 : IRW-0123

수 신 : 장관(대책본부장)

발 신 : 주 이란 대사

제 목 : 현대근로자 철수

일 시 : 91 0206 1900

연:IRW-0121(90.2.6)

연호로 기보고한 현대근로자 3 인중 김규문은 현대측의 항공표예약시 착오(성명오기)로 금일 귀국치못하고 2.10 일 19:15 IR-801 편으로 귀국예정임을 보고함. 끝

(대사정경일-대책본부장)

예고:91.6.30 일반 ~고문에
의거 일반~~~로 재 ~~규됨.

중아국   2차보   건설부   노동부

원 본

관리
번호 71/058

외 무 부

종 별 : 지 급

번 호 : IRW-0121

일 시 : 91 0206 1630

현대에 확인할것

수 신 : 장관(대책본부장,중근동,건설,노동,기정)

발 신 : 주 이란 대사

제 목 : 현대근로자철수

연:IRW-0108

1. 연호, 현대근로자 3 인(김규문, 이영일, 양동수)은 2.5 24:00(현지시간)경 테헤란에도착, 1 박후 금 2.6 1915 IR-801 편으로출발, 2.7 13:50 동경착 동일15:50 KE-001 편 18:30 서울도착예정임.

2. 위 3 인에의하면 잔류 10 인중 5 인(김한택대리, 정운봉, 박현수, 이만호, 이경렬)은 바그다드북쪽 약 200 키로지점 키와스 상수도처리 현장에 체류중이며, 나머지 4 인(조성철, 이칠성, 박효중, 이홍규)은 바그다드 현대사무소에 체류중인것으로 확인됨(나머지 1 인 이영철은 현지인과결혼, 철수의사가 전혀없는것으로 판단된다고함)

현재 이들중 키와스 현장근로자 3 인(김한택, 정운봉, 박현수)은 출국비자 발급의 전제조건인 발주처의 SUPPORTING LETTER 를 얻지 못하였기때문에 바그다드에 잔류중인 4 인은 상기 3 인의 출국수속지연및 비교적상황이 심각하지않은 현지 분위기로 인하여 대피를 서두르지않고 있는것으로 추정되고있음.

3. 위 3 인의 건강상태는 양호한것으로 보이며 진전상황 추보하겠음. 끝

(대사정경일-대책본부장)

예고:91.6.30 일반 ㅁㅁㅇ
의거 일반문서로 재 ㅁㅁㅁ.

중아국	장관	차관	1차보	2차보	안기부	건설부	노동부

PAGE 1

현대건설 하오문 전무 통화 보고

(2.8 16:00)

ㅇ 2.2 이라크 출국한 자사소속 양동수에 의하면

- 바쿠바에 현대직원 10명 체류중인바

- 이중 3명은 출국비자 미발급으로 키루크(발주처 소재지,
  키와스근처)에 왕래 중이며

- 나머지 6명은 현재 바쿠바에 안전하게 대피 중임.

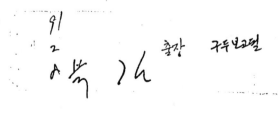

0150

현대건설 대책본부 이종윤 차장 전화보고

<2.10. 16:00>

o 이라크 국경을 통과, 이란 국경도시 박타란에 현재 체류중인 현대 소속 방글라데쉬 근로자 44명이 현대 이재우 이사 인솔하에 금일 테헤란에 도착함.

o 현대측은 이들을 주이란 방글라데쉬 대사관에 곧 인계할 예정임.

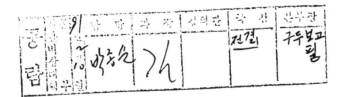

0151

관리 번호	91/145			분류번호	보존기간

발 신 전 보

WIR-0157   910210 1705 DP

번   호 :   종별 :

WJO -0169

수   신 : 주   이란   대사. <s>총영사</s>

발   신 : 장   관   (중근동)

제   목 : 이라크체류 현대소속인원 소재파악

대 : IRW-0108, 0121

1. 여러가지 정보'을 종합해 보면 다국적군은 본원 지상전을 개시한 것으로 보이며
오경우 화학전 가능성도 많다는 것이 일반적인견해 인바, 이라크에 잔류중인 ~~현대~~ 아국인 11명
의 소재 및 안전
여무가 크게
우려됨.

2. 대호 관련, 이라크 바쿠바에 현재 체류중인 것으로 알려진 현대소속

10명 및 아국 공관 고용원 1명의 소재 및 안전여부에 대해, 지난 2.2. 이들과

함께 있다가 이란으로 입국한 양동수에 의해 알려진 소식이후로는 전혀 이들의

소식을 알수없어, 본부는 주한 이라크 대사관을 통해 이들의 근황파악을 시도

하고 있으나 상금 본부 및 현대 본사측에서도 별다른 소식을 접하지 못하고

있으니, 귀관도 이들의 근황 파악을 위해 다각적인 노력을 다해주기 바람.

3. 이들의 소재 및 안전여부에 대해 국내언론은 물론 각계요로에서도

지대한 관심을 갖고있으니 귀지 현대지점과도 수시접촉, 진전사항 보고바람.   끝.

(중동아국장 이 해 순)

예고 : 91.6.30.일반.

> 1991. 6.30. 에 예고문에
> 의거 일반문서로 재 분류됨.

사본 : 주 요르단 대사

				보 안 통 제	74

앙 고 재	91 년 2 월 19 일 중근동	기안자 성명 박중신	과 장 74	심의관 출장	국 장	차 관	장 관 애	외신과통제

0152

건   설   부

해건 30600-3765   (503-7416)   1991. 2. 11

수신 외무부장관   (1년)

제목 근로자 안전대책

　　1. 걸프사태 발발후 쿠웨이트. 이라크 및 사우디 동부지역에
진출해 있는 해외건설 인력의 철수를 위하여 그동안 귀부에서 취해
주신 제반지원에 대하여 감사의 뜻을 표하고 앞으로도 각별한 협조를
바라오며,

　　2. 주이란 한국대사의 보고에 의하면 이라크 잔류인력 10명이
발주처의 출국동의서 발급지연과 출국비자를 받지 못하는 등의 이유로
출국수속이 지연되고 있다는바 귀부에서 주한 이라크대사로 하여금
조속한 시일내에 잔류인력이 철수할 수 있도록 협조요청하여 주시고
주이란 한국대사에게도 이라크 잔류근로자의 안전철수에 만전을
기할 수 있도록 훈령조치하여 주시기 바랍니다.

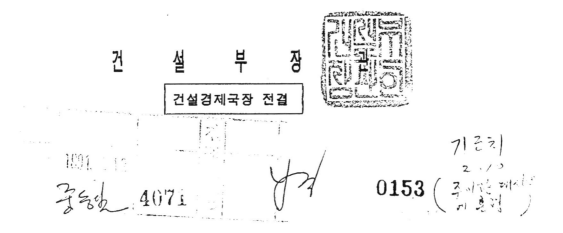

건   설   부   장

건설경제국장 전결

0153

┌─────┐
│관리 │ 91/1066
│번호 │
└─────┘

┌──────────┐
│ 원 본 │
└──────────┘

외 무 부

종 별 : 지급

번 호 : IRW-0140   일 시 : 91 0211 1500

수 신 : 장관(대책본부장,중근동,건설,노동,기정)

발 신 : 주 이란 대사

제 목 : 현대근로자철수

　　1. 91.2.11 13:50 주재국 박타란 주정부로부터 아국인 5 명이 이락으로부터 이란국경도시(호스라비)으로 월경하여 금일밤(8-9 시 현지시간)동인들을 박타란으로 이동시킬계획이라는 사실을 통보받음

　　2. 상기 통보에의하여 당지에 체류중인 현대건설직원(이재호이사)과 5 명의인적사항을 확인결과 이락잔류현대근로자및 가족으로 확인되어 동 이재호이사를 2.11 15:00 박타란으로 출발시켰으며 (현재 현대소속 현지인 1 인이 박타란시에 대기중임)동인들의 테헤란 이동및 출국문제는 주재국외무성과 협조조치위계임.

　　3. 동인들의 인적사항은 아래와같음.

성명/ 생년월일/직업/여권번호

CHIL SONG LEE(이칠성)/1959/ 엔지니어/███

PARK MIN RO(박민호 ?)/1988/-/███

PARK SHINE HO(박신호)/1988/-/███

LEE HONG KUE(리홍구 ?)/1943/ 엔지니어/███

PARK HOY JONG(박희정)/1956/EMPLOYEE/███

(박타란도착시 상세인적사항 재확인보고하겠음). 끝

(대사정경일-대책본부장)

예고:91.6.30 일반 (904)호에
이제 인반문서로 재 분류함.

중아국　　장관　　차관　　1차보　　2차보　　안기부　　건설부　　노동부

91.02.11　21:11
외신 2과 통제관 EE
0154

기 안 용 지

분류기호 문서번호	중근동720-303	(전화 :)	시 행 상 특별취급	
보존기간	영구·준영구. 10. 5. 3. 1.		장 관	
수 신 처 보존기간				
시행일자	1991. 2. 11.			

보조기관	국 장	전결	협조기관	
	심의관	황		
	과 장			
기안책임자	박 종 순			

경 유 수 신 참 조	현대건설 주식회사 사장	발신명의	

제 목   이라크 잔류 귀사 소속근로자 출국

1. 여러가지 정보를 종합해 보면 다국적군은 불원 지상전을 개시한 것으로 보이며 그경우 화학전 가능성도 많다는 것이 일반적인 견해 인바 이라크에 잔류중인 귀사소속 근로자 10명의 소재 및 안전여부와가 크게 우려됩니다.

2. 관련 지난 2.2. 이란으로 입국한 귀사 소속 양동수에 의해 알려진

소식 이후 이들의 근황이 전혀 파악되지 않고 있는바, 현재 파악되고

있는 이들의 소재, 이들이 상금 출국하지 못하고 있는 이유 및 이들의

출국과 관련한 귀사의 방침이 무엇인지를 당부에 회보하여 주시기

바라며, 이들 잔류자들의 철수에 최대 노력을 다해 줄것을 요청하오니

이에 협조하여 주시기 바랍니다.   끝.

0155

1505-25(2-1) 일(1)갑
85. 9. 9. 승인   "내가아낀 종이 한장 늘어나는 나라살림"
190mm×268mm 인쇄용지 2급 60g/㎡
가 40-41   1990. 5. 28

外務部 걸프事態 非常對策 本部

題 目 : 현대건설 대책반 보고 요약   1991. 2. 12.

1. 현지시간 2.11. 17:00 경 현대직원 3명과 직원가족 2명이 이란 국경
   호스라비 도착
   - 박효중(사원, 35세), 아들 2명 민우(7세), 진우(5세) 동반
   - 이칠성(근로자, 32세)
   - 이흥규(근로자, 48세)

2. 현지시간 2.12. 오후 늦게 바크타란에 도착하여 현대측에 인계되며,
   현대측은 인수 즉시 테헤란으로 이송하여 최단 항공편으로 귀국시킬
   예정임(2.14. 저녁 서울 도착 가능 예상)

3. 현대측은 잔류(원)에 대한 출국비자 획득을 위해 계속 발주처와 접촉하고
   있는바, 조만간 출국비자 획득하여 출국가능 예상됨. 잔류인원 7명중
   현지인과 결혼한 이영철은 처가쪽 가족들과 국경지대 시골로 대피 하였으며,
   김한택 대리등 5명은 키르쿡 지역 현장에, 그리고 나머지 1명은 이라크 사업
   본부에 있는 것으로 파악됨.

4. 금번 출국한 박효중의 현지인 처 모나 케일러는 아직 출국 허가를 획득치 못하여
   3남 신우(2세)와 함께 잔류함.

5. 현대측은 KBS 국제방송(단파)을 통해 잔류자들에게 즉시 출국토록 노력할
   것을 계속 권유해 왔고 주한 이라크 대사관등을 통해 이들의 출국수속 적극
   협조를 요청해 왔음.

담 당	과 장	심의관	국 장	본부장

0156

外務部 걸프事態 非常對策 本部

題 目: 이라크 잔류 현대근로자 일부 철수 (91.2.12)
(주이란 대사 보고)

1991. 2. 12.

ㅇ 현지시간 2.11. 13:50 이란 현대직원 3명 및 직원가족 2명, 이란 국경도시
호스라비에 도착하여, 2.11. 20:00-21:00(현지시간) 바크타란 이동 예정
(이란 바크타란 주정부가 주이란 대사관에 통보)
- 박효중 (1956년생, 근로자)   사정
- 이칠성 (1959년생, 엔지니어)
- 이홍규 (1943년생,   ″   )
- 박민우 (1988년생, 박효중 아들)
- 박신우 (1988년생,   ″   )
ㅇ 2.11. 15:00(현지시간) 현대측 이재호 이사가 바크타란으로 출발
(현재 현대소속 현지인 1인이 바크타란시에 대기중임)
ㅇ 주 이란 대사관은 동인들의 테헤란 이동 및 이란 출국문제에 대해 이란
외무성과 협조 조치 예정임.
ㅇ 현대측(본사)에 의하면, 이라크 잔류자중 일부(3명)에 대한 출국비자 획득을
위해 계속 발주처와 접촉중이며, 조만간 출국비자 획득하여 출국 가능 예상되며,
잔류 직원 7명중 현지인과 결혼한 이영철은 처가쪽 가족들과 국경지대
시골에 대피하였고, 김한택 대리등 5명은 키르쿠 지역 현장에, 그리고 나머지
1명은 이라크 사업본부에 있는 것으로 파악됨.

※ 상기 현대직원 박효중은 이라크 국적 현지 여성과 결혼, 자녀 3명을 갖고
있으나, 동 가족은 이라크 잔류 현대 인원 통계에서는 제외됨.

	담 당	과 장	심의관	국 장	본부장
	박광순	1/4	104		

0157

20799

여배 바크타란 주재 현대건설 이재호   보고
===

1. 2월 11일 현지시간 저녁 5시경(서울시간 2.11일 밤 10:30) 3명의 현대인원과 혁전
   가족(아이들) 2명이 호스라비 이란 국경을 통해 이란에 도착했음.

   1) 박효중 사원   (35세, 이락사업본부 소속)
   2) 근로자 이칠성 (32세,   "   )
   3) 근로자 이흥규 (48세,   "   )
   4) 아동   박민우 (7세, 박효중씨 장남)
   5) 아동   박진우 (5세, 박효중씨 차남)

        계   5 명

2. 이들 5명은 2월 12일 현지시간 오후 늦게 바크타란에 도착하며 현대측에 인계될
   것으로 보이며 회사측은 이들을 인수즉시 대혜란으로 이송하여 가급적 빠른
   시일에 귀국토록 현재 항공편을 주선중에 있음.
   빠르면 2월 13일 수요일 저녁 대혜란을 출발하는 이란 항공편을 이용 몽경 경유
   2월 14일 저녁 서울 도착도 가능하리라 보고 있음.

3. 현대측은 현재 남아 있는 근로자들중 일부는 당초에 출국비자가 없던 사람들로서
   그동안 출국비자 수속을 위해 발주처와 계속 접촉해왔기 때문에 조만간 이들도
   출국이 가능할 것으로 보고있음.
   잔류인원 7명중 현지인과 결혼한 이영철씨는 처가족 가족들과 국경지대 시골로
   대피하였다고 알려졌으며 현재 북쪽 기르쿡 지역 현장에는 집혁멱 석택등 5명
   그리고 이락 사업본부에 1명등이 있는 것으로 소재파악이 되었음.

4. 한편 이번에 출국한 박효중씨의 현지인 부인 모나 케일러씨는 국적이 이락으로서
   출국수속관계로 아직 출발하지 못한 것으로 보이며, 막내아들 신우군(2세)은 부인
   과 잔류한 것으로 보임.

5. 현대측에서는 지난주 부터 잔류자 가족을 동원 KBS 국제방송(단파)을 통해 즉시
   출국토록 적극 노력해 주기를 권유해왔고 주한 이락 대사관등을 통해 이들의
   출국 수속등에 적극 협조해 주도록 요청을 해오고 있다.

91. 02. 12 09:12   *

P 02
0158

現 代 建 設 株 式 會 社
(746 - 2523)

현전(외업) 제91-0076호   20855   1991. 2. 12

수   신   외무부 중동 아프리카 과장

발   신   현대건설(주) 걸프대책 본부장

제   목   이락 잔류인원 가족사항

1. 2월 11일 이락에서 두아들과 함께 출국한 박효중씨는 현지에 이라크인 부인과
   아들(2살) 하나를 남겨놓고 있읍니다. 박효중씨는 전가족과 함께 출국하려고
   노력했으나 부인이 이락 당국의 출국허가를 득하지 못하였고 막내아들은 너무
   어리기 때문에 박효중씨가 무아들을 데리고 우선 출국을 하게 되었읍니다.

2. 이락에 잔류중인 이영철씨는 현지에 이라크인 부인과 딸(5살)하나를 무고 있으며
   부인이 출국허가를 얻지 못하고 있기 때문에 이영철씨와 딸도 출국을 못하고
   있읍니다.

0159

관리
번호 91/108

외 무 부

원 본

종 별 : 지 급

번 호 : IRW-0141

일 시 : 91 0212 1200

수 신 : 장관(대책본부장,중근동,건설,노동,기정)

발 신 : 주 이란 대사

제 목 : 현대근로자철수

연:IRW-0140

1. 연호, 이락으로부터 철수한 현대근로자 5 인은 현대 이재호이사와함께 박타란시 호텔에 부숙중임.

2. 당관은 동인들의 구정전 귀국을위해 가장빠른 2.13 17:15(현지시간) 항공편 예약을 주재국 외무성에 의뢰 추진중이나 불가피한경우(현재 주재국 회교혁명기념 당지 관청휴무중) 늦어도 2.20 17:15(현지시간) 항공편으로 귀국조치하였음.

2. 동인들의 인적사항 재확인결과 아래와같음.

성명/ 생년월일/ 여권번호/비고

CHIL SUNG LEE(이칠성)/59.5.24/███████/ 현대건설 총무임시직원

HONG KYOO LEE(이홍규)/43.8.1/███████/ 기능직원)

HYO JOONG PARK(박효중)/56.12.21/███████/ 사원

MIN WOO PARK(박민우)/84.10.24/███████/ 박효중자

SHIN WOO PARK(박신우)/87.1.26/███████. 끝

(대사정경일-대책본부장)

예고:91.6.30 일반

중아국	차관	1차보	2차보	정와대	안기부	건설부	노동부

PAGE 1

외 무 부

종   별 :

번   호 : IRW-0156   일   시 : 91 0218 1400

수   신 : 장관(대책본부장,중근동,마그,기정)

발   신 : 주이란대사

제   목 : 걸프전

　　1. 당관은 현재 걸프전이 소강상태에 있고 이라크 잔류 현대근로자(6명)의 이라크출국 비자 취득지연으로 당분간 이란으로의 조기 철수 가능성이 희박하여, 현재 24시간 당직 근무체제를 0600-2200 간 당직근무로 전환함을 보고함. 2200-0600 간 연락처는 622094(천인필 서기관자택)과 272042(관저)임.

　　2. 연이나 걸프전의 확대시는 즉시 24시간 근무체제로 전환할것임. 끝

　　(대사정경일-대책본부장)

대책반	장관	차관	1차보	2차보	미주국	중아국	중아국	정문국
청와대	총리실	안기부	선윤	선이	현영일			

PAGE 1

91.02.18   21:06 DQ

외신 1과 통제관

0161

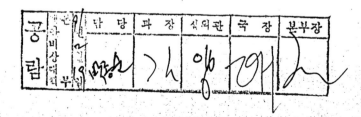

전 보 접 수

31156

'91. 2. 19

0162

원 본

관리 91/기
번호

외 무 부

종 별 : 지 급

번 호 : IRW-0163   일 시 : 91 0220 1900

수 신 : 장관(중근동,노동,건설,기정)

발 신 : 주 이란 대사

제 목 : 현대근로자 철수

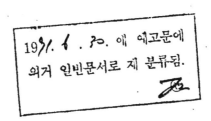

연:IRW-0141

1. 연호, 현대근로자 3 명과 그중 1 명의자녀 2 명은 금 2.20 1915 IR-801 편 귀국 예정임.

2. 위 3 인들에의하면 잔류자 6 명(귀국불원 1 명제외)이 이락정부의 출국사증 발급 지연으로 금일현재까지 출국이 이루어지지않고있다고함. 이와관련 이락 인근국에서 아국공관이 동지역주재국 이락공관과 접촉 상기 잔류자들의 출국허가가 발급되도록 교섭하는것이 도움이 될것이라고 판단되는바, 당관에서도 이러한 교섭을 하는것이 필요할경우 지시하여주기바람. 끝

(대사 정경일-대책본부장)

예고:91.6.30 일반

1991. 6. 30. 애 예고문에
의거 일반문서로 재 분류됨.

중아국   차관   1차보   2차보   청와대   안기부   건설부   노동부

PAGE 1   91.02.21   02:53

외신 2과   통제관 CF

0163

	분류번호	보존기간

발 신 전 보

번 호 : WIR-0185   910222 1639 CG   종별 : 지급

WJO -0193

수 신 : 주 수신처 참조 대사 / 총영사

발 신 : 장 관 (전동일)

제 목 : 이라크 잔류 현대 근로자 출국 문제

대 : IRW -0163

연 : WIR - 0157, WJO - 0169

　　　　1. 이라크 잔류 현대 근로자 7명이 이라크 정부의 출국 사증발급 지연으로
상금 이라크 출국이 이루어 지지 않고 있는 것으로 보여지고 있으며, 이들의 안전
문제가 우려되고 있는 가운데 국내 언론 및 각계 요로에서도 지대한 관심을 갖고
있는 바, 귀관도 주재 이라크 공관과 접촉, 이들의 출국 허가가 발급 되도록
교섭하여 주기 바라며, 결과 보고 바람.

　　　　2. 본부에서도 주한 이라크 대사관을 통해 상기 잔류자들의 신변안전 및
출국 문제에 대한 협조를 요청한 바 있었음을 참고 바람. (2.5. 중동아국 심의관의
주한 이라크대사대리와 오찬이 있었는바 리랑 참고로만 하기 바람)

　　　　　　　　　　　　　　　　(중동아국장 이 해 순)

수신처 : 주 이란, 요르단 대사
예 고 : 91. 6. 30. 일반

19 91 6. 30. 에 예고문에
의거 일반문서로 재 분류됨.

	보 안 통 제	가

앙 고 재	91 년 2 월 22 일	중 동 1 과	기안자 성 명 박흥순	과 장	가	심의관	앙	국 장	전결	차 관	장 관	79	외신과통제

0164

관리 번호	91 152

원 본

외 무 부

종 별 : 지 급

번 호 : JOW-0212

일 시 : 91 0224 1600

수 신 : 장 관(중동일,기정)

발 신 : 주 요르단 대사

제 목 : 이라크 잔류 현대근로자 문제

대:WJO-0193

1. 대호 이라크 잔류 현대요원 출국사증 발급을 위한 당지 이라크 대사관측과의 측방 교섭건은 2.24. 지상전 돌입 및 아측의 동 작전 지지등의 여건 변화를 고려하여 차후 적절한 시기에 추진함이 바람직할것으로 사료됨

2. 당지 현대지사에서 2.18. 현지인편으로 파악한 이락잔류 요원의 근황으로는 7명 전원 무사하며, 이중 2명은 바그다드, 5명은 키와스(터키국경쪽 300KM 지점) 켐프에서 안전하게 대피해 있고 이들 중에는 현지인과 결혼하여 가족과함께 계속잔류를 희망하는 근로자도 있다함

3. 한편 MBC 당지 취재팀은 이들 잔류 인원들의 본국 가족에 대한 안부 인사 카셋트 녹음을 위해 2.23. 현지인편(운전사)에 녹음의뢰 하였다는바 빠르면 2.25 일경 근황을 들을수 있을 예정임

(대사 박태진-국장)

예고:91.6.30 일반

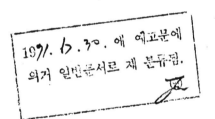

1991. 6. 30. 애 예고문에 의거 일반문서로 재 분류됨.

공보관에
사본 송부요

중아국	장관	차관	1차보	2차보	청와대	안기부

관리
번호 81/142

원 본

외 무 부

종   별 : 지급 WTO-0205

번   호 : IRW-0185   일   시 : 91 0225 1000

수   신 : 장관(중동일,건설,노동,기정)

발   신 : 주 이란 대사

제   목 : 이라크잔류 현대근로자 출국문제

대:WIR-0185

1. 대호관련, 2.24(일) 당관 전참사관은 당지주재 이라크대사관 DURAID 영사를 면담, 이라크잔류 현대근로자 명단을 전달하고 출국사증발급등과 관련한 이라크측의 협조를 당부하였음.

2. 동인은 현재 동대사관과 바그다드와의 직교신이 두절되어있어, 긴급사항만이 주요르단 이라크대사관에 타전되어, 그곳에서 육로로 바그다드에 전달되고있으나 본부의 수령여부가 확인되지 않고 있으며, 바그다드행 외교행낭은 월 1 회정도 이.이국경을 거쳐 육로로 송부를 예정하고 있으나, 최근 폭설및 다국적군의 공습확대로 시행가능 여부가 불확실하다고함. 그러나 동인은 가능한대로 아측의 요청사항및 명단을 본부에 전달하겠다고말함.

3. 또한 자신이 들은바로는 바그다드 소재 이민국사무소는 폐쇄되었으나, 약10 일정부터 이.이국경지역인 엘문드리아(ALMONTHERIA) 지역(이란내 호스라비건너편)에 이민국사무소의 분소가 개설되어, 본부의 지시없이 출국비자를 발급하고있는것으로 아는바, 출국희망 아국인은 일단 엘문드리아로 와서 출국비자를 신청하는것이 보다 용이할것이라고말함. 최근 수일간 수명의 제 3 국인이 엘문드리아의 이민국분소로부터 출국비자를받아, 이란으로 넘어온것을 확인한바있다고말함.

4. 동인은 동건관련 진전사항이나, 외국인의 출국조치관련 정보가 있을경우아측에 봉보하여줄것을 약속함.

5. 당관은 당지체류 현대건설직원에게 상기내용을 봉보한바, 본부에서도 동내용이 이라크내 잔류근로자에게 전달될수있도록 조치바람. 끝.

(대사정경일-국장)

예고:91.6.30 일반

중아국   차관   1차보   2차보   안기부   건설부   노동부

PAGE 1

外務部 걸프事態 非常對策 本部

題 目 : 이라크 잔류 현대 근로자 근황   1991. 2 . 24 .

o 이라크 잔류 현대 근로자 7명 전원 무사함 (요르단 현대 지사에서 2.18. 현지인편
   파악)
   - 2명은 바그다드, 5명은 키와스 현장캠프 (키루크 소재, 터어기 국경 쪽
     300km 지점) 안전대피 중임.
   - 이들중 현지인과 결혼한 근로자는 가족과 함께 계속 잔류희망.

o 요르단 체류 MBC 취재팀은 이들의 본국 가족에 대한 안부인사 카셋트 녹음을
   위해 2.23. 요르단 인편 (운전사)에 녹음 의뢰 하였다는 바, 불원간 근황을
   접할 수 있을 ~~예정임.~~ 것으로 예상 (주요르단 대사 보고)

o 이들의 신변안전과 출국 문제를 위해 2.22. 주 이란 및 요르단 대사에게 주재
   이라크 대사관과 교섭토록 지시한 바 있으며, 조만간 결과 접수 예정.

o 또한 1.17. 이후 부터 수시로 (7번) KBS 국제 방송을 통해 이들에게 안전대피 및
   출국수속을 서둘러 조속 출국토록 촉구하는 내용의 메세지를 발송
   하였고, 앞으로도 계속 할 예정임 (현대 본사와 협조).

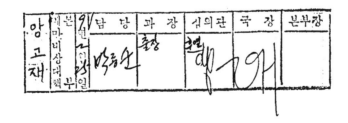

0167

政府綜合廳舍 810號   電話 : 730-8283/5, 730-2941. 6. 7. 9, (구내) 2331/4, 2337/8   Fax : 730-8286

원 본

외 무 부

종 별 :

번 호 : JOW-0218   910228 1849 FD   일 시 : 91 0227 2130

수 신 : 장 관(중동일,기정)

발 신 : 주 요르단 대사

제 목 : 이라크 잔류 현대근로자 문제

연:JOW-0212

1. 이라크 잔류 현대근로자 문제와 관련, 연호로 기보고한 MBC 취재팀이 파견한 택시운전사가 바그다드 소재 현대 CAMP 근로자의 메모를 휴대 2.26 당지에 귀환하였음(육성녹음은 못하였음)

2. 동메모에 의하면 주 이라크 대사관은 현지 경찰이 상시 경비에 임하고 있으며 건물은 외형상 피해가 없다고 함. 또한 공관 고용원도 안전함이 확실하며현대근로자 7 명도 관할 경찰서의 24 시간 경비 지원하에 전원 무사하다고 알려왔음

3. 상기와 관련 2.25. 현재 바그다드는 간헐적인 공습이 있으나 평온한 상태라고 하며 동근로자의 안전에 대해서는 염려할 필요가 없음을 첨언하였음

(대사 박태진-국장)

예고:91.6.30 일반

1991.6.30. 에 예고문에
의거 일반문서로 재 분류됨.

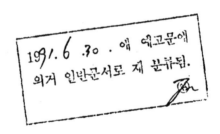

중아국	장관	차관	1차보	2차보	청와대	안기부

① 사본→공보관 [인]

② 주이란대사관
1copy 추가 배포要 [인]

③ 총리실 1copy 추가 [인]

PAGE 1

91.02.28   07:17

외신 2과 통제관 FE

0168

外務部 걸프戰 事後 對策班

제 목 : 이라크 잔류 현대소속 근로자 동정

(현대건설 김호영 이사 보고 내용)   91. 3. 14.

1. 현　　황

   o 바그다드 현대지점 본부 잔류 : 근로자 2명 및 가족 2명

   o 키와스 현장(키루쿠 지역) 잔류 : 직원 ~~5~~명, ~~근로자 4명~~

2. 근　　황

   o 최근 10일동안 요르단 현지인 메신저(현대 요르단 지점 고용)가
     매일 이라크에 파견돼, 상기인들 소식을 접하고 있으며, 또한 현대
     본사측 메시지들을 전달

     - 이들 전원 무사함을 확인후 귀임

   o 3.13. 현대측, 동 메신저편에 최근 이라크 정세 불안(키와스 지역
     치안상 위험성 상존)으로 키와스 체류 5명 전원을 바그다드 현대
     본부로 이동토록 지시하는 본사의 메세지를 전달한 바 있음

앙고제	91년3월 중근동과 일	담 당	과 장	심의관	국 장 전결	차관보	차 관	장 관
		박종순						

0169

이태지역 인원현황

한국인	방글라데시	계
9	9	18

구분	한 국 인				삼국인 (방글라)	계	비 고
	직 원	근 로 자	가 족	소 계			
I P O C	-	2 (조성철, 이영철)	2 (박진우-박효준 사원 부내) (이수인 - 이영철 세대)	4	2	6	
K I W A S	1 (김한백 과장)	4 (박희수, 장운봉, 이정열, 이만호)	-	5	7	12	
계	1	6	2	9	9	18	

인원현황 . 132.5
0170

| 관리
번호 | 9/226 |

분류번호	보존기간

발 신 전 보

번   호 : WJO-0297   910402 1912 CO   종별 :

수   신 : 주 요르단   대사. 총영사

발   신 : 장 관 (중동일)

제   목 : 주이라크 아국공관 고용원 안전 여부

걸프전이후 이라크 내전이 계속 되고 있어 이라크에 잔류하고 있는 아국
공관 고용원 박상화(57.1.6생)의 안전여부가 궁금한바, 귀지 현대 지점과 협조하여,
바그다드 소재 현대 지점 잔류근로자들과 연락을 취하기 위해 이라크에 파견되고
있다는 현지인 메센저 (주1회) 인편에, 상기 박상화의 안부를 묻는 내용의 귀관여
작성 메시지를 휴대케하여, 동인의 안전여부를 확인토록 하고, 결과 보고 바람.   끝.

(중동아국장 이 해 순)

예고 : 1991. 12 . 31. 일반

91. 6. 30. 김포라

| 보안
통제 | |

| 앙
고
재 | 91
년4
월2
일 | 중동1
과 | 기안자
성명
박총순 | 과장
74 | 심의관
앵 | 국장
전결 | 차관 | 장관 | 외신과통제 |

0171

관리번호 91/264

원 본

외 무 부

종 별 :

번 호 : YGW-0277

일 시 : 91 0402 1640

수 신 : 장관(중동일,동구이)

발 신 : 주 유고 대사

제 목 : 주이라크 대사관 고용원 소재 확인

대:WYG-0272

1. 대호 박상화 소재 확인문제에 관하여 당관 이태식 참사관이 금 4.2(화)VLADIMIR KERECKI 외무성 중동과 부과장에게 협조를 요청하였는바 지급 이락주재 자국대사관에 지시하여, 가능한 소재 파악에 협조하겠다고 약속하였음(대호 관저및 청사전화번호및 주소봉보)

2. 동인에 의하면 주이락 대사관도 현재 다수 유고상사및 업체의 잔류재산및관계인사 소재 확인에 주력하고 있다고함. 끝

(대사 신두병-국장)

예고:91.12.31 까지

91-6.30. 김포교 구-

중아국   차관   1차보   2차보   구주국

PAGE 1

91.04.03   05:34

외신 2과 통제관 CE

0172

외 무 부

종 별 :

번 호 : JOW-0356

일 시 : 91 0408 0930

수 신 : 장 관(중동일,중동이,기정)

발 신 : 주 요르단 대사

제 목 : 주 이라크 아국 공관 고용원 안전여부

대:WJO-0297

1. 대호관련, 4.3. 현대측에서 파견 4.5. 복귀한 현지인 메신저편에 고용원박상화는 편지 4 봉(주 이라크 대사관 직원앞 3 봉, 당관직원 1 봉)을 보내 왔음

2. 당관으로 보낸 서신에 의하면 동인은 무사하나, 생필품 특히 유류부족으로 어려움을 겪고 있다하며, 삼성 현장사무소 보관 유류의 사용 협조를 요청하였음

3. 동인의 편지 내용에는 대사관의 피해여부가 언급되지 않았으나, 메신저가 목격한바에 의하면 외형상 별피해가 없다함

4. 동인이 필요로하는 유류는 소량일 것인바 어떠한 방법으로던지 적절히 처리토록 하고 본인이 필요로하는 생필품 일부를 차기 메신저편에 1 차 송부, 수시 동인에 대한 안전점검 적절히 대처 위계임

5. 주 이라크 대사관 직원앞 서신은 금 7 일 정파편 송부함 조태용 서기관, 임현식 외신관, 홍기철 참사관(안기부 파편)

(대사 박태진-국장)

예고:91.12.31 까지

91. 6. 30.

중아국	장관	차관	1차보	2차보	중아국	청와대	안기부

외교문서 비밀해제: 걸프 사태 12
걸프 사태 재외동포 철수 및 보호 2: 쿠웨이트 및 이라크(2)

초판인쇄 2024년 03월 15일
초판발행 2024년 03월 15일

지은이 한국학술정보(주)
펴낸이 채종준
펴낸곳 한국학술정보(주)
주 소 경기도 파주시 회동길 230(문발동)
전 화 031-908-3181(대표)
팩 스 031-908-3189
홈페이지 http://ebook.kstudy.com
E-mail 출판사업부 publish@kstudy.com
등 록 제일산-115호(2000. 6. 19)

ISBN 979-11-6983-972-3 94340
      979-11-6983-960-0 94340 (set)

이 책은 한국학술정보(주)와 저작자의 지적 재산으로서 무단 전재와 복제를 금합니다.
책에 대한 더 나은 생각, 끊임없는 고민, 독자를 생각하는 마음으로 보다 좋은 책을 만들어갑니다.